D0231534

ullstein

Das Buch

Als sie am frühen Morgen des 2. März 1998 auf dem Weg zur Schule von einem Mann in einen weißen Lieferwagen gezerrt wird, glaubt sie, bald sterben zu müssen. Stunden später liegt die Zehnjährige, eingewickelt in eine Decke, auf dem kalten Fußboden im Keller eines Einfamilienhauses. Um sie herum herrscht absolute Dunkelheit, die Luft ist schal und stickig. Hier, in dem nur knapp fünf Quadratmeter großen Verlies, wird Natascha Kampusch die nächsten achteinhalb Jahre leben. Wolfgang Priklopil ist der einzige Mensch, dem sie sich anvertrauen kann. Sie wird von ihm misshandelt, gedemütigt, gepeinigt und unterdrückt. Erst im Sommer 2006, am 23. August, gelingt ihr die Flucht – nach 3096 Tagen.

Offen und schonungslos berichtet Natascha Kampusch von ihrer schwierigen Kindheit, der Gefangenschaft, den körperlichen und seelischen Misshandlungen. Aber sie beschreibt auch, wie sie in der ausweglosen Situation lernte, den Verbrecher in Schach zu halten. Es ist die Geschichte einer Kämpferin, die Unvorstellbares durchhielt und sich nie brechen ließ.

Die Autorin

Natascha Kampusch wurde 1988 in Wien als Tochter einer Schneiderin und eines Bäckermeisters geboren. Ihre Eltern, die nie miteinander verheiratet waren, trennten sich als Kampusch noch klein war. Sie hat mütterlicherseits zwei ältere Halbschwestern. Vor ihrer Entführung besuchte sie die vierte Klasse der Volksschule.

Weitere Informationen finden Sie unter: www.natascha-kampusch.at

Natascha Kampusch

3096 Tage

Ullstein

CONSTANTIN FILM ZEIGT EINE CONSTANTIN FILM PRODUKTION IN CO-PRODUKTION MIT ARD DEGETO BAYERISCHER RUNDFUNK UND NORDDEUTSCHER RUNDFUNK „3096 TAGE" ANTONIA CAMPBELL-HUGHES AMELIA PIDGEON THURE LINDHARDT DEARBHLA MOLLOY PRODUKTIONSLEITUNG MARK NOLTING MUSIK MARTIN TODSHAROW MONTAGE MONA BRÄUER SZENENBILD BERND LEPEL MASKENGESTALTUNG MICHAEL BALLHAUS A.S.C. HERSTELLUNGSLEITUNG CHRISTINE ROTHE PRODUZENT MARTIN MOSZKOWICZ DREHBUCH RUTH TOMA UNVOLLENDETEN DREHBUCH VON BERND EICHINGER NACH DEM GLEICHNAMIGEN AUTOBIOGRAFIE VON NATASCHA KAMPUSCH REGIE SHERRY HORMANN

GEFÖRDERT DURCH   FFF Bayern   Deutsches Filmförderfonds   FFA···

ARD®Degeto   BR°   NDR°   /3096.FILM   3096TAGE.DE   DOLBY DIGITAL   Constantin Film

Besuchen Sie uns im Internet:
www.ullstein-taschenbuch.de

Neuausgabe im Ullstein Taschenbuch
1. Auflage Februar 2013
© Ullstein Buchverlage GmbH, Berlin 2010/List Verlag
Umschlaggestaltung: © ZERO Werbeagentur, München
Titelabbildung: Constantin Film Verleih GmbH/Mathias Bothor/Photoselection
Satz: Pinkuin Satz und Datentechnik, Berlin
Papier: Pamo Super von Arctic Paper Mochenwangen GmbH
Druck und Bindearbeiten: CPI – Ebner & Spiegel, Ulm
Printed in Germany
ISBN 978-3-548-37507-6

Psychisches Trauma ist das Leid der Ohnmächtigen. Das Trauma entsteht in dem Augenblick, wo das Opfer von einer überwältigenden Macht hilflos gemacht wird. Ist diese Macht eine Naturgewalt, sprechen wir von einer Katastrophe. Üben andere Menschen diese Macht aus, sprechen wir von Gewalttaten. Traumatische Ereignisse schalten das soziale Netz aus, das dem Menschen gewöhnlich das Gefühl von Kontrolle, Zugehörigkeit zu einem Beziehungssystem und Sinn gibt.

Judith Hermann, *Die Narben der Gewalt*

Inhalt

Brüchige Welt
Meine Kindheit am Stadtrand von Wien

MEINE MUTTER ZÜNDETE sich eine Zigarette an und nahm einen tiefen Zug. »Es ist schon finster draußen. Was dir alles passieren hätte können!« Sie schüttelte den Kopf.

Mein Vater und ich hatten das letzte Februarwochenende des Jahres 1998 in Ungarn verbracht. Dort hatte er sich in einem kleinen Dorf nicht weit von der Grenze ein Wochenendhaus gekauft. Es war eine regelrechte Bruchbude gewesen, mit feuchten Mauern, von denen der Putz abbröckelte. Im Laufe der Jahre hatte er sie renoviert und mit schönen, alten Möbeln eingerichtet, so dass sie inzwischen fast wohnlich war. Trotzdem mochte ich die Ausflüge dorthin nicht besonders. Mein Vater hatte viele Freunde in Ungarn, mit denen er sich ausgiebig traf und dank des günstigen Wechselkurses immer ein bisschen zu viel feierte. In den Kneipen und Restaurants, die wir abends besuchten, war ich das einzige Kind in der Runde, saß schweigend daneben und langweilte mich.

Wie schon die Male zuvor war ich nur widerwillig mitgefahren. Die Zeit verging im Schneckentempo, und ich ärgerte mich, dass ich noch zu klein und unselbständig war, um selbst über sie bestimmen zu können. Auch als wir am Sonntag das nahegelegene Thermalbad aufsuchten, hielt sich meine Begeisterung in Grenzen. Missmutig schlenderte ich durch das Areal des Bades, als mich eine Bekannte ansprach: »Willst du nicht eine Limonade mit mir trinken?« Ich nickte und folgte ihr ins Café. Sie war Schauspielerin und lebte in Wien. Ich bewunderte sie, weil sie eine große Gelassenheit ausstrahlte und so sicher wirkte. Außerdem hatte sie genau den Beruf, von dem ich insgeheim träumte. Nach einer Weile holte ich tief Luft und sagte: »Weißt du, ich würde auch gerne Schauspielerin werden. Glaubst du, dass ich das könnte?«

Sie lächelte mich strahlend an. »Natürlich kannst du das, Natascha! Du wirst eine großartige Schauspielerin, wenn du das wirklich willst!«

Mein Herz machte einen Sprung. Ich hatte fest damit gerechnet, nicht ernst genommen oder gar ausgelacht zu werden – wie so oft. »Wenn es so weit ist, helfe ich dir«, versprach sie mir und legte ihren Arm um meine Schulter. Auf dem Weg zurück in die Schwimmhalle hüpfte ich ausgelassen und summte vor mich hin: »Ich kann alles, wenn ich nur will und wenn ich fest genug an mich glaube.« Ich fühlte mich so leicht und unbeschwert wie schon lange nicht mehr.

Doch meine Euphorie währte nur kurz. Der Nachmittag war bereits weit fortgeschritten, aber mein Vater machte keine Anstalten, das Bad zu verlassen. Auch als wir endlich wieder im Ferienhaus angekommen waren, legte er keine Eile an den Tag. Im Gegenteil, er wollte sich noch kurz hinlegen. Ich sah nervös auf die Uhr. Wir hatten meiner Mutter versprochen, um sieben Uhr zu Hause zu sein – am nächsten Tag war ja Schule. Ich wusste, dass es heftige Streitereien geben würde, wenn wir nicht pünktlich in Wien ankämen. Während er schnarchend auf dem Sofa lag, schritt die Zeit unerbittlich voran. Als mein Vater endlich aufwachte und wir uns auf den Rückweg machten, war es schon dunkel. Ich saß schmollend auf der Rückbank und sagte kein Wort. Wir würden es nicht rechtzeitig schaffen, meine Mutter würde wütend sein, alles, was heute Nachmittag so schön gewesen war, wäre mit einem Schlag dahin. Wie immer würde ich zwischen die Fronten geraten. Die Erwachsenen machten alles kaputt. Als mir mein

Vater an einer Tankstelle Schokolade kaufte, stopfte ich die ganze Tafel auf einmal in mich hinein.

Erst um halb neun, mit eineinhalbstündiger Verspätung, kamen wir bei der Rennbahnsiedlung an. »Ich lass dich hier raus, lauf schnell nach Hause«, sagte mein Vater und gab mir einen Kuss. »Ich hab dich lieb«, murmelte ich wie immer zum Abschied. Dann ging ich durch den dunklen Hof zu unserer Stiege und sperrte die Haustür auf. Im Flur fand ich neben dem Telefon einen Zettel von meiner Mutter: »Bin im Kino, komme später.« Ich stellte meine Tasche ab und zögerte einen Moment. Dann schrieb ich meiner Mutter eine Notiz, dass ich bei unserer Nachbarin im Stock unter uns auf sie warten würde. Als sie mich nach einer Weile abholte, war sie außer sich: »Wo ist dein Vater?«, fuhr sie mich an.

»Er ist nicht mitgekommen, er hat mich vorne aussteigen lassen«, sagte ich leise. Ich konnte nichts für die Verspätung und auch nichts dafür, dass er mich nicht bis vor die Haustür begleitet hatte. Trotzdem fühlte ich mich schuldig.

»Herrgott noch mal! Ihr seid um Stunden zu spät, ich sitze hier und mache mir Sorgen. Wie kann er dich nur allein durch den Hof gehen lassen? Mitten in der Nacht? Es hätte dir etwas passieren können! Aber eines sage ich dir: Du siehst deinen Vater nicht mehr. Ich hab es so satt und ich lasse das nicht mehr länger zu!«

* * *

Zum Zeitpunkt meiner Geburt am 17. Februar 1988 war meine Mutter 38 Jahre alt und hatte bereits zwei erwachsene Töchter. Meine erste Halbschwester war auf die Welt gekommen, als sie gerade 18 Jahre gewesen alt war, die zweite wurde ein gutes Jahr später geboren. Das war Ende der 1960er Jahre. Meine Mutter war mit den beiden kleinen Kindern überfordert und auf sich allein gestellt – sie hatte sich bald nach der Geburt meiner zweiten Halbschwester vom Vater der beiden Mädchen scheiden lassen. Es war nicht leicht für sie gewesen, den Lebensunterhalt für ihre kleine Familie zu bestreiten. Sie musste um vieles kämpfen, handelte dabei pragmatisch und mit einer gewissen Härte gegen sich selbst und tat alles, um ihre Kinder durchzubringen. Für Sentimentalität und Zaghaftigkeit, für Muße und Leichtigkeit war kein Raum in ihrem Leben. Nun, mit 38, als die beiden Mädchen erwachsen waren, war sie zum ersten Mal seit langem von den Pflichten und Sorgen der Kindererziehung befreit. Genau zu diesem Zeitpunkt kündigte ich mich an. Meine Mutter hatte nicht mehr mit einer Schwangerschaft gerechnet.

Die Familie, in die ich hineingeboren wurde, war eigentlich gerade dabei, sich wieder aufzulösen. Ich wirbelte alles durcheinander: Die Kindersachen mussten wieder hervorgekramt und die Tagesabläufe auf einen Säugling abgestimmt werden. Auch wenn ich freudig aufgenommen und von allen wie eine kleine Prinzessin verwöhnt wurde, fühlte ich mich in meiner Kindheit manchmal wie das fünfte Rad am Wagen. Ich musste mir meinen Platz in einer Welt, in der die Rollen bereits verteilt waren, erst erkämpfen.

Meine Eltern waren zum Zeitpunkt meiner Geburt seit drei Jahren ein Paar. Kennengelernt hatten sie sich über eine Kundin meiner Mutter. Als gelernte Schneiderin verdiente meine Mutter den Lebensunterhalt für sich und ihre beiden Töchter, indem sie für die Damen der Umgebung Kleider nähte und änderte. Eine ihrer Kundinnen war eine Frau aus Süßenbrunn bei Wien, die gemeinsam mit ihrem Mann und ihrem Sohn eine Bäckerei und ein kleines Lebensmittelgeschäft betrieb. Ludwig Koch junior hatte sie manchmal zu den Anproben begleitet und war immer etwas länger als notwendig geblieben, um mit meiner Mutter zu plaudern. Sie hatte sich schnell in den jungen, stattlichen Bäcker verliebt, der sie mit seinen Geschichten zum Lachen brachte. Nach einiger Zeit hielt er sich immer häufiger bei ihr und den beiden Mädchen im großen Gemeindebau am nördlichen Stadtrand von Wien auf. Die Stadt franst hier in das flache Land des Marchfeldes aus und kann sich nicht recht entscheiden, was sie sein will. Es ist eine zusammengewürfelte Gegend ohne Zentrum und ohne Gesicht, in der alles möglich scheint und der Zufall regiert. Gewerbegebiete und Fabriken stehen inmitten brachliegender Felder, auf denen die Hunde der Siedlungen in Rudeln durch das ungemähte Gras toben. Dazwischen kämpfen die Kerne ehemaliger Dörfer um ihre Identität, die genau wie die Farbe der kleinen Biedermeier-Häuschen langsam abblättert. Relikte vergangener Zeiten, abgelöst von zahllosen Gemeindebauten, Utopien des sozialen Wohnungsbaus, mit großer Geste hingeklotzt auf die grüne Wiese und sich dort selbst überlassen. In einer der größten dieser Siedlungen bin ich aufgewachsen.

Der Gemeindebau am Rennbahnweg war in den 1970er Jahren am Reißbrett entworfen und hochgezogen worden, eine Stein gewordene Vision der Stadtplaner, die ein neues Umfeld für neue Menschen schaffen wollten: glückliche und arbeitsame Familien der Zukunft, untergebracht in modernen Satellitenstädten mit klaren Linien, Einkaufszentren und guter Verkehrsanbindung nach Wien.

Auf den ersten Blick schien das Experiment gelungen. Der Komplex besteht aus 2400 Wohnungen, über 7000 Menschen wohnen dort. Die Höfe zwischen den Wohntürmen sind großzügig bemessen und von hohen Bäumen beschattet, Spielplätze wechseln sich ab mit Arenen aus Beton und großen Rasenflächen. Man kann sich direkt vorstellen, wie die Stadtplaner Miniaturausgaben spielender Kinder und Mütter mit Kinderwagen auf ihr Modell setzten und überzeugt davon waren, dass sie einen Raum für eine ganz neue Art von sozialem Zusammenleben geschaffen hatten. Die Wohnungen, übereinandergestapelt in Türmen mit bis zu 15 Stockwerken, waren im Vergleich zu den muffigen Substandard-Zinshäusern der Stadt luftig und gut geschnitten, versehen mit Balkonen und ausgestattet mit modernen Badezimmern.

Aber von Anfang an war die Siedlung eine Auffangstation für Zugezogene, die in die Stadt wollten und doch nie ganz dort ankamen: Arbeiter aus den österreichischen Bundesländern, aus Niederösterreich, dem Burgenland und der Steiermark. Nach und nach kamen Migranten hinzu, mit denen die anderen Bewohner täglich kleine Scharmützel um Kochgerüche, spielende Kinder und die unterschiedliche Auffassung von Lautstärke austrugen. Die Stimmung in der Gegend wurde aggressiver, die Zahl der nationalistischen und fremdenfeindlichen Schmierereien nahm zu. Ins Einkaufszentrum zogen Billigläden, auf den großen Plätzen davor tummelten sich schon tagsüber Jugendliche und Menschen ohne Arbeit, die ihren Frust in Alkohol ertränkten.

Heute ist die Siedlung renoviert, die Wohntürme leuchten in bunten Farben und die U-Bahn ist endlich fertig. Doch als ich meine Kindheit dort verbrachte, war »der Rennbahnweg« geradezu der Inbegriff eines sozialen Brennpunkts. Es galt als gefährlich, nachts das Gelände zu überqueren, und auch tagsüber war es unangenehm, an den Gruppen Halbstarker vorbeizugehen, die sich die Zeit damit vertrieben, in den Höfen herumzuhängen und Frauen Anzüglichkeiten hinterherzurufen. Meine Mutter eilte immer schnellen Schrittes durch die Höfe und Stiegenhäuser, meine Hand fest in ihrer. Obwohl sie eine so resolute, schlagfertige Frau war, hasste sie die Pöbeleien, denen sie im Rennbahnweg ausgesetzt war. So gut es ging, versuchte sie, mich zu schützen, erklärte mir, warum sie es nicht gerne sah, wenn ich im Hof spielte, und warum sie die Nachbarn als vulgär empfand. Für mich als Kind war das auf den ersten Blick natürlich nicht nachvollziehbar, aber ich befolgte ihre Anweisungen meistens.

Ich erinnere mich noch lebhaft daran, wie ich als kleines Mädchen immer wieder den Entschluss fasste, doch in den Hof hinunterzugehen und zu spielen. Ich bereitete mich stundenlang darauf vor, überlegte mir, was ich zu den anderen Kindern sagen würde, zog mich an und wieder um. Ich wählte Spielzeuge für die Sandkiste und verwarf sie wieder; dachte lange nach, welche Puppe ich wohl mitnehmen sollte, um Kontakt zu knüpfen. Doch wenn ich dann tatsächlich unten in den Hof trat, blieb ich immer nur wenige Minuten: Ich konnte das Gefühl nie überwinden, nicht dazuzugehören. Ich hatte die ablehnende Haltung meiner Eltern so sehr verinnerlicht, dass meine eigene Siedlung für mich eine fremde Welt blieb. Lieber flüchtete ich mich, auf meinem Bett im Kinderzimmer liegend, in Tagträumereien. Dieser rosa gestrichene Raum mit seinem hellen Teppichboden und dem gemusterten Vorhang, den meine Mutter genäht hatte und der auch tagsüber nicht aufgezogen wurde, hüllte mich schützend ein. Hier schmiedete ich große Pläne und dachte Stunden darüber nach, wohin mich mein Weg im Leben wohl führen würde. Hier in der Siedlung jedenfalls, das wusste ich, wollte ich keine Wurzeln schlagen.

* * *

Die ersten Monate meines Lebens war ich der Mittelpunkt unserer Familie. Meine Schwestern umsorgten das neue Baby, als würden sie für später üben. Die eine fütterte und wickelte mich, die andere nahm mich im Tragetuch mit ins Stadtzentrum und flanierte die Einkaufsstraßen auf und ab, wo die Passanten stehen blieben, mein breites Lächeln und meine hübschen Kleider bewunderten. Wenn sie meiner Mutter davon erzählten, war sie selig. Sie kümmerte sich hingebungsvoll um mein Äußeres und staffierte mich von klein auf mit den schönsten Kleidern aus, die sie an langen Abenden für mich nähte. Sie suchte besondere Stoffe aus, blätterte in Modezeitschriften nach den neuesten Schnittmustern oder kaufte mir Kleinigkeiten in Boutiquen. Alles war aufeinander abgestimmt, selbst die Socken. Inmitten eines Stadtviertels, in dem viele Frauen mit Lockenwicklern und die meisten Männer mit Trainingshosen aus Ballonseide in den Supermarkt schlurften, war ich gekleidet wie ein kleines Model. Diese Überbetonung von Äußerlichkeiten war nicht nur ein Akt der Abgrenzung von unserem Umfeld; es war auch die Art meiner Mutter, mir so ihre Liebe zu zeigen.

Mit ihrem forschen, resoluten Wesen fiel es ihr eher schwer, Gefühle bei sich und anderen zuzulassen. Sie war nicht die Frau, die ein Kind ständig in den Arm nahm und knuddelte. Sowohl Tränen als auch überschwängliche Liebesbekundungen waren ihr immer etwas unangenehm. Meine Mutter, die durch die frühe Schwangerschaft so schnell erwachsen werden musste, hatte sich im Laufe der Zeit ein dickes Fell zugelegt. Sie gestand sich selbst keine »Schwäche« zu und ertrug sie nicht bei anderen. Ich habe als Kind oft erlebt, wie sie Erkältungen mit reiner Willenskraft niederrang, und sah fasziniert zu, wie sie dampfend heißes Geschirr aus dem Geschirrspüler nahm, ohne zurückzuzucken. »Ein Indianer kennt keinen Schmerz« war ihr Credo – eine gewisse Härte schadet nicht, sie hilft einem sogar, in der Welt zu bestehen.

Mein Vater war in dieser Hinsicht das genaue Gegenteil. Er empfing mich mit offenen Armen, wenn ich mich an ihn kuscheln wollte, und spielte voller Spaß mit mir – wenn er denn wach war. In dieser Zeit nämlich, als er noch bei uns lebte, habe ich ihn meist schlafend erlebt. Mein Vater liebte es, nachts auszugehen, und trank gerne und reichlich mit seinen

Freunden. Dementsprechend wenig geeignet war er für seinen Beruf. Er hatte die Bäckerei von seinem Vater übernommen, ohne sich jemals für dieses Handwerk zu begeistern. Aber die größte Qual bereitete ihm das frühe Aufstehen. Bis Mitternacht zog er durch die Bars, und wenn der Wecker um zwei Uhr früh läutete, war er kaum wachzubekommen. Nach dem Ausliefern der Brötchen lag er für Stunden schnarchend auf der Couch. Sein riesiger, kugelförmiger Bauch hob und senkte sich gewaltig vor meinen faszinierten Kinderaugen. Ich spielte mit dem schlafenden, großen Mann, legte ihm Teddybären an die Wange, dekorierte ihn mit Bändern und Schleifen, setzte ihm Häubchen auf und lackierte ihm die Nägel. Wenn er am Nachmittag wieder aufwachte, wirbelte er mich durch die Luft und zauberte kleine Überraschungen aus den Ärmeln. Dann zog er wieder los in die Bars und Cafés der Stadt.

* * *

Zum wichtigsten Bezugspunkt wurde für mich in dieser Zeit meine Großmutter. Bei ihr, die mit meinem Vater gemeinsam die Bäckerei führte, fühlte ich mich rundum zu Hause und aufgehoben. Sie wohnte nur wenige Autominuten von uns entfernt und doch in einer anderen Welt. Süßenbrunn ist eines der alten Dörfer am nördlichen Stadtrand von Wien, dessen ländlichen Charakter die immer näher rückende Stadt nicht brechen konnte. Die ruhigen Seitengassen säumten alte Einfamilienhäuser mit Gärten, in denen noch Gemüse angebaut wurde. Das Haus meiner Großmutter, in dem sich eine kleine Greißlerei* sowie die Backstube befanden, sah noch genauso aus wie zu Zeiten der Monarchie.

Meine Großmutter stammte aus der Wachau, einem pitto-

* Tante-Emma-Laden

17

resken Teil des Donautals, in dem auf den sonnigen Hangterrassen Wein angebaut wird. Ihre Eltern waren Weinbauern, und wie damals üblich musste meine Großmutter schon als sehr junges Mädchen auf dem Hof mit anpacken. Sie sprach voller Wehmut und Nostalgie von ihrer Jugend in dieser Gegend, die in den Hans-Moser-Filmen der 1950er Jahre zu einem lieblichen Idyll verklärt wurde. Und das, obwohl ihr Leben in dieser malerischen Landschaft sich hauptsächlich um Arbeit, Arbeit und noch einmal Arbeit gedreht hatte. Als sie auf dem Fährschiff, das die Menschen von der einen auf die andere Seite der Donau bringt, einen Bäcker aus Spitz kennenlernte, ergriff sie die Gelegenheit zur Flucht aus diesem vorgezeichneten Leben und heiratete. Ludwig Koch senior war 24 Jahre älter als sie, und es ist schwer vorstellbar, dass es nur Liebe gewesen ist, die sie zur Heirat bewogen hatte. Aber sie sprach ihr ganzes Leben lang mit großer Zuneigung von ihrem Mann, den ich nie kennengelernt habe. Er ist kurz nach meiner Geburt gestorben.

Meine Großmutter blieb auch nach all den Jahren in der Stadt immer eine ländliche, etwas schrullige Frau. Sie trug Wollröcke und darüber geblümte Schürzen, ihr Haar hatte sie zu Locken eingedreht und sie verströmte einen Geruch nach Küche und Franzbranntwein, der mich umhüllte, wenn ich mein Gesicht in ihre Röcke drückte. Ich mochte sogar den leichten Alkoholdunst, der sie immer umgab. Als Tochter von Weinbauern trank sie zu jeder Mahlzeit ein großes Glas Wein, als wäre es Wasser, ohne jemals auch nur ein leises Anzeichen von Trunkenheit zu zeigen. Sie blieb ihren Gewohnheiten treu, kochte auf einem alten Holzofen und reinigte die Töpfe mit einer altmodischen Drahtbürste. Mit besonderer Hingabe kümmerte sie sich um ihre Blumen. Im großen Hof hinter dem Haus standen unzählige Töpfe, Kübel und ein alter langer Teigtrog auf den Waschbetonplatten, die im Frühjahr und

Sommer zu kleinen Inseln für violette, gelbe, weiße und rosa Blüten wurden. Im angrenzenden Obstgarten wuchsen Marillen, Kirschen, Zwetschgen und jede Menge Ribisel*. Der Kontrast zu unserer Siedlung im Rennbahnweg hätte kaum größer sein können.

Die ersten Jahre meines Lebens war meine Großmutter für mich der Inbegriff von Heimat. Ich übernachtete oft bei ihr, ließ mich mit Schokolade verwöhnen und kuschelte mit ihr auf dem alten Sofa. An den Nachmittagen besuchte ich eine Freundin im Ort, deren Eltern einen kleinen Swimmingpool im Garten hatten, radelte mit den anderen Kindern der Straße durch das Dorf und erkundete neugierig eine Umgebung, in der man sich frei bewegen konnte. Als meine Eltern später ein Geschäft in der Nähe eröffneten, fuhr ich manchmal mit dem Rad die paar Minuten zum Haus meiner Großmutter, um sie mit meinem Besuch zu überraschen. Ich weiß noch, dass sie oft unter der Trockenhaube saß und mein Läuten und Klopfen nicht hörte. Dann kletterte ich über den Zaun, schlich mich von hinten ins Haus hinein und machte mir einen Spaß daraus, sie zu erschrecken. Mit den Wicklern im Haar scheuchte sie mich lachend durch die Küche – »Warte nur, bis ich dich erwische!« – und teilte mich zur »Strafe« zur Gartenarbeit ein. Ich liebte es, gemeinsam mit ihr die dunkelroten Kirschen vom Baum zu pflücken oder die übervollen Rispen mit den Ribiseln vorsichtig von den Stauden zu knipsen.

Meine Großmutter schenkte mir aber nicht nur ein Stück unbeschwerter, geborgener Kindheit – ich lernte von ihr auch, wie man sich in einer Welt, die keine Gefühle zulässt, Räume dafür schaffen kann. Wenn ich bei ihr zu Besuch war, begleitete ich sie fast täglich zu dem kleinen Friedhof, der etwas außerhalb inmitten der weiten Felder liegt. Das Grab meines

---

* Johannisbeeren

Großvaters mit seinem glänzend schwarzen Stein befand sich ganz hinten, an einem neu geschotterten Weg nahe der Friedhofsmauer. Die Sonne brennt im Sommer heiß auf die Gräber, und außer einem gelegentlich vorbeifahrenden Auto auf der Hauptstraße hört man nur das Sirren der Grillen und die Vogelschwärme über den Feldern. Meine Großmutter legte frische Blumen aufs Grab und weinte dabei leise vor sich hin. Als ich klein war, versuchte ich immer, sie zu trösten: »Wein doch nicht, Oma, Opa will dich doch lächeln sehen!« Später, als Volksschulkind, habe ich begriffen, dass die Frauen meiner Familie, die im Alltag keine Schwäche zeigen wollten, einen Ort brauchten, an dem sie ihren Gefühlen freien Lauf lassen konnten. Einen geschützten Ort, der nur ihnen gehörte.

Als ich älter wurde, begannen mich die Nachmittage bei den Freundinnen meiner Großmutter, die sich oft an den Friedhofsbesuch anschlossen, zu langweilen. Sosehr ich es als kleines Kind geliebt hatte, mit Torten gefüttert und von den alten Damen ausgefragt zu werden – irgendwann hatte ich keine Lust mehr, in den altmodischen Wohnzimmern mit den dunklen Möbeln und Spitzendeckchen zu sitzen, in denen man nichts anrühren durfte, während die Damen mit ihren Enkelkindern prahlten. Meine Großmutter hat mir diese »Abwendung« damals sehr übelgenommen. »Dann suche ich mir eben eine andere Enkelin«, eröffnete sie mir eines Tages. Ich war zutiefst verletzt, als sie tatsächlich begann, einem anderen, kleineren Mädchen, das regelmäßig in ihr Geschäft kam, Eis und Süßigkeiten zu schenken.

Diese Unstimmigkeit war zwar bald ausgeräumt – aber von da an wurden meine Besuche in Süßenbrunn seltener. Meine Mutter hatte ohnehin ein gespanntes Verhältnis zu ihrer Schwiegermutter, es kam ihr also nicht ungelegen, dass ich nun nicht mehr so oft dort übernachtete. Wenngleich unsere Beziehung, wie bei den meisten Enkeln und Großmüttern, mit der Volksschulzeit etwas weniger eng wurde, blieb sie immer mein Fels in der Brandung. Denn sie hat mir einen Lebensvorrat an Sicherheit und Geborgenheit mitgegeben, den ich zu Hause eher vermisste.

* * *

Drei Jahre vor meiner Geburt eröffneten meine Eltern ein kleines Lebensmittelgeschäft mit einem »Stüberl« – einem angebauten Café – in der Marco-Polo-Siedlung, etwa 15 Minuten mit dem Auto vom Rennbahnweg entfernt. 1988 übernahmen sie noch eine Greißlerei in der Süßenbrunner Pröbstelgasse, nur ein paar hundert Meter vom Haus meiner Großmutter entfernt an der Hauptstraße des Ortes. In einem ebenerdigen altrosa Eckhaus mit einer altmodischen Tür und einer Ladentheke aus den 1960er Jahren verkauften sie Gebäck, Feinkost, Zeitungen und spezielle Zeitschriften für Lastwagenfahrer, die hier, an der Ausfallstraße von Wien, einen letzten Stopp einlegten. In den Regalen stapelten sich die kleinen Dinge des täglichen Bedarfs, die man auch dann noch beim Greißler holt, wenn man sonst schon lange im Supermarkt einkauft: kleine Kartons mit Waschmitteln, Nudeln, Päckchensuppen und vor allem Süßigkeiten. Im kleinen Hinterhof stand ein altes, rosa gestrichenes Kühlhaus.

Diese beiden Geschäfte wurden später – neben dem Haus meiner Großmutter – zu zentralen Eckpunkten meiner Kindheit. Im Laden in der Marco-Polo-Siedlung verbrachte ich unzählige Nachmittage nach dem Kindergarten oder der Schule, während meine Mutter sich um die Buchhaltung kümmerte oder Kunden bediente. Ich spielte mit anderen Kindern Verstecken oder kullerte den kleinen Rodelhügel hinunter, den die Gemeinde aufgeschüttet hatte. Die Siedlung war kleiner und ruhiger als unsere, ich durfte mich frei bewegen und fand leicht Anschluss. Aus dem Geschäft konnte ich die Gäste im Stüberl beobachten: Hausfrauen, Männer, die von der Arbeit kamen, und andere, die schon am späten Vormittag ihr erstes Bier tranken und sich dazu einen Toast servieren ließen. Alle diese Geschäfte gehörten zu der Sorte, die langsam aus den Städten verschwinden und die dank langer Öffnungszeiten, Alkoholausschank und der persönlichen Ansprache eine wichtige Nische für viele Menschen sind.

Mein Vater war für die Bäckerei und die Auslieferung der Backwaren zuständig, um alles andere kümmerte sich meine Mutter. Als ich etwa fünf Jahre alt war, begann er, mich auf seine Touren mitzunehmen. Wir fuhren in unserem Kastenwagen durch die weitläufigen Vorstädte und Dörfer, hielten in Gasthäusern, Bars und Cafés, an Hotdog-Ständen und in kleinen Geschäften. Ich habe deshalb die Gegend nördlich der Donau wohl besser kennengelernt als irgendein anderes Kind meines Alters – und mehr Zeit in Bars und Cafés verbracht, als vielleicht angemessen war. Ich genoss es ungemein, so viel Zeit mit meinem Vater zusammen zu verbringen, und fühlte mich sehr erwachsen und ernst genommen. Doch die Touren durch die Lokale hatten auch ihre unangenehmen Seiten.

»So ein liebes Mädchen!« Diesen Satz habe ich wohl tausend Mal gehört. Er ist mir nicht in guter Erinnerung, obwohl ich gelobt wurde und im Mittelpunkt stand. Die Menschen, die mich in die Wange kniffen und mir Schokolade kauften, waren mir fremd. Außerdem hasste ich es, wenn ich in ein Rampenlicht gedrängt wurde, das ich mir nicht selbst gesucht hatte und das in mir nur ein tiefes Gefühl der Peinlichkeit hinterließ.

In diesem Fall war es mein Vater, der sich vor seinen Kunden mit mir schmückte. Er war ein jovialer Mann, der den großen Auftritt liebte, seine kleine Tochter in ihrem frisch gebügelten Kleidchen war ein perfektes Accessoire. Er hatte überall Freunde – so viele, dass mir selbst als Kind auffiel, dass ihm nicht all diese Menschen wirklich nahestehen konnten. Die meisten von ihnen ließen sich von ihm auf ein Getränk einladen oder liehen sich Geld. In seiner Sucht nach Anerkennung zahlte er gerne.

In diesen verrauchten Vorstadtkneipen saß ich auf zu hohen Stühlen und hörte Erwachsenen zu, die sich nur im ersten Moment für mich interessierten. Zu einem guten Teil waren es Arbeitslose und verkrachte Existenzen, die ihre Tage mit Bier, Wein und Kartenspielen verbrachten. Viele von ihnen hatten einmal einen Beruf, waren Lehrer oder Beamte gewesen und irgendwann aus dem Leben gefallen. Heute nennt man das Burnout. Damals war es die Normalität in der Vorstadt.

Nur selten fragte jemand, was ich in diesen Lokalen verloren hätte. Die meisten nahmen es als gegeben hin und waren auf eine überdrehte Art freundlich zu mir. »Mein großes Mädchen«, sagte mein Vater dann anerkennend und tätschelte mir mit der Hand die Wange. Wenn mir jemand Süßigkeiten oder eine Limonade spendierte, wurde eine Gegenleistung erwartet: »Gib dem Onkel ein Küsschen. Gib der Tante ein Küsschen.« Ich sperrte mich gegen diesen engen Kontakt mit den Fremden, denen ich es übelnahm, dass sie die Aufmerksamkeit meines Vaters stahlen, die doch mir zustand. Diese Touren waren ein dauerndes Wechselbad: Im einen Moment war ich der Mittelpunkt der Runde, wurde stolz präsentiert und bekam ein Zuckerl, im nächsten beachtete man mich so wenig, dass ich unbemerkt unter ein Auto hätte geraten können. Dieses Schwanken zwischen Aufmerksamkeit und Vernachlässigung in einer Welt der Oberflächlichkeiten zehrte an meinem Selbstbewusstsein. Ich lernte, mich in den Mittelpunkt zu spielen und so lange wie möglich dort zu halten. Heute erst habe ich begriffen, dass dieser Zug zur Bühne, mein Traum von der Schauspielerei, den ich von klein auf entwickelt hatte, nicht aus mir selbst kam. Er war eine Art, meine extrovertierten Eltern zu imitieren – und eine Methode, zu überleben in einer Welt, in der man entweder bewundert oder nicht beachtet wurde.

* * *

Wenig später setzte sich dieses Wechselbad aus Aufmerksamkeit und Vernachlässigung, das mein Selbstbewusstsein so ankratzte, in meiner engsten Umgebung fort. Die Welt meiner frühen Kindheit bekam langsam Risse. Erst zogen sie sich so klein und unmerklich durch die vertraute Umgebung, dass ich sie noch ignorieren und die Schuld für die Missstimmungen auf mich nehmen konnte. Doch dann wurden die Risse größer, bis das ganze Familiengebäude in sich zusammenfiel. Mein Vater merkte viel zu spät, dass er den Bogen überspannt und meine Mutter längst entschieden hatte, sich von ihm zu trennen. Er lebte weiter sein grandioses Leben als Vorstadtkönig, der durch die Bars zog und sich immer wieder große, imposante Autos kaufte. Es waren Mercedes oder Cadillacs, mit denen er seine »Freunde« beeindrucken wollte. Das Geld dafür borgte er aus. Selbst wenn er mir etwas Taschengeld gab, lieh er es sich schnell wieder zurück, um sich Zigaretten zu kaufen oder einen Kaffee trinken zu gehen. Auf das Haus meiner Großmutter nahm er so viele Kredite auf, dass es gepfändet wurde. Mitte der 1990er Jahre hatte er so viele Schulden angehäuft, dass die Existenz der Familie gefährdet war. Im Zuge einer Umschuldung übernahm meine Mutter die Greißlerei in der Pröbstelgasse und das Geschäft in der Marco-Polo-Siedlung. Aber der Riss ging weit über die finanzielle Seite hinaus. Meine Mutter hatte irgendwann genug von diesem Mann, der gerne feierte, aber so etwas wie Zuverlässigkeit nicht kannte.

Für mich änderte sich mit der schrittweisen Trennung

meiner Eltern das ganze Leben. Statt umsorgt und umhegt zu werden, ließ man mich links liegen. Meine Eltern stritten sich lautstark über Stunden hinweg. Abwechselnd sperrten sie sich im Schlafzimmer ein, während der andere im Wohnzimmer weitertobte. Wenn ich verängstigt versuchte nachzufragen, steckten sie mich in mein Zimmer, schlossen die Tür und stritten weiter. Ich fühlte mich darin gefangen und verstand die Welt nicht mehr. Mit dem Kopfpolster über den Ohren versuchte ich, die lauten Wortgefechte wegzudrücken und mich in meine frühere, unbeschwerte Kindheit zu versetzen. Es gelang mir nur selten. Ich konnte nicht begreifen, warum mein sonst so strahlender Vater nun hilflos und verloren wirkte und keine kleinen Überraschungen mehr aus dem Ärmel zauberte, um mich aufzuheitern. Sein unerschöpflicher Vorrat an Gummibärchen schien plötzlich ausgegangen.

Meine Mutter verließ einmal sogar nach einem heftigen Streit die Wohnung und blieb für Tage verschollen. Sie wollte meinem Vater zeigen, wie es sich anfühlt, von seinem Partner nichts zu hören – für ihn waren ein, zwei Nächte außer Haus nichts Ungewöhnliches. Doch ich war viel zu klein, um die Hintergründe zu durchschauen, und fürchtete mich. Das Zeitgefühl ist in diesem Alter ein ganz anderes, die Abwesenheit meiner Mutter erschien mir endlos lange. Ich wusste nicht, ob sie überhaupt jemals zurückkommt. Das Gefühl der Verlassenheit, des Zurückgestoßen-Seins setzte sich tief in mir fest. Und es begann eine Phase meiner Kindheit, in der ich meinen Platz nicht mehr fand, in der ich mich nicht länger geliebt fühlte. Aus einer selbstbewussten kleinen Person wurde nach und nach ein unsicheres Mädchen, das aufhörte, seiner engsten Umgebung zu trauen.

* * *

In dieser schwierigen Zeit kam ich in den Kindergarten. Ein Schritt, mit dem die Fremdbestimmung, mit der ich als Kind so schlecht umgehen konnte, einen Höhepunkt erreichte.

Meine Mutter hatte mich in einem Privatkindergarten, der nicht weit von unserer Siedlung entfernt liegt, angemeldet. Von Anfang an fühlte ich mich missverstanden und so wenig angenommen, dass ich begann, den Kindergarten zu hassen. Gleich am ersten Tag hatte ich ein Erlebnis, das den Grundstein dafür legte. Ich war mit den anderen Kindern draußen im Garten und entdeckte eine Tulpe, die mich sehr faszinierte. Ich beugte mich über sie und zog sie mit der Hand vorsichtig zu mir heran, um daran zu riechen. Die Kindergärtnerin muss geglaubt haben, dass ich die Blume pflücken wollte. Mit einer scharfen Bewegung schlug sie mir auf den Handrücken. Ich rief empört: »Das sage ich meiner Mutter!« Doch am Abend musste ich feststellen, dass meine Mutter nicht mehr hinter mir stand, kaum dass sie die Zuständigkeit an jemand anderen delegiert hatte. Als ich ihr von dem Vorfall erzählte – überzeugt, dass sie mich solidarisch verteidigen und die Kindergärtnerin am nächsten Tag zurechtweisen würde –, meinte sie nur, es sei nun einmal so im Kindergarten, dass man sich an die Regeln halten müsse. Und überhaupt: »Da mische ich mich gar nicht ein, denn ich war ja nicht dabei.« Dieser Satz wurde zu ihrer Standardantwort, wenn ich Probleme mit den Kindergärtnerinnen hatte. Und wenn ich ihr von den Schikanen der anderen Kinder erzählte, sagte sie lapidar: »Dann musst du eben zurückschlagen.« Ich musste lernen, Schwierigkeiten allein zu meistern. Die Zeit im Kindergarten wurde für mich zu einer harten Durststrecke. Ich hasste die strengen Regeln. Es widerstrebte mir, nach dem Mittagessen mit den anderen Kindern im Schlafsaal ruhen zu müssen, obwohl ich nicht müde war. Die Kindergärtnerinnen verrichteten ihre Arbeit routiniert, aber ohne sich besonders für uns zu interessieren. Während sie uns mit einem Auge beaufsichtigten, lasen sie Romane und Zeitschriften, tratschten und lackierten sich die Fingernägel.

Zu den anderen Kindern fand ich nur langsam Zugang, ich fühlte mich inmitten Gleichaltriger einsamer als zuvor.

* * *

»Risikofaktoren vor allem bei der sekundären Enuresis beziehen sich auf Verluste im weitesten Sinn, wie zum Beispiel Trennung, Scheidung, Todesfälle, Geburt eines Geschwisters, extreme Armut, Delinquenz der Eltern, Deprivation, Vernachlässigung, mangelhafte Unterstützung bei Entwicklungsschritten.« So beschreibt das Lexikon die Ursachen für ein Problem, mit dem ich in dieser Zeit zu kämpfen hatte. Ich wurde vom frühreifen Kind, das schon sehr bald die Windeln abgelegt hatte, zur Bettnässerin. Das Bettnässen wurde zu einem Stigma, das mein Leben beeinträchtigte. Die nächtlichen nassen Flecken im Bett wurden zu einem Quell unaufhörlicher Schelte und Spotts.

Als ich mich zum wiederholten Mal einnässte, reagierte meine Mutter, wie es damals üblich war. Sie hielt es für ein mutwilliges Verhalten, das man einem Kind mit Zwang und Strafen abziehen kann. Sie gab mir einen Klaps auf den Po und fragte wütend: »Warum tust du mir das an?« Sie tobte, reagierte verzweifelt, war ratlos. Und ich machte weiter nachts ins Bett. Meine Mutter besorgte Kautschuk-Unterlagen und legte damit mein Bett aus. Es war eine demütigende Erfahrung. Ich wusste aus den Unterhaltungen der Freundinnen meiner Großmutter, dass Gummimatten und Spezialbettwäsche Utensilien für alte und kranke Menschen waren. Ich hingegen wollte als großes Mädchen behandelt werden.

Doch es hörte nicht auf. Meine Mutter weckte mich nachts,

um mich aufs Klo zu setzen. Machte ich das Bett trotzdem nass, wechselte sie fluchend meine Leintücher und den Pyjama. Manchmal wachte ich in der Früh trocken und stolz auf, aber sie dämpfte meine Freude sofort: »Du kannst dich nur nicht erinnern, dass ich dich in der Nacht schon wieder umziehen musste«, blaffte sie. »Sieh nur, welchen Pyjama du anhast.« Es waren Vorwürfe, denen ich nichts entgegensetzen konnte. Sie strafte mich mit Verachtung und Spott. Als ich mir Barbie-Bettwäsche wünschte, lachte sie mich aus – ich würde sie ja ohnehin nur nass machen. Ich versank vor Scham fast im Boden.

Schließlich begann sie zu kontrollieren, wie viel Flüssigkeit ich zu mir nahm. Ich war immer schon ein durstiges Kind gewesen und trank oft und viel. Doch nun wurde mein Trinkverhalten genau reglementiert. Am Tag bekam ich nur wenig, am Abend gar nichts mehr. Je verbotener Wasser oder Säfte waren, desto größer wurde mein Durst, bis ich an nichts anderes mehr denken konnte. Jeder Schluck und jeder Toilettengang wurden beobachtet und kommentiert, aber nur, wenn wir allein waren. Was sollen denn die Leute denken.

Im Kindergarten nahm das Bettnässen eine neue Dimension an. Ich machte mich nun auch tagsüber nass. Die Kinder lachten mich aus, und die Betreuerinnen feuerten sie dabei auch noch an und stellten mich ein ums andere Mal vor der Gruppe bloß. Sie dachten wohl, dass der Spott mich dazu bringen würde, meine Blase besser zu kontrollieren. Doch mit jeder Demütigung wurde es schlimmer. Der Gang zur Toilette und der Griff zum Wasserglas wurden zur Qual. Sie wurden mir aufgezwungen, wenn ich sie nicht wollte, und mir verweigert, wenn ich sie dringend brauchte. Denn im Kindergarten mussten wir um Erlaubnis fragen, wenn wir zur Toilette wollten. In meinem Fall wurde diese Frage jedes Mal kommentiert: »Du warst doch gerade erst. Warum musst du denn schon wieder?« Umgekehrt zwang man mich vor Ausflügen, vor dem Essen, vor dem Mittagsschlaf auf die Toilette und beaufsichtigte mich dabei. Einmal, als mich die Kindergärtnerinnen wieder im Verdacht hatten, mich nass gemacht zu haben, zwangen sie mich sogar, vor allen Kindern meine Wäsche zu zeigen.

Wenn ich mit meiner Mutter das Haus verließ, nahm sie immer einen Beutel mit Wäsche zum Wechseln mit. Das Kleiderbündel verstärkte meine Scham und meine Unsicherheit. Die Erwachsenen rechneten also fest damit, dass ich mich einnässen würde. Und je mehr sie damit rechneten und mich dafür schimpften und verspotteten, umso mehr behielten sie recht. Es war ein Teufelskreis, aus dem ich auch während meiner Volksschulzeit nicht hinausfand. Ich blieb eine verspottete, gedemütigte und ewig durstige Bettnässerin.

* * *

Nach zwei Jahren des Streits und einiger Versöhnungsversuche zog mein Vater endgültig aus. Ich war jetzt fünf Jahre alt und hatte mich von einem fröhlichen Kleinkind zu einem verunsicherten, verschlossenen Wesen entwickelt, das sein Leben nicht mehr mochte und auf verschiedene Arten dagegen protestierte. Mal zog ich mich zurück, mal schrie ich, übergab mich und bekam Heulkrämpfe vor Schmerz und Unverstandensein. Für Wochen quälte mich eine Gastritis.

Meine Mutter, die selbst von der Trennung sehr mitgenommen war, übertrug ihre Art, damit umzugehen, auf mich. So wie sie den Schmerz und die Unsicherheit schluckte und tapfer weitermachte, verlangte sie von mir, dass ich die Zähne zusammenbiss. Sie konnte nur schwer damit umgehen, dass ich als kleines Kind dazu gar nicht in der Lage war. Wenn ich ihr zu emotional wurde, reagierte sie geradezu aggressiv auf meine Anfälle. Sie warf mir Selbstmitleid vor und lockte mich abwechselnd mit Belohnungen oder drohte mit Strafen, wenn ich nicht aufhörte.

Meine Wut über die Situation, die ich nicht verstand, wandte sich so nach und nach gegen die Person, die nach dem Auszug meines Vaters dageblieben war: meine Mutter. Mehr als einmal war ich so zornig auf sie, dass ich beschloss auszuziehen. Ich packte ein paar Sachen in meinen Turnbeutel und verabschiedete mich von ihr. Aber sie wusste, dass ich nicht weiter als bis zur Tür gehen würde, und kommentierte mein Verhalten augenzwinkernd nur mit: »Okay, mach's gut.« Ein anderes Mal räumte ich alle Puppen, die sie mir geschenkt hatte, aus meinem Zimmer und reihte sie im Flur auf. Sie sollte ruhig sehen, dass ich entschlossen war, sie aus meinem kleinen Reich im Kinderzimmer auszusperren. Doch natürlich brachten diese Manöver gegen meine Mutter keine Lösung für mein eigentliches Problem. Ich hatte mit der Trennung meiner Eltern die Fixpunkte meiner Welt verloren und konnte auf die Personen, die bis dahin immer für mich da gewesen waren, nicht mehr bauen.

Dazu kam eine alltägliche Form von Gewalt – nicht brutal genug, um als Misshandlung zu gelten, und doch so voll nebensächlicher Missachtung, dass sie mein Selbstwertgefühl langsam zerstörte. Unter Gewalt an Kindern stellt man sich systematische schwere Prügel vor, die zu körperlichen Verletzungen führen. Nichts davon habe ich in meiner Kindheit erlebt. Es war diese fatale Mischung aus verbaler Unterdrückung und »klassischen« Ohrfeigen, die mir zeigte, dass ich als Kind die Schwächere war.

Es war nicht Wut oder kalte Berechnung, die meine Mutter antrieb, sondern eine immer wieder aufflackernde Aggression, die wie eine Stichflamme aus ihr schoss und ebenso schnell wieder verlosch. Die Ohrfeigen, die ich von ihr bekam, wurden zum schmerzhaften und demütigenden Bestandteil meiner Kindheit. Ich bekam sie, wenn sie überfordert war. Ich bekam sie, wenn ich etwas falsch gemacht hatte. Wenn ich mir weh getan hatte und Sprüche wie »Große Mädchen weinen nicht« oder »Indianer kennen keinen Schmerz« meine Tränen nicht trockneten, schlug sie mich scharf ins Gesicht, »damit du wenigstens weißt, warum du heulst«. Manchmal landete eine Ohrfeige völlig ohne ersichtlichen Grund auf meiner Wange: »Irgendetwas wirst du schon angestellt haben.« Sie hasste es, wenn ich quengelte, nachfragte oder eine ihrer Erklärungen in Frage stellte – auch das war ihr schon eine Ohrfeige wert. Die größte Demütigung waren die Schläge mit dem Handrücken, die sie schnell über meine Wange zog. Die ganze Gesichtspartie wurde taub, und die Tränen schossen sofort in meine Augen.

Es war in dieser Zeit und in dieser Gegend nicht ungewöhnlich, mit Kindern so umzugehen: Im Gegenteil, ich hatte ein sehr viel »leichteres« Leben als manch andere Kinder in der Nachbarschaft. Im Hof konnte ich immer wieder Mütter beobachten, die ihre Kinder anbrüllten, zu Boden stießen und auf sie einprügelten. Das hätte meine Mutter nie getan, und ihre Art, mich nebenbei zu ohrfeigen, stieß nirgends auf Unverständnis. Selbst wenn sie mir in der Öffentlichkeit ins Gesicht schlug, mischte sich nie jemand ein. Meist aber war meine Mutter zu sehr Dame, um sich auch nur dem Risiko auszusetzen, bei einem Streit beobachtet zu werden. Sichtbare Gewalt, das war etwas für die anderen Frauen in unserer Siedlung. Ich hingegen wurde angehalten, die Tränen abzuwischen oder mir die Backe zu kühlen, bevor ich das Haus verließ oder aus dem Auto stieg.

Gleichzeitig versuchte meine Mutter, ihr schlechtes Gewissen mit Geschenken zu erleichtern. Sie wetteiferte regelrecht mit meinem Vater darum, mir die schönsten Kleider zu kaufen oder am Wochenende Ausflüge mit mir zu machen. Doch ich wollte keine Geschenke. Ich hätte in dieser Phase meines Lebens einzig und allein jemanden gebraucht, der mir bedingungslosen Rückhalt und Liebe gab. Meine Eltern waren dazu nicht in der Lage.

* * *

Wie sehr ich damals verinnerlicht hatte, dass von Erwachsenen keine Hilfe zu erwarten ist, zeigt ein Erlebnis aus meiner Volksschulzeit. Ich war etwa acht Jahre alt und mit meiner Klasse für eine Woche ins Schullandheim in die Steiermark gefahren. Ich war kein sportliches Kind und traute mir kaum eines der wilden Spiele zu, mit denen die anderen Kinder ihre Zeit verbrachten. Aber auf dem Spielplatz wollte ich wenigstens einen Versuch wagen.

Der Schmerz schoss scharf durch meinen Arm, als ich vom Klettergerüst stürzte und auf dem Boden aufschlug. Ich wollte mich aufsetzen, doch mein Arm gab nach und ich fiel nach hinten. Das fröhliche Lachen der Kinder, die rund um mich über den Spielplatz tobten, klang dumpf in meinen Ohren. Ich wollte schreien, Tränen liefen mir über die Wangen. Aber ich brachte keinen Ton heraus. Erst als eine Schulkameradin zu mir kam, bat ich sie leise, die Lehrerin zu holen. Das Mädchen lief zu ihr hinüber. Die Lehrerin aber schickte es zurück und ließ mir ausrichten, dass ich schon selber kommen müsse, wenn ich etwas wolle.

Ich versuchte, mich hochzurappeln, doch kaum bewegte ich mich, war der Schmerz in meinem Arm wieder da. Hilflos blieb ich liegen. Erst einige Zeit später half mir die Lehrerin einer anderen Klasse auf. Ich biss die Zähne zusammen, weinte nicht und beklagte mich nicht. Ich wollte niemandem Umstände machen. Später bemerkte auch meine Klassenlehrerin, dass etwas mit mir nicht stimmte. Sie vermutete, dass ich mir bei dem Sturz eine starke Prellung zugezogen hatte, und erlaubte mir, den Nachmittag im Fernsehzimmer zu verbringen.

In der Nacht lag ich in meinem Bett im Gemeinschaftszimmer und konnte vor Schmerzen kaum atmen. Dennoch bat ich nicht um Hilfe. Erst spät am nächsten Tag, wir waren gerade im Tierpark Herberstein, erkannte meine Klassenlehrerin, dass ich mich ernsthaft verletzt hatte, und brachte mich zum Arzt. Der schickte mich gleich ins Krankenhaus nach Graz. Mein Arm war gebrochen.

Meine Mutter holte mich gemeinsam mit ihrem Freund aus der Klinik ab. Der neue Mann in ihrem Leben war ein guter Bekannter – mein Taufpate. Ich mochte ihn nicht. Die Fahrt nach Wien war eine einzige Tortur. Drei Stunden lang schimpfte der Freund meiner Mutter, dass sie wegen meiner Ungeschicktheit so eine lange Strecke mit dem Auto fahren mussten. Meine Mutter versuchte zwar, die Stimmung aufzulockern, aber es wollte ihr nicht gelingen, die Vorwürfe hörten nicht auf. Ich saß auf dem Rücksitz und weinte leise vor mich hin. Ich schämte mich dafür, dass ich gefallen war, und ich schämte mich für die Mühe, die ich allen bereitete. Mach keine Umstände. Mach nicht so einen Aufstand. Sei nicht hysterisch. Große Mädchen weinen nicht. Diese Leitsätze meiner Kindheit, tausend Mal gehört, hatten mich anderthalb Tage die Schmerzen in meinem gebrochenen Arm ertragen lassen. Nun, während der Fahrt auf der Autobahn, zwischen den Tiraden des Freundes meiner Mutter, wiederholte sie eine innere Stimme in meinem Kopf.

Meine Lehrerin bekam damals ein Disziplinarverfahren, weil sie mich nicht sofort ins Krankenhaus gebracht hatte. Es stimmte natürlich, dass sie ihre Aufsichtspflicht vernachlässigt hatte. Doch den größten Teil der Vernachlässigung erledigte ich selbst. Das Vertrauen in meine eigene Wahrnehmung war damals schon so gering, dass ich nicht einmal mit einem gebrochenen Arm das Gefühl hatte, um Hilfe bitten zu dürfen.

* * *

Meinen Vater sah ich inzwischen nur noch an den Wochenenden oder wenn er mich hin und wieder auf eine seiner Touren mitnahm. Auch er hatte sich nach der Trennung von meiner Mutter neu verliebt. Seine Freundin war nett, aber distanziert. Einmal sagte sie nachdenklich zu mir: »Ich weiß jetzt, warum du so schwierig bist. Deine Eltern haben dich nicht lieb.« Ich protestierte lautstark – aber der Satz verfing sich in meiner verletzten Kinderseele. Vielleicht hatte sie ja recht? Schließlich war sie eine Erwachsene, und die hatten ja immer recht.

Der Gedanke ließ mich tagelang nicht los.

Als ich neun Jahre alt war, begann ich, meinen Frust mit Essen zu kompensieren. Ich war schon früher kein dünnes Kind gewesen und in einer Familie aufgewachsen, in der Essen eine große Rolle spielte. Meine Mutter war der Typ Frau, die essen konnte, so viel sie wollte, ohne ein Gramm zuzunehmen. Es mag an einer Schilddrüsen-Überfunktion gelegen haben oder an ihrem aktiven Wesen: Sie aß Schmalzbrote und Torten, Kümmelbraten und Schinkensemmeln und nahm nicht zu und wurde nicht müde, das auch vor anderen zu betonen: »Ich kann ja essen, was ich will«, flötete sie, ein Brot mit fettem Aufstrich in der Hand. Ich bekam von ihr die Maßlosigkeit beim Essen mit – nicht aber die Fähigkeit, die Kalorien von allein wieder zu verbrennen.

Mein Vater hingegen war so dick, dass es mir als Kind schon peinlich war, mit ihm gesehen zu werden. Sein Bauch war riesig und prall gespannt wie der einer Frau im achten Monat. Wenn er auf dem Sofa lag, ragte er wie ein Gebirge in die

Höhe, und als kleines Kind hatte ich oft dagegen geklopft und gefragt: »Wann kommt denn das Baby?« Mein Vater lachte dazu gutmütig. Auf seinem Teller türmten sich Fleischberge, dazu musste es mehrere große Knödel geben, die in einem wahren Soßensee schwammen. Er verschlang riesige Portionen und aß auch dann noch weiter, wenn er schon lange keinen Hunger mehr hatte.

Wenn wir am Wochenende unsere Familienausflüge unternahmen – erst gemeinsam mit meiner Mutter, später mit seiner neuen Freundin –, drehte sich alles ums Essen. Während andere Familien Bergtouren, Radausflüge oder Museumsbesichtigungen machten, steuerten wir kulinarische Ziele an. Wir fuhren in ein neues Heurigen-Lokal, machten Ausflüge in Landgasthöfe, zu einer Burg nicht wegen der historischen Führungen, sondern um am Ritteressen teilzunehmen: Stapel von Fleisch und Knödeln, die man sich mit der Hand in den Mund schob, Krüge voller Bier dazu – das war ein Ausflugsziel nach dem Geschmack meines Vaters.

Auch in den beiden Geschäften in Süßenbrunn und in der Marco-Polo-Siedlung, die meine Mutter nach der Trennung von meinem Vater übernommen hatte, war ich ständig von Nahrungsmitteln umgeben. Wenn mich meine Mutter nach dem Hort abholte und ins Geschäft mitnahm, bekämpfte ich meine Langeweile mit Leckereien: ein Eis, Gummibärchen, ein Stück Schokolade, eine Essiggurke. Meine Mutter gab meistens nach – sie war zu beschäftigt, um genau darauf zu achten, was ich alles in mich hineinstopfte.

Nun aber begann ich, mich systematisch zu überessen. Ich aß eine ganze Packung Bounty, trank dazu eine große Flasche Cola, hinterher gab es noch Schokolade, bis meine Bauchdecke bis zum Platzen gespannt war. Kaum war ich wieder in der Lage, etwas in den Mund zu stecken, aß ich weiter. Im letzten Jahr vor meiner Entführung nahm ich so sehr zu, dass ich von einem Pummelchen tatsächlich zu einem richtig dicken Kind wurde. Ich wurde noch unsportlicher, die anderen Kinder hänselten mich noch mehr und die Einsamkeit kompensierte ich mit noch mehr Essen. An meinem zehnten Geburtstag wog ich 45 Kilo.

Meine Mutter tat ein Übriges, mich weiter zu frustrieren. »Ich mag dich trotzdem, egal wie du aussiehst.« Oder: »Man muss ein hässliches Kind nur in ein schönes Kleid stecken.« Wenn ich verletzt reagierte, lachte sie und meinte: »Bezieh das doch nicht auf dich, Schatz. Sei nicht so sensibel.« Sensibel – das war das Schlimmste, das durfte man nicht sein. Ich bin heute immer wieder erstaunt, wie positiv das Wort »sensibel« verwendet wird. In meiner Kindheit war es ein Schimpfwort für Menschen, die zu weich sind für diese Welt. Ich hätte mir damals gewünscht, weicher sein zu dürfen. Später hat mir die Härte, die mir vor allem meine Mutter auferlegte, wahrscheinlich das Leben gerettet.

* * *

Umgeben von jeder Menge Süßigkeiten verbrachte ich Stunden allein vor dem Fernseher oder in meinem Zimmer mit einem Buch in der Hand. Ich wollte vor dieser Realität, die nichts als Demütigungen für mich bereithielt, in andere Welten fliehen. Wir hatten zu Hause alle Fernsehprogramme, und niemand achtete wirklich darauf, was ich mir ansah. Ich schaltete wahllos durch die Kanäle, sah Kindersendungen, Nachrichten und Krimis, die mir Angst machten, deren Inhalte ich aber trotzdem aufsaugte wie ein Schwamm. Im Sommer 1997 bestimmte ein Thema die Medien: Im Salzkammergut flog ein Kinderpornoring auf. Mit Erschrecken hörte ich im Fernsehen, dass sieben erwachsene Männer eine unbestimmte Anzahl von Buben mit kleinen Geldgeschenken in ein eigens eingerichtetes Zimmer in einem Haus gelockt hatten, um sie dort zu missbrauchen und Videos davon zu drehen, die sie weltweit verkauften. Am 24. Januar 1998 erschütterte ein weiterer Fall Oberösterreich. Über ein Postfach waren Videos verteilt worden, auf denen der Missbrauch von fünf- bis siebenjährigen Mädchen zu sehen war. Ein Video zeigte einen der Täter, wie er ein siebenjähriges Mädchen aus der Nachbarschaft in ein Mansardenzimmer gelockt und dort schwer missbraucht hatte.

Noch mehr nahmen mich Berichte über die Morde an Mädchen mit, die damals in Serie in Deutschland stattfanden. Meiner Erinnerung nach gab es während meiner Volksschulzeit kaum einen Monat, in dem nicht über entführte, vergewaltigte oder ermordete Mädchen berichtet wurde. Die Nachrichten sparten kaum ein Detail der dramatischen Suchaktionen und polizeilichen Ermittlungen aus. Ich sah Suchhunde in Wäldern und Taucher, die in Seen und Teichen nach den Leichen verschwundener Mädchen suchten. Und ich lauschte immer wieder den erschütternden Erzählungen der Angehörigen: wie die Mädchen beim Spielen im Freien verschwanden oder nicht mehr von der Schule nach Hause kamen. Wie die Eltern verzweifelt nach ihnen gesucht hatten, bis sie die schreckliche Gewissheit ereilte, dass sie ihre Kinder nicht mehr lebend sehen würden.

Die Fälle, die damals durch die Medien gingen, hatten eine so große Präsenz, dass wir auch in der Schule darüber sprachen. Die Lehrer erklärten uns, wie wir uns vor Übergriffen schützen konnten. Wir sahen Filme, in denen Mädchen von ihrem älteren Bruder belästigt wurden oder Buben lernten, zu ihrem übergriffigen Vater »Nein!« zu sagen. Und die Lehrer wiederholten die Mahnungen, die uns Kindern auch zu Hause immer wieder eingetrichtert wurden: »Geht niemals mit einem Fremden mit! Steigt nicht in ein unbekanntes Auto.

Nehmt keine Süßigkeiten an! Und wechselt lieber die Straßenseite, wenn euch etwas komisch vorkommt.«

Wenn ich die Liste der Fälle, die in meine Volksschulzeit fallen, heute anschaue, bin ich noch so erschüttert wie damals:

Yvonne (12 Jahre alt) wurde im Juli 1995 am Pinnower See (Brandenburg) erschlagen, weil sie sich einer Vergewaltigung durch einen Mann widersetzte.

Annette (15 Jahre alt) aus Mardorf am Steinhuder Meer wurde 1995 unbekleidet, sexuell missbraucht und ermordet in einem Maisfeld gefunden. Der Mörder wurde nicht gefasst.

Maria (7 Jahre alt) wurde im November 1995 in Haldensleben (Sachsen-Anhalt) entführt, missbraucht und in einen Teich geworfen.

Elmedina (6 Jahre alt) wurde im Februar 1996 in Siegen entführt, missbraucht und erstickt.

Claudia (11 Jahre alt) wurde im Mai 1996 in Grevenbroich entführt, missbraucht und verbrannt.

Ulrike (13 Jahre alt) kehrte am 11. Juni 1996 von einer Ausfahrt mit ihrer Ponykutsche nicht zurück. Ihre Leiche wurde zwei Jahre später gefunden.

Ramona (10 Jahre alt) verschwand am 15. August 1996 in Jena spurlos aus einem Einkaufszentrum. Ihre Leiche wurde im Januar 1997 bei Eisenach gefunden.

Natalie (7 Jahre alt) wurde am 20. September 1996 in Epfach in Oberbayern von einem 29-jährigen Mann auf dem Weg zur Schule entführt, missbraucht und ermordet.

Kim (10 Jahre alt) aus Varel in Friesland wurde im Januar 1997 entführt, missbraucht und ermordet.

Anne-Katrin (8 Jahre alt) wurde am 9. Juni 1997 in der Nähe ihres Elternhauses in Seebeck in Brandenburg erschlagen aufgefunden.

Loren (9 Jahre alt) wurde im Juli 1997 im Keller des Elternhauses in Prenzlau von einem 20-jährigen Mann missbraucht und ermordet.

Jennifer (11 Jahre alt) wurde am 13. Januar 1998 in Versmold bei Gütersloh von ihrem Onkel in sein Auto gelockt, missbraucht und erwürgt.

Carla (12 Jahre alt) wurde am 22. Januar 1998 in Wilhermsdorf bei Fürth auf ihrem Schulweg überfallen, missbraucht und bewusstlos in einen Weiher geworfen. Sie starb nach fünf Tagen im Koma.

Die Fälle von Jennifer und von Carla haben mich besonders bewegt. Jennifers Onkel gestand nach seiner Festnahme, dass er das Mädchen im Auto sexuell missbrauchen wollte. Als es sich wehrte, erwürgte er es und versteckte die Leiche in einem Wald. Die Berichte gingen mir unter die Haut. Die Psychologen, die vom Fernsehen befragt wurden, rieten damals, sich gegen Übergriffe nicht zu wehren, um sein Leben nicht aufs Spiel zu setzen. Noch erschreckender waren die Fernsehbeiträge über den Mord an Carla. Ich sehe noch heute die Reporter vor mir, wie sie mit ihren Mikrofonen vor dem Teich in Wilhermsdorf stehen und berichten, dass man anhand des aufgewühlten Erdreichs feststellen könne, wie sehr sich das Mädchen gewehrt habe. Der Trauergottesdienst wurde im Fernsehen übertragen. Ich saß mit schreckgeweiteten Augen vor dem Bildschirm. Alle diese Mädchen waren in meinem Alter. Nur eines beruhigte mich, wenn ich ihre Fotos in den Nachrichten sah: Ich war nicht das blonde, zarte Mädchen, das die Täter zu bevorzugen schienen. Ich hatte keine Ahnung, wie falsch ich lag.

Was soll schon passieren?
Der letzte Tag meines alten Lebens

Ich versuchte zu schreien. Aber es kam kein Laut heraus. Meine Stimmbänder haben einfach nicht mitgemacht. Alles in mir war ein Schrei. Ein stummer Schrei, den niemand hören konnte.

AM NÄCHSTEN TAG erwachte ich traurig und wütend. Der Ärger über den Zorn meiner Mutter, der dem Vater gegolten hatte und an mir ausgelassen worden war, schnürte mir den Brustkorb ein. Noch mehr quälte mich aber, dass sie mir verboten hatte, ihn jemals wiederzusehen. Es war eine dieser leichtfertig dahingesagten Entscheidungen gewesen, die Erwachsene über die Köpfe von Kindern hinweg fällen – aus Zorn oder aus einer plötzlichen Laune heraus, ohne zu bedenken, dass es dabei nicht nur um sie, sondern auch um die tiefsten Bedürfnisse derer geht, die solchen Schiedssprüchen ohnmächtig gegenüberstehen.

Ich hasste dieses Gefühl der Ohnmacht, ein Gefühl, das mich daran erinnerte, ein Kind zu sein. Ich wollte endlich erwachsener werden, in der Hoffnung, die Auseinandersetzungen mit meiner Mutter würden mir dann nicht mehr so nahe gehen. Ich wollte lernen, meine Gefühle hinunterzuschlucken und damit auch diese tiefgehende Angst, die Streit mit den Eltern bei Kindern auslöst.

Mit meinem zehnten Geburtstag hatte ich den ersten und

unselbständigsten Abschnitt meines Lebens hinter mich gebracht. Das magische Datum, das meine Selbständigkeit auch amtlich verbriefen würde, rückte näher: Noch acht Jahre, dann würde ich ausziehen und mir einen Beruf suchen. Dann würde ich nicht länger von den Entscheidungen der Erwachsenen rund um mich herum abhängig sein, denen meine Bedürfnisse weniger wert waren als ihre kleinen Streitigkeiten und Eifersüchteleien. Acht Jahre noch, die ich nützen wollte, um mich auf ein selbstbestimmtes Leben vorzubereiten.

Einen wichtigen Schritt in Richtung Selbständigkeit hatte ich bereits einige Wochen zuvor getan: Ich hatte meine Mutter davon überzeugt, dass sie mich allein zur Schule gehen ließ. Obwohl ich bereits in der vierten Klasse war, hatte sie mich bis dahin immer mit dem Auto vor der Schule abgesetzt. Die Fahrt dauerte nicht einmal fünf Minuten. Jeden Tag hatte ich mich vor den anderen Kindern für meine Schwäche geschämt, die für jeden sichtbar wurde, wenn ich aus dem Auto stieg und meine Mutter mir einen Abschiedskuss gab. Eine ganze Weile schon hatte ich mit ihr darüber verhandelt, dass es nun an der Zeit sei, den Schulweg allein zu bewältigen. Ich wollte damit nicht nur den Eltern, sondern vor allem mir zeigen, dass ich kein kleines Kind mehr war. Und dass ich meine Angst besiegen konnte.

Meine Unsicherheit war etwas, das mich zutiefst quälte. Sie überfiel mich schon auf dem Weg durch das Stiegenhaus, setzte sich im Hof fort und wurde zum bestimmenden Gefühl, wenn ich durch die Straßen der Rennbahnsiedlung lief. Ich fühlte mich schutzlos und winzig und hasste mich dafür. An diesem Tag, das nahm ich mir fest vor, wollte ich versuchen, stark zu sein. Dieser Tag sollte der erste meines neuen Lebens und der letzte meines alten werden. Im Nachhinein mutet es beinahe zynisch an, dass genau an diesem Tag mein Leben, wie ich es kannte, tatsächlich endete. Allerdings auf eine Weise, für die mir jegliche Vorstellungskraft fehlte.

Entschlossen schob ich die gemusterte Bettdecke zur Seite und stand auf. Wie immer hatte mir meine Mutter die Sachen bereitgelegt, die ich anziehen sollte. Ein Kleid mit einem Oberteil aus Jeansstoff und einem Rock aus kariertem, grauem Flanell. Ich fühlte mich unförmig darin, eingezwängt, als hielte mich das Kleid fest in einem Stadium, dem ich doch längst entwachsen wollte.

Missmutig schlüpfte ich hinein, dann ging ich über den Flur in die Küche. Auf dem Tisch hatte meine Mutter die Pausenbrote für mich zurechtgelegt, eingewickelt in Papierservietten, die das Logo des kleinen Lokals in der Marco-Polo-Siedlung und ihren Namen trugen. Als es Zeit war zu gehen, schlüpfte ich in meinen roten Anorak und schulterte meinen bunten Rucksack. Ich streichelte die Katzen und verabschiedete mich von ihnen. Dann öffnete ich die Tür zum Stiegenhaus und ging hinaus. Auf dem letzten Absatz blieb ich stehen und zögerte, jenen Satz im Kopf, den meine Mutter mir Dutzende Male gesagt hatte: »Man darf nie im Ärger auseinandergehen. Man weiß ja nicht, ob man sich wiedersehen wird!« Sie konnte wütend werden, sie war impulsiv, und oft rutschte ihr die Hand aus. Aber wenn es daran ging, sich zu verabschieden, war sie immer sehr liebevoll. Sollte ich wirklich ohne ein Wort gehen? Ich drehte mich um, aber dann siegte doch das Gefühl der Enttäuschung, das der Vorabend in mir hinterlassen hatte. Ich würde ihr keinen Kuss mehr geben und sie mit meinem Schweigen strafen. Außerdem, was sollte schon passieren?

»Was soll schon passieren?«, murmelte ich halblaut vor mich hin. Die Worte hallten im Treppenhaus mit den grauen Fliesen. Ich wandte mich wieder um und ging die Stufen hinunter. Was soll schon passieren? Der Satz wurde mein Mantra für den Weg hinaus auf die Straße und durch die Häuserblocks zur Schule. Mein Mantra, gerichtet gegen die Angst und gegen das schlechte Gewissen, mich nicht verabschiedet zu haben.

Ich verließ den Gemeindebau, lief an seiner endlosen Mauer entlang und wartete am Zebrastreifen. Die Straßenbahn ratterte an mir vorüber, vollgestopft mit Menschen auf dem Weg zur Arbeit. Mein Mut sank. Alles um mich herum schien plötzlich viel zu groß für mich. Der Streit mit meiner Mutter ging mir nach, und das Gefühl, in diesem Beziehungsgeflecht zwischen meinen streitenden Eltern und deren neuen Partnern, die mich nicht akzeptierten, unterzugehen, machte mir Angst. Die Aufbruchstimmung, die ich an diesem Tag hatte verspüren wollen, wich der Gewissheit, dass ich einmal mehr um einen Platz in diesem Geflecht würde kämpfen müssen. Und dass ich es nicht schaffen würde, mein Leben zu ändern, wenn mir schon der Zebrastreifen wie ein unüberwindbares Hindernis vorkam.

Ich begann zu weinen und spürte, wie der Drang übermächtig wurde, einfach zu verschwinden und mich in Luft aufzulösen. Ich ließ den Verkehr an mir vorbeifließen und stellte mir vor, wie ich auf die Straße treten und mich ein Auto erfassen würde. Es würde mich ein paar Meter mitschleifen, und dann wäre ich tot. Mein Rucksack würde neben mir liegen, und meine rote Jacke wäre wie eine Signalfarbe auf dem Asphalt, die schrie: Seht nur, was ihr mit diesem Mädchen gemacht habt. Meine Mutter würde aus dem Haus stürzen, um mich weinen und alle ihre Fehler einsehen. Ja, das würde sie. Ganz sicher.

Natürlich sprang ich nicht vor ein Auto und auch nicht vor die Straßenbahn. Ich hätte niemals so viel Aufmerksamkeit auf mich ziehen wollen. Stattdessen gab ich mir einen Ruck, überquerte die Straße und ging den Rennbahnweg entlang in Richtung meiner Volksschule am Brioschiweg. Der Weg führte durch ein paar ruhige Nebenstraßen, gesäumt von kleinen Einfamilienhäusern aus den 1950er Jahren mit bescheidenen Vorgärten. In einer Gegend, die geprägt war von Industriebauten und Plattenbausiedlungen, wirkten sie anachronistisch und beruhigend zugleich. Als ich in die Melangasse einbog, wischte ich mir die letzten Tränen vom Gesicht, dann trottete ich mit gesenktem Kopf weiter.

Ich weiß nicht mehr, was mich veranlasste, den Kopf zu heben. Ein Geräusch? Ein Vogel? Jedenfalls fiel mein Blick auf einen weißen Lieferwagen. Er stand in der Parkspur auf der rechten Straßenseite und wirkte in dieser ruhigen Umgebung seltsam fehl am Platz. Vor dem Lieferwagen sah ich einen Mann stehen. Er war schlank, nicht sehr groß und blickte irgendwie ziellos umher: als würde er auf etwas warten und wüsste nicht, worauf.

Ich verlangsamte meine Schritte und wurde steif. Meine Angst, die ich so wenig greifen konnte, war mit einem Schlag zurück und überzog meine Arme mit einer Gänsehaut. Sofort hatte ich den Impuls, die Straßenseite zu wechseln. Eine schnelle Abfolge von Bildern und Wortfetzen raste durch meinen Kopf: Sprich nicht mit fremden Männern … Steig nicht in ein fremdes Auto … Entführungen, Missbrauch, die vielen Geschichten, die ich über gekidnappte Mädchen im Fernsehen gesehen hatte. Aber wenn ich wirklich erwachsen werden wollte, durfte ich diesem Impuls nicht nachgeben. Ich musste mich stellen und zwang mich weiterzugehen. Was soll schon passieren? Der Schulweg war meine Prüfung. Ich würde sie bestehen, ohne auszuweichen.

Rückblickend kann ich nicht mehr sagen, warum beim Anblick des Lieferwagens in mir sofort die Alarmglocken schrillten: Es mag Intuition gewesen sein, vielleicht aber auch einfach die Überflutung mit all den Meldungen über sexuellen Missbrauch, denen wir damals in Folge des »Falles Groër« ausgesetzt waren. Der Kardinal wurde 1995 bezichtigt, Jugendliche missbraucht zu haben, die Reaktion des Vatikans sorgte für einen regelrechten Medienrummel und führte zu einem Kirchenvolksbegehren in Österreich. Dazu kamen all die Berichte über entführte und ermordete Mädchen, die ich aus den deutschen Fernsehnachrichten kannte. Aber wahrscheinlich hätte mir wohl jeder Mann, dem ich in einer ungewöhnlichen Situation auf der Straße begegnet wäre, Angst eingejagt. Entführt zu werden war in meinen kindlichen Augen eine realistische Möglichkeit – aber im tiefsten Inneren doch etwas, das im Fernsehen stattfand. Und nicht in meiner Nachbarschaft.

Als ich mich dem Mann bis auf etwa zwei Meter genähert hatte, sah er mir in die Augen. In diesem Moment schwand meine Angst. Er hatte blaue Augen und wirkte mit seinen etwas zu langen Haaren wie ein Student in einem alten Fernsehfilm aus den 1970er Jahren. Sein Blick ging auf seltsame Weise ins Leere. Das ist ein armer Mann, dachte ich, denn er strahlte so etwas Schutzbedürftiges aus, dass ich den spontanen Wunsch hatte, ihm zu helfen. Das mag seltsam klingen, wie ein unbedingtes Festhalten am kindlichen Glauben an das Gute im Menschen. Aber als er mich an diesem Morgen zum ersten Mal frontal ansah, wirkte er verloren und sehr zerbrechlich.

Ja. Diese Prüfung würde ich bestehen. Ich würde in dem Abstand, den der schmale Gehsteig zuließ, an diesem Mann vorbeigehen. Ich traf nicht gerne mit anderen Menschen zusammen und wollte ihm wenigstens so weit ausweichen, dass ich nicht mit ihm in Berührung kam.

Dann ging alles sehr schnell.

In dem Moment, als ich mit gesenktem Blick den Mann passieren wollte, packte er mich um die Taille und hob mich durch die offene Türe in den Lieferwagen. Alles geschah mit einer einzigen Bewegung, als wäre die Szene choreographiert worden, als hätten wir sie gemeinsam einstudiert. Eine Choreographie des Schreckens.

Habe ich geschrien? Ich glaube nicht. Und doch war alles in mir ein einziger Schrei. Er drängte nach oben und blieb weit unten in meiner Kehle stecken: ein stummer Schrei, als wäre einer dieser Alpträume wahr geworden, in denen man schreien will, aber es ist kein Ton zu hören; in denen man rennen will, aber die Beine bewegen sich wie in Treibsand.

Habe ich mich gewehrt? Habe ich versucht, seine perfekte Inszenierung zu stören? Ich muss mich gewehrt haben, denn am nächsten Tag hatte ich ein blaues Auge. An den Schmerz durch einen Schlag kann ich mich allerdings nicht mehr erinnern, nur an das Gefühl lähmender Ohnmacht. Der Täter hatte leichtes Spiel mit mir. Er war 1 Meter 72 groß, ich nur 1,50. Ich war dick und sowieso nicht besonders schnell, zudem schränkte der schwere Rucksack meine Bewegungsfreiheit ein. Das Ganze hatte nur wenige Sekunden gedauert.

Dass ich entführt worden war und dass ich vermutlich sterben würde, war mir in dem Augenblick bewusst, in dem sich die Wagentür hinter mir schloss. Vor meinen Augen flimmerten die Bilder vom Trauergottesdienst für Jennifer, die im Januar in einem Auto missbraucht und ermordet worden war, als sie versucht hatte zu fliehen. Die Bilder vom Bangen der Eltern um die missbrauchte Carla, die bewusstlos in einem Teich gefunden worden war und eine Woche später starb. Ich hatte mich damals gefragt, wie das wohl ist: sterben, und das danach. Ob man Schmerzen hat, kurz vorher. Und ob man wirklich ein Licht sieht.

Die Bilder vermengten sich mit einem Durcheinander an Gedanken, die mir durch den Kopf rasten. Geschieht das gerade wirklich? Mir?, fragte eine Stimme. Was für eine Schnapsidee, ein Kind zu kidnappen, das funktioniert doch nie, sagte eine andere. Warum ich? Ich bin klein und dick, ich passe doch nicht in das Beuteschema eines Kidnappers, flehte die nächste. Die Stimme des Täters holte mich zurück. Er befahl mir, mich auf den Boden des Laderaums zu setzen, und schärfte mir ein, mich nicht zu rühren. Wenn ich seinen Anweisungen nicht folgen würde, könne ich was erleben. Dann stieg er über den Sitz nach vorn und fuhr los.

Da es keine Trennwand zwischen Fahrerbereich und Laderaum gab, konnte ich ihn von hinten sehen. Und ich konnte hören, wie er hektisch Nummern in sein Autotelefon eintippte. Aber offenbar erreichte er niemanden.

Währenddessen hämmerten die Fragen in meinem Kopf weiter: Wird er Lösegeld erpressen? Wer wird es zahlen? Wohin bringt er mich? Was ist das für ein Auto? Wie spät ist es jetzt? Die Scheiben des Lieferwagens waren bis auf einen schmalen Streifen am oberen Rand abgedunkelt. Ich konnte vom Boden aus nicht genau sehen, wohin wir fuhren, und ich traute mich nicht, den Kopf so weit zu heben, dass ich durch die Windschutzscheibe sehen konnte. Die Fahrt erschien mir lang und ziellos, ich verlor rasch das Gespür für Zeit und Raum. Aber die Baumkronen und Strommasten, die immer wieder an mir vorbeizogen, gaben mir das Gefühl, als würden wir im Kreis durch das Viertel fahren.

Reden. Du musst mit ihm reden. Aber wie? Wie spricht man einen Verbrecher an? Verbrecher verdienen keinen Respekt, die Höflichkeitsform erschien mir nicht angebracht. Also du. Die Anrede, die eigentlich für Menschen reserviert war, die mir nahestanden.

Ich fragte ihn absurderweise zuerst nach seiner Schuhgröße. Das hatte ich mir aus Fernsehsendungen wie »Aktenzeichen XY ungelöst« gemerkt. Man muss den Täter genau beschreiben können, jedes noch so kleine Detail war wichtig. Aber natürlich bekam ich keine Antwort. Stattdessen befahl mir der Mann barsch, ruhig zu sein, dann würde mir auch nichts geschehen. Ich weiß bis heute nicht, wie ich damals den Mut aufbrachte, mich über seine Anweisung hinwegzusetzen.

Vielleicht, weil ich mir sicher war, dass ich ohnehin sterben würde – dass es nicht schlimmer werden konnte.

»Werde ich jetzt missbraucht?«, fragte ich ihn als Nächstes. Diesmal bekam ich eine Antwort. »Dazu bist du viel zu jung«, sagte er. »Das würde ich nie tun.« Dann telefonierte er wieder. Nachdem er aufgelegt hatte, sagte er: »Ich bringe dich jetzt in einen Wald und übergebe dich den anderen. Dann habe ich mit der Sache nichts mehr zu tun.« Diesen Satz wiederholte er mehrmals, schnell und fahrig: »Ich übergebe dich und dann habe ich nichts mehr mit dir zu tun. Wir werden uns nie wiedersehen.«

Wenn er mir Angst hatte einjagen wollen, dann hatte er damit genau das richtige Stichwort gefunden: Seine Ankündigung, mich an »andere« zu übergeben, raubte mir den Atem, ich wurde starr vor Schreck. Er brauchte nichts weiter zu sagen, ich wusste, was damit gemeint war: Kinderpornoringe waren seit Monaten Thema in den Medien. Es war seit dem letzten Sommer keine Woche vergangen, in der nicht über Täter diskutiert worden war, die Kinder entführten, sie missbrauchten und dabei filmten. Vor meinem inneren Auge sah ich alles ganz genau vor mir: Gruppen von Männern, die mich in einen Keller zerren, mich überall anfassen, während andere Fotos davon machen. Bis zu diesem Moment war ich überzeugt davon gewesen, dass ich bald sterben würde. Das, was mir jetzt drohte, schien mir schlimmer.

Ich weiß nicht mehr, wie lange die Fahrt gedauert hat, bis wir anhielten. Wir waren in einem Föhrenwald, wie es sie außerhalb von Wien zahlreich gibt. Der Täter stellte den Motor ab und telefonierte wieder. Etwas schien schiefgegangen zu sein. »Die kommen nicht, die sind nicht hier!«, schimpfte er vor sich hin. Er wirkte dabei verängstigt, gehetzt. Aber vielleicht war das auch nur ein Trick: Vielleicht wollte er, dass ich mich mit ihm verbünde, gegen diese »anderen«, denen er mich übergeben sollte und die ihn nun hängenließen. Vielleicht hat er sie aber auch nur erfunden, um meine Angst zu vergrößern und mich damit zu lähmen.

Der Täter stieg aus und befahl mir, mich nicht von der Stelle zu rühren. Ich gehorchte stumm. Hatte Jennifer nicht aus einem solchen Auto fliehen wollen? Wie hatte sie das versucht? Und was hatte sie dabei falsch gemacht? In meinem Kopf wirbelte alles durcheinander. Wenn er die Tür nicht verriegelt hatte, konnte ich sie vielleicht aufschieben. Aber dann? Zwei Schritte und er wäre bei mir. Ich konnte nicht schnell laufen. Ich hatte auch keine Ahnung, in welchem Wald wir uns befanden und in welche Richtung ich rennen sollte. Und dann waren da noch »die anderen«, die mich holen sollten, die überall sein konnten. Ich sah es lebhaft vor mir, wie sie hinter mir her hetzen, mich packen und zu Boden reißen würden. Und dann sah ich mich als Leiche in diesem Wald, verscharrt unter einer Föhre.

Ich dachte an meine Eltern. Meine Mutter würde am Nachmittag in den Hort kommen, um mich abzuholen, und die Horttante würde ihr sagen: »Aber Natascha war doch heute gar nicht hier!« Meine Mutter würde verzweifeln, und ich hatte keine Möglichkeit, sie davor zu schützen. Es schnitt mir ins Herz, wenn ich daran dachte, wie sie im Hort steht und ich bin nicht da.

Was soll schon passieren? Ich war gegangen an diesem Morgen ohne ein Wort des Abschieds, ohne einen Kuss. »Man weiß ja nicht, ob man sich wiedersehen wird.«

* * *

Die Worte des Täters ließen mich zusammenzucken. »Sie kommen nicht.« Dann stieg er ein, startete den Motor und fuhr wieder los. Diesmal erkannte ich an den Giebeln und

Dächern der Häuser, die ich durch den schmalen Streifen der Seitenfenster gerade noch sehen konnte, wohin er den Wagen lenkte: an den Stadtrand zurück und dann auf die Ausfallstraße Richtung Gänserndorf.

»Wohin fahren wir?«, fragte ich.

»Nach Straßhof«, sagte der Täter freimütig.

Als wir Süßenbrunn durchquerten, erfasste mich tiefe Traurigkeit. Wir kamen beim alten Geschäft meiner Mutter vorbei, das sie vor kurzem aufgelassen hatte. Noch drei Wochen vorher wäre sie vormittags hier am Schreibtisch gesessen und hätte die Büroarbeit erledigt. Ich konnte sie vor mir sehen und wollte schreien, aber ich brachte nur ein schwaches Wimmern heraus, als wir an der Gasse vorbeifuhren, die zum Haus meiner Großmutter führte. Hier hatte ich die glücklichsten Momente meiner Kindheit verbracht.

In einer Garage kam der Wagen zum Stehen. Der Täter befahl mir, am Boden der Ladefläche liegen zu bleiben, und stellte den Motor ab. Dann stieg er aus, holte eine blaue Decke, warf sie über mich und wickelte mich fest darin ein. Ich bekam kaum noch Luft, um mich herum war absolute Dunkelheit. Als er mich wie ein verschnürtes Paket hochhob und aus dem Auto trug, erfasste mich Panik. Ich musste aus dieser Decke heraus. Und ich musste aufs Klo.

Meine Stimme klang dumpf und fremd unter der Decke, als ich ihn bat, mich abzusetzen und auf die Toilette zu lassen. Er hielt einen Moment inne, dann wickelte er mich aus und führte mich durch einen Vorraum zu einem kleinen Gästeklo. Vom Gang aus konnte ich einen kurzen Blick in die angrenzenden Zimmer werfen. Die Einrichtung wirkte bieder und teuer – für mich eine weitere Bestätigung dafür, dass ich wirklich einem Verbrechen zum Opfer gefallen war: In den Fernsehkrimis, die ich kannte, hatten Kriminelle immer große Häuser mit wertvoller Einrichtung.

Der Täter blieb vor der Tür stehen und wartete. Ich drehte sofort den Schlüssel herum und atmete auf. Doch der Moment der Erleichterung dauerte nur Sekunden: Der Raum hatte kein Fenster, ich war gefangen. Der einzige Weg nach draußen führte durch die Tür, hinter der ich mich nicht ewig einschließen konnte. Zumal es für ihn ein Leichtes wäre, sie aufzubrechen.

Als ich nach einer Weile aus der Toilette herauskam, hüllte mich der Täter wieder in die Decke: Dunkelheit, stickige Luft. Er hob mich hoch, und ich spürte, wie er mich mehrere Treppen hinabtrug: ein Keller? Unten angekommen, legte er mich auf den Boden, zerrte mich an der Decke ein Stück vorwärts, schulterte mich wieder und ging weiter. Es kam mir vor wie eine Ewigkeit, bis er mich wieder absetzte. Dann hörte ich, wie sich seine Schritte entfernten.

Ich hielt den Atem an und lauschte. Nichts. Es war absolut nichts zu hören. Trotzdem dauerte es, bis ich es wagte, mich vorsichtig aus der Decke zu schälen. Rund um mich herum herrschte absolute Dunkelheit. Es roch nach Staub, die schale Luft war seltsam warm. Unter mir spürte ich den kalten, nackten Boden. Ich rollte mich darauf zusammen und wimmerte leise. Meine eigene Stimme klang in der Stille so seltsam, dass ich erschrocken aufhörte. Wie lange ich so liegen blieb, weiß ich nicht mehr. Ich versuchte anfangs noch, die Sekunden zu zählen und die Minuten. Einundzwanzig, zweiundzwanzig … murmelte ich vor mich hin, für die Länge der Sekunden. Mit den Fingern versuchte ich, die Minuten festzuhalten. Ich verzählte mich immer wieder, dabei durfte mir das doch jetzt nicht passieren! Ich musste mich doch konzentrieren, mir jedes Detail merken! Aber schnell hatte ich jegliches Zeitgefühl verloren. Die Dunkelheit, der Geruch, der Ekel in mir hervorrief, all das legte sich über mich wie ein schwarzes Tuch.

Als der Täter zurückkam, brachte er eine Glühbirne mit,

die er in eine Halterung an der Wand schraubte. Das grelle Licht, das so plötzlich aufflammte, blendete mich und brachte keinerlei Linderung: Denn nun sah ich, wo ich mich befand. Der Raum war klein und kahl, die Wände waren mit Holz verkleidet, eine nackte Pritsche war mit Haken an der Wand montiert. Der Boden war aus hellem Laminat. In der Ecke stand eine Toilette ohne Deckel, an einer Wand befand sich ein Doppelwaschbecken aus Nirosta.

Sah so das geheime Versteck einer Verbrecherbande aus? Ein Sexclub? Die Wände mit dem hellen Holz erinnerten mich an eine Sauna und setzten eine Gedankenkette in Gang: Sauna im Keller – Kinderschänder – Verbrecher. Ich sah dicke, schwitzende Männer vor mir, die mich in diesem engen Raum bedrängten. Für mich als Kind war eine Sauna im Keller der Ort, an den solche Leute ihre Opfer lockten, um sie dort zu missbrauchen. Doch es gab keinen Ofen und keinen dieser Holzkübel, die sich normalerweise in Saunas befinden.

Der Täter wies mich an, aufzustehen, mich in einem gewissen Abstand vor ihm hinzustellen und mich nicht von der Stelle zu rühren. Dann begann er, die Holzpritsche abzumontieren und die Haken, an denen sie befestigt war, aus der Wand zu schrauben. Währenddessen redete er mit einer Stimme auf mich ein, die Menschen in der Regel für ihr Haustier reservieren: beschwichtigend und sanft. Ich solle keine Angst haben, es würde alles gut werden, wenn ich nur machte, was er mir befahl. Er sah mich dabei an, wie ein stolzer Besitzer seine neue Katze betrachtet – oder schlimmer: wie ein Kind ein neues Spielzeug. Voller Vorfreude und gleichzeitig unsicher, was man damit alles anstellen kann.

Nach einiger Zeit ebbte meine Panik langsam ab und ich wagte es, ihn anzusprechen. Ich flehte ihn an, mich gehen zu lassen: »Ich werde niemandem etwas erzählen. Wenn du mich jetzt freilässt, bemerkt niemand etwas. Ich werde einfach sagen, ich bin weggelaufen. Wenn du mich nicht über Nacht behältst, passiert dir ja nichts.« Ich versuchte, ihm zu erklären, dass er einen schweren Fehler beging, dass man mich bereits suchen und ganz sicher finden würde. Ich appellierte an sein Verantwortungsgefühl, ich bettelte um Mitleid. Doch es war zwecklos. Er machte mir unmissverständlich klar, dass ich die Nacht in diesem Verlies verbringen würde.

Hätte ich geahnt, dass dieser Raum für 3096 Nächte mein Rückzugsraum und mein Gefängnis zugleich sein würde, ich weiß nicht, wie ich reagiert hätte. Wenn ich heute zurückblicke, sehe ich, dass allein das Wissen, diese erste Nacht im Keller bleiben zu müssen, einen Mechanismus in Gang setzte, der wohl lebensrettend war – und zugleich gefährlich. Was eben noch außerhalb des Denkbaren erschien, war nun eine Tatsache: Ich war im Keller eines Verbrechers eingesperrt, und ich würde zumindest an diesem Tag nicht mehr freikommen. Ein Ruck ging durch meine Welt, die Realität verschob sich um ein kleines Stück. Ich akzeptierte, was passiert war, und anstatt verzweifelt und empört gegen die neue Situation anzukämpfen, fügte ich mich. Als Erwachsener weiß man, dass man ein Stück von sich selbst verliert, wenn man Gegebenheiten erdulden muss, die bis zu ihrem Eintreten völlig außerhalb des eigenen Vorstellungsvermögens waren. Der Boden, auf dem die eigene Persönlichkeit steht, bekommt einen Riss. Und doch ist es die einzig richtige Reaktion, sich anzupassen, denn sie sichert das Überleben. Als Kind handelt man intuitiver. Ich war eingeschüchtert, ich wehrte mich nicht, sondern begann, mich einzurichten – vorerst nur für eine Nacht.

Aus heutiger Sicht erscheint es mir beinahe befremdlich, wie meine Panik einem gewissen Pragmatismus wich. Wie schnell ich begriff, dass mein Flehen keinen Sinn haben und wie jedes weitere Wort an diesem fremden Mann abtropfen würde. Wie instinktiv ich ahnte, dass ich die Situation annehmen musste, um diese eine endlose Nacht im Keller zu überstehen.

Als der Täter die Pritsche von der Wand geschraubt hatte, fragte er mich, was ich alles brauchte. Eine absurde Situation, so, als würde ich im Hotel übernachten und hätte mein Necessaire vergessen. »Eine Haarbürste, eine Zahnbürste, Zahnpasta und einen Zahnputzbecher. Ein Joghurtbecher genügt auch.« Ich funktionierte.

Er erklärte mir, dass er nun nach Wien fahren müsse, um mir aus seiner dortigen Wohnung eine Matratze zu holen.

»Ist das dein Haus?«, fragte ich, doch ich erhielt keine Antwort. »Warum kannst du mich nicht in deiner Wohnung in Wien unterbringen?«

Er meinte, das wäre viel zu gefährlich: dünne Wände, aufmerksame Nachbarn, ich könnte schreien. Ich versprach ihm, ruhig zu sein, wenn er mich nur nach Wien brächte. Aber es nützte nichts.

In dem Moment, als er rückwärts den Raum verließ und die Tür zusperrte, geriet meine Überlebensstrategie ins Wanken. Ich hätte alles getan, damit er blieb oder mich mitnahm: alles, nur um nicht allein zu sein.

* * *

Ich hockte auf dem Boden, meine Arme und Beine fühlten sich seltsam taub an, meine Zunge klebte schwer an meinem Gaumen. Meine Gedanken kreisten um die Schule, als suchte ich nach einer zeitlichen Struktur, die mir Halt geben würde, die ich aber längst verloren hatte. Welches Fach wurde wohl gerade unterrichtet? War die große Pause schon vorbei? Wann haben sie bemerkt, dass ich nicht da bin? Und wann werden sie begreifen, dass ich gar nicht mehr komme? Werden sie meine Eltern informieren? Wie werden sie reagieren?

Der Gedanke an meine Eltern trieb mir Tränen in die Augen. Aber ich durfte doch nicht weinen. Ich musste doch stark sein, die Kontrolle behalten. Ein Indianer kennt keinen Schmerz, und außerdem: morgen wäre das alles ganz sicher vorbei. Und dann würde alles wieder gut werden. Meine Eltern würden sich durch den Schock, mich fast verloren zu haben, wieder vertragen und liebevoll mit mir umgehen. Ich sah sie vor mir, gemeinsam am Tisch beim Essen sitzend, wie sie mich stolz und bewundernd befragten, wie ich das alles gemeistert hatte. Ich stellte mir den ersten Tag in der Schule vor. Ob man mich wohl auslachen würde? Oder würde man mich als Wunder feiern, weil ich ja freigekommen war, während alle anderen, denen solche Dinge passieren, als Leichen in einem Teich oder einem Wald endeten. Ich malte mir aus, wie triumphal es wäre – und auch ein bisschen peinlich –, wie sich alle um mich scharen und unermüdlich ausfragen würden: »Hat dich die Polizei befreit?« Würde mich die Polizei denn überhaupt befreien können? Wie sollte sie mich finden? »Wie konntest du denn fliehen?« – »Woher hattest du den Mut zu fliehen?« Hätte ich überhaupt den Mut zu fliehen?

Panik kroch wieder in mir hoch: Ich hatte keine Ahnung, wie ich hier herauskommen sollte. Im Fernsehen »überwältigte« man Täter einfach. Aber wie? Würde ich ihn vielleicht sogar töten müssen? Ich wusste, dass man durch einen Leberstich stirbt, das hatte ich in der Zeitung gelesen. Aber wo war die Leber genau? Würde ich die richtige Stelle finden? Womit sollte ich zustechen? Und war ich dazu überhaupt fähig? Einen Menschen zu töten, ich, ein kleines Mädchen? Ich musste an Gott denken. War es in meiner Situation denn erlaubt, jemanden umzubringen, auch wenn man keine andere Wahl hatte? Du sollst nicht töten. Ich versuchte, mich zu erinnern, ob wir im Religionsunterricht über dieses Gebot gesprochen hatten – und ob es Ausnahmen in der Bibel gab. Mir fiel keine ein.

Ein dumpfes Geräusch riss mich aus meinen Gedanken. Der Täter war zurück.

Er hatte eine schmale und etwa acht Zentimeter dünne Schaumstoffmatte mitgebracht, die er auf den Boden legte. Sie sah aus, als ob sie vom Bundesheer stammte, oder von einer Gartenliege. Als ich mich auf sie setzte, wich die Luft sofort aus dem dünnen Gewebe und ich spürte den harten Boden unter mir. Der Täter hatte alles, worum ich ihn gebeten hatte, mitgebracht. Und sogar Kekse. Butterkekse mit einer dicken Schicht Schokolade darauf. Meine Lieblingskekse, die ich eigentlich nicht mehr essen durfte, weil ich zu dick war. Ich verband mit diesen Keksen eine unbändige Sehnsucht und eine Reihe demütigender Momente: Dieser Blick, wenn jemand zu mir sagte: »Das isst du jetzt aber nicht. Du bist ohnehin schon so pummelig.« Die Scham, wenn alle anderen Kinder zugriffen und meine Hand zurückgehalten wurde. Und das Glücksgefühl, wenn die Schokolade langsam in meinem Mund schmolz.

Als der Täter die Kekspackung öffnete, begannen meine Hände zu zittern. Ich wollte sie haben, aber vor lauter Nervosität und Angst wurde mein Mund ganz trocken. Ich wusste, ich würde sie nicht hinunterbringen. Er hielt mir die Packung so lange unter die Nase, bis ich einen herausnahm, den ich in kleine Teile zerbröselte. Dabei sprangen ein paar Schokoladenstücke ab, die ich mir in den Mund steckte. Mehr konnte ich nicht essen.

Nach einer Weile wandte sich der Täter von mir ab und ging zu meiner Schultasche, die auf dem Boden in einer Ecke lag. Als er sie hochhob und sich zum Gehen anschickte, flehte ich ihn an, mir die Tasche zu lassen – das Gefühl, die einzigen persönlichen Sachen in dieser verstörenden Umgebung zu verlieren, zog mir den Boden unter den Füßen weg. Er starrte mich mit einem wirren Gesichtsausdruck an: »Du könntest einen Sender darin versteckt haben und damit um Hilfe rufen«, sagte er. »Du führst mich hinters Licht und gibst dich absichtlich ahnungslos! Du bist viel intelligenter, als du zugibst!«

Der unvermittelte Wechsel seiner Stimmung ängstigte mich. Hatte ich etwas falsch gemacht? Und was für einen Sender sollte ich in meiner Tasche haben, in der außer ein paar Büchern und Stiften doch nur meine Pausenbrote waren? Damals wusste ich nichts mit seinem seltsamen Verhalten anzufangen. Heute ist dieser Satz für mich der erste Anhaltspunkt, dass der Täter paranoid und psychisch krank war. Es gab damals keine Sender, die man Kindern mitgeben konnte, um sie zu orten – und selbst heute, wo es diese Möglichkeiten gibt, ist so etwas höchst ungewöhnlich. Für den Täter aber war die Gefahr real, dass ich im Jahr 1998 solche futuristisch anmutenden Kommunikationsmittel in meiner Tasche versteckt hätte. So real, dass er in seinem Wahn Angst davor hatte, ein kleines Kind könne die Welt, die es nur in seinem Kopf gab, zum Einsturz bringen.

Seine Rolle in dieser Welt wechselte blitzschnell: Im einen Moment schien er mir den Zwangsaufenthalt in seinem Keller so angenehm wie möglich gestalten zu wollen. Im nächsten Moment sah er in mir – dem kleinen Mädchen, das keine Kraft hatte, keine Waffen und schon gar keinen Peilsender – einen Feind, der ihm nach dem Leben trachtete. Ich war einem Verrückten zum Opfer gefallen und zu einer Spielfigur in der kranken Welt in seinem Kopf geworden. Doch damals erkannte ich das nicht. Ich wusste nichts von psychischen Krankheiten, von Zwängen und wahnhaften Störungen, die in den betroffenen Personen eine neue Wirklichkeit entstehen lassen. Ich behandelte ihn wie einen normalen Erwachsenen. Deren Gedanken und Motive hatte ich als Kind ja auch nie durchschaut.

Mein Bitten und Flehen hatte keinen Erfolg: Der Täter

nahm den Rucksack und wandte sich zur Tür. Sie ging nach innen auf und hatte auf der Seite des Verlieses keinen Türdrücker, sondern nur einen kleinen runden Knauf, der so lose in das Holz gesteckt war, dass man ihn herausziehen konnte.

Als die Tür ins Schloss fiel, begann ich zu weinen. Ich war allein, eingesperrt in einem kahlen Raum irgendwo unter der Erde. Ohne meinen Rucksack, ohne die Brote, die meine Mutter vor wenigen Stunden für mich geschmiert hatte. Ohne die Servietten, in die sie gewickelt waren. Es fühlte sich an, als hätte er einen Teil von mir weggerissen, als hätte er die Verbindung zu meiner Mutter und meinem alten Leben gekappt.

Ich kauerte mich in einer Ecke auf die Matratze und wimmerte leise vor mich hin. Die holzgetäfelten Wände schienen immer näher zu rücken, die Decke stürzte auf mich zu. Mein Atem ging schnell und flach, ich bekam kaum Luft, während die Angst mich immer enger umschloss. Es war ein grauenvolles Gefühl.

Ich habe als Erwachsene oft darüber nachgedacht, wie ich diesen Moment überstanden habe. Die Situation war so beängstigend, dass ich gleich zu Anfang meiner Gefangenschaft daran hätte zerbrechen können. Doch der menschliche Verstand kann Erstaunliches leisten – indem er sich selbst austrickst und zurückzieht, um vor einer Situation nicht zu kapitulieren, die logisch nicht erfassbar ist.

Heute weiß ich, dass ich damals innerlich regredierte. Der Verstand des zehnjährigen Mädchens zog sich zurück bis auf die Stufe eines kleinen Kindes von vier oder fünf Jahren. Eines Kindes, das die Welt um sich als gegeben annimmt; in dem nicht das logische Erfassen der Realität, sondern die kleinen Rituale des kindlichen Alltags die Fixpunkte darstellen, die wir brauchen, um Normalität zu verspüren. Um nicht zusammenzubrechen. Meine Situation war so weit außerhalb all dessen, womit man rechnen konnte, dass ich mich unbewusst auf diese Stufe zurückzog: Ich fühlte mich klein, ausgeliefert und frei von Verantwortung. Dieser Mensch, der mich hier unten eingesperrt hatte, war der einzig anwesende Erwachsene und somit jene Autoritätsperson, die wissen würde, was zu tun ist. Ich würde nur befolgen müssen, was er verlangte – dann würde alles gut werden. Dann würde alles so ablaufen, wie es immer ablief: das Abendritual, die Hand der Mutter auf der Bettdecke, der Gute-Nacht-Kuss und eine geliebte Bezugsperson, die noch ein kleines Licht brennen lässt und leise aus dem Raum schleicht.

Dieser intuitive Rückzug in das Verhalten eines Kleinkindes war die zweite wichtige Veränderung an jenem ersten Tag der Gefangenschaft. Es war der verzweifelte Versuch, in einer ausweglosen Situation eine kleine, vertraute Insel zu schaffen. Als der Täter später noch einmal ins Verlies kam, bat ich ihn, bei mir zu bleiben, mich ordentlich ins Bett zu bringen und mir eine Gute-Nacht-Geschichte zu erzählen. Ich wünschte mir von ihm sogar einen Gute-Nacht-Kuss, wie meine Mutter ihn mir gab, bevor sie leise die Tür zu meinem Kinderzimmer hinter sich zuzog. Alles, um die Illusion der Normalität zu wahren. Und er spielte mit. Aus meiner Schultasche, die er irgendwo vor dem Verlies abgestellt hatte, holte er ein Leseheft mit Märchen und kleinen Geschichten, legte mich auf die Matratze, deckte mich mit einer dünnen Decke zu und setzte sich auf den Boden. Dann begann er zu lesen: »Die Prinzessin auf der Erbse, Teil 2«. Anfangs geriet er immer wieder ins Stocken, es wirkte beinahe schüchtern, wie er mit leiser Stimme vom Prinzen und der Prinzessin erzählte. Am Ende gab er mir einen Kuss auf die Stirn. Für einen Moment fühlte ich mich, als läge ich in meinem weichen Bett in meinem sicheren Kinderzimmer. Er ließ sogar das Licht brennen.

Erst als die Tür sich hinter ihm schloss, platzte die schützende Illusion wie eine Seifenblase.

Ich schlief nicht in dieser Nacht. In meinem Kleid, das ich nicht hatte ausziehen wollen, rollte ich mich unruhig auf der dünnen Matratze hin und her. Das Kleid, in dem ich so unförmig aussah, war das Letzte, das mir nach diesem Tag von meinem Leben geblieben war.

Vergebliche Hoffnung auf Rettung
Die ersten Wochen im Verlies

»Die österreichischen Behörden beschäftigen
sich mit dem Verschwinden eines Mädchens,
der zehnjährigen Natascha Kampusch. Am
2. März ist dieses Mädchen zum letzten Mal
gesehen worden. Der Schulweg, auf dem sich
seine Spur verloren hat, ist ziemlich lang.
Angeblich soll ein Mädchen mit einem roten
Anorak in einen weißen Kastenwagen gezerrt
worden sein.«
Aktenzeichen XY ungelöst, 27. März 1998

ICH HATTE DEN TÄTER schon eine ganze Weile gehört, bevor er
am nächsten Tag ins Verlies kam. Ich wusste damals nicht, wie
gut der Eingang abgesichert war – aber ich konnte anhand der
nur langsam näher kommenden Geräusche feststellen, dass er
sehr lange brauchte, um mein Verlies zu öffnen.

Ich stand in der Ecke, den Blick starr auf die Türe geheftet,
als er den fünf Quadratmeter großen Raum betrat. Er kam
mir jünger vor als am Tag der Entführung: ein schmächtiger
Mann mit weichen, jugendlichen Zügen, die braunen Haare
ordentlich gescheitelt wie der Musterschüler eines Vorstadt-
gymnasiums. Sein Gesicht war sanft und verhieß auf den ersten Blick nichts Böses. Erst wenn man ihn länger beobachtete,
bemerkte man den Anflug von Wahnsinn, der hinter der spie-

ßigen, bürgerlichen Fassade lauerte. Tiefe Risse würde sie aber erst später bekommen.

Ich bestürmte ihn sofort mit Fragen:

»Wann lässt du mich frei?«

»Warum hältst du mich fest?«

»Was machst du mit mir?«

Er antwortete einsilbig und registrierte jede meiner Bewegungen so, wie man ein gefangenes Tier im Auge behält: Nie drehte er mir den Rücken zu, ich musste immer etwa einen Meter Abstand zu ihm wahren.

Ich versuchte, ihm zu drohen: »Wenn du mich nicht sofort gehen lässt, kommst du in große Schwierigkeiten! Die Polizei sucht mich längst, sie wird mich finden und bald hier sein! Und dann musst du ins Gefängnis! Das willst du doch nicht, oder?«

»Lass mich gehen, und alles wird wieder gut.«

»Bitte, du lässt mich doch gehen?«

Er versprach mir, mich bald freizulassen. Als seien damit all meine Fragen beantwortet, drehte er sich um, zog den Knauf von der Tür und verriegelte sie von außen.

Ich lauschte verzweifelt, in der Hoffnung, er würde umdrehen, wieder zu mir zurückkommen. Nichts. Ich war von der Außenwelt komplett abgeschnitten. Kein Laut drang herein, kein bisschen Licht sickerte durch die Ritzen in den Wandpaneelen. Die Luft war muffig und legte sich über mich wie ein feuchter Film, den ich nicht abstreifen konnte. Das einzige Geräusch, das mich begleitete, war das Klappern des Ventilators, der durch ein Rohr an der Decke Luft vom Dachboden über der Garage in mein Gefängnis blies. Das Geräusch war die reine Folter: Tag und Nacht surrte es von nun an durch den winzigen Raum, bis es unwirklich und schrill wurde und ich mir verzweifelt die Hände an die Ohren presste, um es auszusperren. Wenn der Ventilator heiß lief, begann es zu stinken und die Flügel verbogen sich. Das schleifende Geräusch wurde langsamer, ein neues kam dazu. Tock. Tock. Tock. Und dazwischen wieder das Schleifen. Es gab Tage, da füllte dieses quälende Geräusch nicht nur jeden Winkel des Raumes aus, sondern auch jeden Winkel in meinem Kopf.

Der Täter ließ während meiner ersten Tage im Verlies rund um die Uhr das Licht brennen. Ich hatte ihn darum gebeten, weil ich Angst vor der Einsamkeit in der totalen Dunkelheit hatte, in die das Verlies versank, sobald er die Glühbirne herausdrehte. Aber die andauernde gleißende Helligkeit war fast genauso schlimm. Sie tat mir in den Augen weh und versetzte mich in einen künstlichen Wachzustand, aus dem ich nicht mehr herausfand: Selbst wenn ich mir die Decke über den Kopf zog, um den Lichtschein zu dämpfen, war mein Schlaf unruhig und oberflächlich. Die Angst und das grelle Licht ließen niemals mehr als ein leichtes Dämmern zu, aus dem ich immer wieder aufschreckte mit dem Gefühl, es sei helllichter Tag. Doch im künstlichen Licht des hermetisch abgeriegelten Kellers gab es keinen Unterschied mehr zwischen Tag und Nacht.

Heute weiß ich, dass es eine verbreitete Foltermethode war und in manchen Ländern wohl noch ist, Gefangene ständig künstlichem Licht auszusetzen. Pflanzen gehen bei extremer und dauerhafter Lichteinwirkung ein, Tiere sterben. Für Menschen ist es eine perfide Folter, wirksamer als physische Gewalt: Der Biorhythmus und das Schlafmuster werden davon so sehr gestört, dass der Körper von tiefer Erschöpfung wie gelähmt reagiert und das Gehirn schon nach wenigen Tagen nicht mehr richtig funktioniert. Ebenso grausam und effektiv ist die Folter durch permanente Beschallung mit Geräuschen, denen man nicht entkommen kann. Wie dem sirrenden, schleifenden Ventilator.

Ich fühlte mich wie lebendig konserviert in einem unterirdischen Tresor. Mein Gefängnis war nicht ganz rechteckig, etwa 2 Meter 70 lang, 1 Meter 80 breit und knapp 2 Meter 40 hoch. Elfeinhalb Kubikmeter abgestandene Luft. Keine fünf Quadratmeter Bodenfläche, auf denen ich wie ein Tiger im Käfig hin und her ging, immer von einer Wand zur anderen. Sechs kleine Schritte hin, sechs Schritte zurück maß die Länge. Vier Schritte hin und vier zurück maß die Breite. Mit zwanzig Schritten konnte ich das Verlies umrunden.

Das Gehen dämpfte meine Panik nur leicht. Sobald ich stehen blieb, sobald das Geräusch meiner Füße auf dem Boden verstummte, stieg sie wieder in mir hoch. Mir war übel, und ich hatte Angst, verrückt zu werden. Was soll schon passieren? Einundzwanzig, zweiundzwanzig … sechzig. Sechs vor, vier nach links. Vier nach rechts, sechs zurück.

Das Gefühl der Ausweglosigkeit schnürte mich immer mehr ein. Gleichzeitig wusste ich, dass ich mich nicht erdrücken lassen durfte von meiner Angst, dass ich etwas tun musste. Ich nahm eine der Mineralwasserflaschen, mit denen der Täter mir frisches Leitungswasser gebracht hatte, und hämmerte damit mit all meiner Kraft gegen die Wandverkleidung. Erst rhythmisch und energisch, bis mir der Arm lahm wurde. Am Ende war es nicht mehr als ein verzweifeltes Trommeln, in das sich meine Schreie um Hilfe mischten. Bis mir die Flasche aus der Hand glitt.

Niemand kam. Niemand hatte mich gehört, vielleicht noch nicht einmal der Täter. Ich brach erschöpft auf meiner Matratze zusammen und rollte mich ein wie ein kleines Tier. Mein Schreien ging in Schluchzen über. Das Weinen löste die Verzweiflung zumindest für kurze Zeit und beruhigte mich. Es erinnerte mich an meine Kindheit, als ich wegen Nichtigkeiten geweint – und den Anlass dafür schnell wieder vergessen hatte.

* * *

Meine Mutter hatte am Vortag gegen Abend die Polizei verständigt. Als ich nicht zur verabredeten Zeit zu Hause erschienen war, hatte sie erst im Hort, dann in der Schule angerufen. Niemand hatte eine Erklärung für mein Verschwinden. Am nächsten Tag leitete die Polizei die Fahndung nach mir ein. Aus alten Zeitungen weiß ich, dass hundert Polizeibeamte mit Hunden die Gegend um meine Volksschule und meine Siedlung durchsuchten. Es gab keinerlei Anhaltspunkte, die den Radius der Fahndung hätten begrenzen können. Hinterhöfe, Nebenstraßen und Grünanlagen wurden durchkämmt, ebenso das Ufer der Donau. Hubschrauber waren im Einsatz, an allen Schulen wurden Plakate aufgehängt. Im Stundentakt gingen Hinweise von Menschen ein, die mich an verschiedenen Orten gesehen haben wollten. Doch keiner dieser Hinweise führte zu mir.

Ich versuchte, mir in den ersten Tagen meiner Gefangenschaft immer wieder vorzustellen, was meine Mutter gerade machte. Wie sie mich überall suchen würde und wie ihre Hoffnung Tag für Tag schwinden würde. Sie fehlte mir so sehr, dass das Verlustgefühl mich innerlich zu zerfressen drohte. Ich hätte alles dafür gegeben, sie mit ihrer Kraft und Stärke bei mir zu haben. Ich bin im Nachhinein erstaunt, wie viel Gewicht die Medien bei der Interpretation meines Falles später dem Streit mit meiner Mutter beimaßen. Als wäre mein grußloses Gehen ein Fingerzeig gewesen, der etwas aussagte über das Verhältnis zu meiner Mutter. Auch wenn ich mich gerade während der zermürbenden Trennung meiner Eltern abgelehnt und missachtet gefühlt hatte, müsste doch jedem klar sein, dass ein Kind in einer Extremsituation innerlich beinahe automatisch nach seiner Mutter schreit. Ich war schutzlos ohne meine Mutter, ohne meinen Vater, und das Wissen, dass sie ohne Nachricht von mir waren, machte mich todtraurig. Es gab Tage, da belastete mich die bange Sorge um meine Eltern viel mehr als meine eigene Angst. Ich brachte Stunden damit zu, mir zu überlegen, wie ich ihnen zumindest mitteilen könnte, dass ich am Leben war. Damit sie nicht völlig verzweifelten. Und damit sie die Suche nach mir nicht aufgaben.

In meiner ersten Zeit im Verlies hoffte ich noch jeden Tag, jede Stunde, es würde die Tür aufgehen und jemand würde mich retten. Die Hoffnung, dass man mich nicht einfach so verschwinden lassen könne, trug mich durch die endlosen Stunden im Keller. Aber es verging Tag für Tag, und niemand kam. Außer dem Täter.

Im Nachhinein scheint es offensichtlich, dass er die Entführung lange geplant hatte: Warum sonst hätte er über Jahre hinweg ein Verlies bauen sollen, das nur von außen geöffnet werden konnte und gerade groß genug war, dass ein Mensch darin überleben konnte. Doch der Täter war, das erlebte ich in den Jahren der Gefangenschaft immer wieder, ein paranoider, ängstlicher Mensch, überzeugt davon, dass die Welt böse und die Menschen hinter ihm her seien. Es kann genauso gut sein, dass er das Verlies als Bunker gebaut hatte, in Vorbereitung auf einen Atomschlag oder den Dritten Weltkrieg; als eigenen Zufluchtsort vor all denen, die ihn vermeintlich verfolgten.

Welche Variante stimmt, diese Frage kann heute niemand mehr beantworten. Auch die Aussagen seines ehemaligen Arbeitskollegen Ernst Holzapfel lassen beide Deutungen zu. Er gab später zu Protokoll, der Täter habe sich einmal bei ihm erkundigt, wie man einen Raum so schallisolieren könne, dass eine Schlagbohrmaschine nicht im ganzen Haus zu hören sei.

Mir gegenüber benahm sich der Täter jedenfalls nicht wie ein Mann, der sich seit Jahren auf die Entführung eines Kindes vorbereitet hat und dessen lang gehegter Wunsch damit endlich in Erfüllung gegangen ist. Im Gegenteil: Er wirkte wie jemand, dem ein entfernter Bekannter überraschend ein ungeliebtes Kind überlassen hat und der nun nicht weiß, wohin mit diesem kleinen Wesen, das Bedürfnisse hat, mit denen er nicht umgehen kann.

Während meiner ersten Tage im Verlies behandelte mich der Täter wie ein sehr kleines Kind. Das kam mir teils entgegen, ich hatte mich ja innerlich auf die emotionale Stufe eines Kindergartenkindes zurückgezogen: Er brachte mir alles zu essen, was ich mir wünschte – und ich benahm mich wie beim Übernachtungsbesuch bei einer entfernten Großtante, der man glaubhaft einreden kann, dass Schokolade ein angemessenes Frühstück sei. Gleich am ersten Morgen fragte er mich, was ich essen wollte. Ich wünschte mir Früchtetee und Kipferl. Tatsächlich kam er nach einiger Zeit mit einer Thermoskanne voll Hagebuttentee und einem Briochekipferl von der bekanntesten Bäckerei des Ortes zurück. Der Aufdruck auf der Papiertüte bestätigte meine Vermutung, dass ich irgendwo in Strasshof gefangen gehalten wurde. Ein anderes Mal bat ich um Salzstangen mit Senf und Honig. Auch diese »Bestellung« wurde gleich erledigt. Es erschien mir sehr seltsam, dass dieser Mann alle meine Wünsche erfüllte, wo er mir doch alles genommen hatte.

Sein Hang, mich wie ein kleines Kind zu behandeln, hatte jedoch auch schlechte Seiten. Er schälte mir jede Orange und schob sie mir Stück für Stück in den Mund, als ob ich nicht selbst essen könnte. Als ich einmal Kaugummi wollte, lehnte er ab – aus Angst, ich könne daran ersticken. Abends zwang er meinen Mund auf und putzte mir die Zähne wie einer Dreijährigen, die ihre Zahnbürste noch nicht halten kann. Nach ein paar Tagen packte er unsanft meine Hand, hielt sie mit festem Griff und schnitt mir die Fingernägel.

Ich fühlte mich zurückgesetzt, als hätte er mir jenen Rest an Würde genommen, den ich mir in dieser Situation noch zu bewahren versuchte. Gleichzeitig wusste ich, dass ich mich selbst ein Stück weit auf diese Stufe begeben hatte, die mich bis zu einem gewissen Grad schützte. Denn wie stark der Täter in seiner Paranoia darin schwankte, ob er mich als zu klein oder als zu selbständig behandelte, hatte ich bereits am ersten Tag zu spüren bekommen.

Ich fügte mich in meine Rolle, und als der Täter das nächste Mal ins Verlies kam, um mir Essen zu bringen, tat ich alles, damit er blieb. Ich flehte. Ich bettelte. Ich kämpfte um seine Aufmerksamkeit, darum, dass er sich mit mir beschäftigte, mit mir spielte. Die Zeit allein im Verlies machte mich wahnsinnig.

So kam es, dass ich nach wenigen Tagen mit meinem Entführer in meinem Gefängnis saß und Halma, Mühle und Mensch ärgere Dich nicht spielte. Die Situation kam mir unwirklich vor, wie aus einem absurden Film: Niemand in der Welt draußen würde glauben, dass ein Entführungsopfer alles daran setzt, um mit seinem Kidnapper Mensch ärgere Dich nicht zu spielen. Doch die Welt draußen war nicht mehr meine Welt. Ich war ein Kind und allein, und es gab nur einen einzigen Menschen, der mich aus der beklemmenden Einsamkeit retten konnte: der, der mir diese Einsamkeit angetan hatte.

Ich saß mit dem Entführer auf meiner Matte, würfelte und zog. Ich starrte auf die Muster auf dem Spielbrett, auf die kleinen bunten Figuren und versuchte, den Raum rundherum auszublenden und mir den Täter als väterlichen Freund vorzustellen, der sich großzügig Zeit für Spiele mit einem Kind nimmt. Je besser es mir gelang, mich von dem Spiel gefangennehmen zu lassen, desto weiter wich die Panik zurück. Ich wusste, dass sie in irgendeiner Ecke lauerte, immer bereit zum Sprung. Wenn ich kurz davor stand, ein Spiel zu gewinnen, machte ich unauffällig einen Fehler, um das drohende Alleinsein hinauszuzögern.

In diesen ersten Tagen erschien mir die Anwesenheit des

Täters wie eine Garantie, dass das endgültige Grauen mich verschonen würde. Denn bei all seinen Besuchen sprach er von seinen angeblichen Auftraggebern, mit denen er schon während der Entführung so hektisch telefoniert hatte und die mich »bestellt« hätten. Ich ging nach wie vor davon aus, dass es sich dabei um einen Kinderpornoring handeln müsse. Er selbst murmelte immer wieder etwas von Leuten, die kommen würden, um mich zu fotografieren, und »sonst was mit mir machen« würden, was meine Befürchtungen bestätigte. Dass die Geschichte, die er mir auftischte, hinten und vorne nicht zusammenpasste, dass diese ominösen Auftraggeber vermutlich gar nicht existierten, diese Gedanken gingen mir zwar manchmal durch den Kopf. Wahrscheinlich hatte er sich die Hintermänner nur ausgedacht, um mich einzuschüchtern. Doch sicher wissen konnte ich das nicht, und selbst wenn sie erfunden waren, erfüllten sie ihren Zweck: Ich lebte in der ständigen Angst, dass in jedem Augenblick eine Horde böser Männer in mein Verlies kommen und über mich herfallen würde.

Die Bilder und Berichtsfetzen, die ich in den letzten Monaten in den Medien aufgeschnappt hatte, verdichteten sich zu immer erschreckenderen Szenarien. Ich versuchte, sie zu verdrängen – und malte mir zugleich aus, was die Täter alles mit mir machen würden. Wie das bei einem Kind überhaupt funktionieren würde. Welche Gegenstände sie benützen würden. Ob sie es gleich hier im Verlies machen oder mich in eine Villa, eine Sauna oder eine Dachmansarde bringen würden – wie im letzten Fall, der durch die Nachrichten gegangen war.

Wenn ich allein war, versuchte ich mich immer so zu positionieren, dass ich die Tür im Auge behielt. In den Nächten schlief ich wie ein gehetztes Tier, nur ein Auge geschlossen, in ständiger Alarmbereitschaft: Ich wollte von den Männern, denen ich angeblich übergeben werden sollte, nicht wehrlos im Schlaf überrascht werden. Ich war in jeder Sekunde unter Spannung, immer voller Adrenalin und getrieben von einer Angst, der ich in diesem kleinen Raum nicht entfliehen konnte. Die Angst vor den angeblich »wahren Empfängern« ließ den Mann, der vorgab, mich in ihrem Auftrag entführt zu haben, als fürsorgliche, freundliche Stütze erscheinen: Solange ich bei ihm war, trat das erwartete Grauen nicht ein.

* * *

In den Tagen nach meiner Entführung begann sich mein Verlies mit allerlei Dingen zu füllen. Zuerst brachte mir der Täter frische Kleidung: Ich besaß ja nur noch das, was ich am Leib trug. Meine Unterwäsche, meine Strumpfhose von Palmers, mein Kleid, meinen Anorak. Meine Schuhe hatte er verbrannt, um mögliche Spuren zu vernichten. Es waren die Schuhe mit den dicken Plateausohlen, die ich zu meinem zehnten Geburtstag bekommen hatte. Als ich an jenem Tag in die Küche kam, stand eine Torte mit zehn Kerzen auf dem Tisch, daneben lag ein Karton, der in buntes Glanzpapier eingewickelt war. Ich holte tief Luft und blies die Kerzen aus. Dann löste ich die Klebestreifen und schlug das Papier zur Seite. Wochenlang hatte ich meiner Mutter in den Ohren gelegen, sie solle mir bitte, bitte auch solche Schuhe kaufen, wie sie alle anderen trugen. Sie hatte kategorisch abgelehnt. Das sei nichts für Kinder, damit könne man nicht vernünftig laufen. Und nun lagen sie vor mir: schwarze Wildlederballerinas mit einem schmalen Riemen über dem Spann, darunter ein dickes, gewelltes Plateau aus Gummi. Ich war selig! Diese Schuhe, die mich auf einen Sitz um drei Zentimeter wachsen ließen, würden mir den Weg in mein neues selbstbewusstes Leben ganz sicher erleichtern.

Das letzte Geschenk meiner Mutter. Und er hatte es verbrannt. Damit hatte er mir nicht nur ein weiteres Bindeglied zu meinem alten Leben genommen, sondern auch ein Symbol – für die Stärke, die ich mir von diesen Schuhen erhofft hatte.

Nun gab mir der Täter einen alten Pullover von sich und militärgrüne Feinripp-T-Shirts, die er offenbar aus seiner Zeit beim Bundesheer behalten hatte. Das milderte in den Nächten die Kälte, die von außen kam. Gegen die Kälte, die mich im Inneren erfasste, behielt ich immer eines meiner eigenen Kleidungsstücke an.

Nach zwei Wochen brachte er mir als Ersatz für die dünne Schaumstoffmatte eine Gartenliege. Die Liegefläche war an Metallfedern aufgehängt, die bei jeder Bewegung leise quietschten. Das nächste halbe Jahr würde mich dieses Geräusch durch die langen Tage und Nächte im Verlies begleiten. Weil ich so fror – es hatte wohl kaum mehr als 15 Grad –, schleppte der Täter einen großen, schweren Elektroofen in den winzigen Raum. Und er brachte mir meine Schulsachen zurück. Die Tasche, so erzählte er mir, habe er mit den Schuhen verbrannt.

Mein erster Gedanke war, meinen Eltern eine Nachricht zukommen zu lassen. Ich nahm Stift und Papier und begann einen Brief an sie zu schreiben. Ich wandte viele Stunden auf, um ihn vorsichtig zu formulieren – und fand sogar eine Möglichkeit, ihnen mitzuteilen, wo ich mich befand: Ich wusste ja, dass ich irgendwo in Strasshof gefangen war, wo auch die Schwiegereltern meiner Schwester wohnten. Ich hoffte, dass eine Andeutung auf ihre Familie hin genügen würde, um meine Eltern – und die Polizei – auf die richtige Spur zu locken.

Um zu beweisen, dass ich diesen Brief selbst geschrieben hatte, legte ich ein Foto aus meinem Federmäppchen bei. Es zeigte mich im Winter des Vorjahres beim Eislaufen, eingepackt in einen dicken Overall, ein Lächeln auf dem Gesicht, die Backen gerötet. Es erschien mir wie ein Schnappschuss aus einer sehr fernen Welt: einer Welt mit lautem Kinderlachen, Popmusik aus scheppernden Lautsprechern und Unmengen an kalter, frischer Luft. Einer Welt, in der man nach einem Nachmittag auf dem Eis nach Hause in die Badewanne darf und bei einem Kakao fernsieht. Ich starrte minutenlang auf das Foto und prägte mir jedes Detail genau ein, um das Gefühl, das ich mit diesem Ausflug verband, niemals zu vergessen. Ich ahnte wohl, dass ich mir jede glückliche Erinnerung bewahren musste, um in dunklen Momenten darauf zurückgreifen zu können. Dann steckte ich das Foto zum Brief und bastelte aus einem weiteren Bogen Papier ein Kuvert.

In einer Mischung aus Naivität und Zuversicht wartete ich auf den Täter.

Als er kam, bemühte ich mich, gefasst und freundlich zu sein. »Du musst meinen Eltern diesen Brief schicken, damit sie wissen, dass ich am Leben bin!« Er öffnete das Kuvert, las meine Zeilen und lehnte ab. Ich bettelte und flehte ihn an, meine Eltern nicht länger im Ungewissen zu lassen. Ich appellierte an das Gewissen, das doch auch er haben müsse: »Du darfst nicht so ein böser Menschen werden«, erklärte ich ihm. Seine Tat sei böse, aber meine Eltern leiden zu lassen sei noch viel schlimmer. Ich suchte nach immer neuen Gründen, warum und weshalb, und versicherte ihm, dass ihm durch den Brief nichts passieren könne. Er habe ihn doch selbst gelesen und wisse schließlich, dass ich ihn darin nicht verraten hätte … Der Täter sagte lange »Nein« – und gab dann plötzlich nach. Er sicherte mir zu, den Brief per Post an meine Eltern zu schicken.

Es war vollkommen naiv, aber ich wollte ihm einfach glauben. Ich legte mich auf meine Gartenliege und malte mir aus, wie meine Eltern den Brief öffnen, wie sie meinen versteckten Hinweis finden und mich befreien würden. Geduld, ich müsste nur ein wenig Geduld haben, dann wäre dieser Alptraum vorbei.

Am Tag darauf stürzte mein Phantasiegebäude wie ein Kartenhaus zusammen. Der Täter kam mit einem verletzten Finger in mein Verlies und behauptete, »jemand« habe ihm in einem Streit den Brief entrissen und ihn, der darum gekämpft habe, dabei verletzt. Er ließ durchklingen, dass es seine Auftraggeber gewesen seien, die nicht wollten, dass ich Kontakt zu meinen Eltern aufnähme. Die fiktiven Bösewichte aus dem Pornoring erhielten damit eine bedrohliche Realität. Und gleichzeitig rückte sich der Täter in eine Position des Beschützers: Er habe meinen Wunsch schließlich erfüllen wollen und sich sogar so sehr eingesetzt, dass er eine Verletzung in Kauf nahm.

Heute weiß ich, dass er nie vorgehabt hatte, diesen Brief abzuschicken, und ihn wohl verbrannt hat, wie alle anderen Dinge, die er mir genommen hatte. Damals wollte ich ihm glauben.

* * *

In den ersten Wochen tat der Täter alles, um das Bild des vermeintlichen Beschützers nicht zu beschädigen. Er erfüllte mir sogar meinen größten Wunsch: einen Computer. Es war ein alter Commodore C64 mit wenig Speicherplatz, aber einigen Floppy-Discs mit Spielen, mit denen ich mich ablenken konnte. Am liebsten spielte ich ein »Mampf-Spiel«: Man bewegte dabei ein kleines Männchen durch ein unterirdisches Labyrinth, wo es Monstern ausweichen und Bonuspunkte fressen musste – eine etwas ausgefeiltere Version von Pacman. Ich verbrachte Stunde um Stunde damit, Punkte zu sammeln. Wenn der Täter im Verlies war, spielten wir manchmal auf einem geteilten Bildschirm gegeneinander. Er ließ mich, das kleine Kind, damals oft gewinnen. Die Analogie zu meiner eigenen Situation im Keller, in den jederzeit Monster eindringen konnten, denen man ausweichen musste, sehe ich heute.

Meine Bonuspunkte waren Belohnungen wie dieser Computer, »erspielt« durch »tadelloses« Verhalten.

Wenn ich des Mampf-Spiels überdrüssig wurde, wechselte ich auf Space-Pilot, bei dem man durch den Weltraum fliegt und fremde Raumschiffe abschießt. Das dritte Spiel auf meinem C64 war ein Strategiespiel namens »Kaiser«: Man herrscht in diesem Spiel über Völker und tritt gegeneinander an, um Kaiser zu werden. Dieses Spiel mochte er am liebsten. Mit Begeisterung schickte er seine Völker in den Krieg, er ließ sie auch hungern oder Zwangsarbeit leisten, solange es dem Ausbau seiner Macht diente und seine Heerscharen dadurch nicht dezimiert wurden.

Noch geschah das alles in einer virtuellen Welt. Aber es sollte nicht lange dauern, bis er mir sein anderes Gesicht zeigte.

»Wenn du nicht tust, was ich sage, dann muss ich dir das Licht abdrehen.«

»Wenn du nicht brav bist, dann muss ich dich fesseln.«

Ich hatte in meiner Situation ja gar keine Möglichkeit, nicht »brav« zu sein, und wusste nicht, was er meinte. Manchmal reichte es schon, wenn ich eine ruckartige Bewegung machte, um seine Stimmung zum Kippen zu bringen. Wenn ich ihn ansah, obwohl er wollte, dass ich den Blick starr auf den Boden heftete. Alles, was nicht der Schablone entsprach, mit der er mein Verhalten für sich vorzeichnete, beflügelte seine Paranoia. Dann beschimpfte er mich und bezichtigte mich ein ums andere Mal, ihn doch nur hinters Licht zu führen, ihm etwas vorzuspielen. Es war wohl die Unsicherheit, ob ich mich nicht doch mit der Außenwelt verständigen konnte, die ihn zu seinen verbalen Entgleisungen trieb. Er mochte es nicht, wenn ich auf meinem Standpunkt beharrte, dass er mir unrecht tat. Er wollte Anerkennung hören, wenn er mir etwas brachte. Lob für die Anstrengung, die er nur meinetwegen unternehmen musste, um etwa die schwere Heizung in das

Verlies zu schleppen. Schon damals begann er in Ansätzen, von mir Dankbarkeit zu fordern. Schon damals versuchte ich, sie ihm, so gut es eben ging, zu verweigern: »Ich bin nur hier, weil du mich eingesperrt hast.« Insgeheim konnte ich natürlich gar nicht anders, als mich zu freuen, wenn er mir Essen und dringend benötigte Gegenstände brachte.

Es erscheint mir heute, als Erwachsene, erstaunlich, dass meine Angst, meine immer wiederkehrende Panik, nicht auf die Person des Täters an sich gerichtet war. Es mag eine Reaktion auf sein unscheinbares Äußeres gewesen sein, auf seine Unsicherheit oder seine Strategie, mich innerhalb dieser untragbaren Situation so weit es ging in Sicherheit zu wiegen – indem er sich als Bezugsperson unentbehrlich machte. Das Bedrohliche an meiner Situation war das Verlies unter der Erde, die geschlossenen Wände und Türen und die angeblichen Auftraggeber. Der Täter selbst wirkte in manchen Momenten, als wäre diese Tat nur eine Pose, die er eingenommen hatte, die aber mit seiner Persönlichkeit nicht übereinstimmte. In meiner kindlichen Phantasie hatte er irgendwann beschlossen, zu einem Verbrecher zu werden und eine böse Tat zu begehen. Ich zweifelte nie daran, dass seine Tat ein Verbrechen war, das auch bestraft werden musste. Aber ich trennte sie klar von der Person, die sie begangen hatte. Der Bösewicht war doch ganz sicher nur eine Rolle.

* * *

»Ab jetzt musst du dir selbst etwas kochen.«

An einem Morgen in der ersten Woche kam der Täter mit einem Kästchen aus dunklem Sperrholz in das Verlies. Er rückte es an die Wand, stellte eine Kochplatte und ein kleines Backrohr darauf und schloss beides an den Strom an. Dann verschwand er wieder. Als er zurückkehrte, hatte er einen

Edelstahltopf und einen Stapel Fertiggerichte im Arm: Dosen mit Bohnen und Gulasch und eine Auswahl jener Schnellgerichte in kleinen, weißen Plastikwannen, verpackt in bunte Kartonhüllen, die man über Wasserdampf wärmt. Dann erklärte er mir, wie die Kochplatte funktionierte.

Ich war froh, ein winziges Stück Eigenständigkeit zurückzubekommen. Aber als ich die erste Dose Bohnen in den kleinen Topf goss und auf die Platte stellte, wusste ich nicht, auf welche Stufe ich sie einschalten musste und wie lange es dauern würde, bis das Essen fertig war. Ich hatte mir noch nie etwas zu essen gekocht und fühlte mich allein und überfordert. Und ich vermisste meine Mutter.

Rückblickend erscheint es mir erstaunlich, dass er einer Zehnjährigen das Kochen überließ, wo er doch sonst so darauf bedacht war, in mir das kleine hilflose Kind zu sehen. Aber von nun an wärmte ich mir eine Mahlzeit am Tag selbst auf der Kochplatte auf. Der Täter kam immer morgens und noch einmal entweder zu Mittag oder am Abend ins Verlies. Morgens brachte er mir eine Tasse Tee oder Kakao, ein Stück Kuchen oder eine Schale Müsli. Zu Mittag oder am Abend – je nachdem, wann er Zeit hatte – kam er mit Tomatensalat und Wurstbroten oder einer warmen Mahlzeit, die er mit mir teilte. Nudeln mit Fleisch und Soße, Reisfleisch, österreichische Hausmannskost, die seine Mutter für ihn vorgekocht hatte. Damals hatte ich keine Vorstellung, woher das Essen kam und wie er lebte. Ob er vielleicht sogar eine Familie hatte, die eingeweiht war und gemütlich mit ihm im Wohnzimmer saß, während ich auf meiner dünnen Matratze im Keller lag. Oder ob im Haus oben die Auftraggeber lebten, die ihn nur nach unten schickten, damit er mich vernünftig versorgte. Er achtete tatsächlich sehr darauf, dass ich mich gesund ernährte, und brachte mir regelmäßig Milchprodukte und Obst.

Eines Tages waren ein paar geviertelte Zitronen darunter,

die mich auf eine Idee brachten. Es war ein kindlicher und naiver Plan – doch damals erschien er mir genial: Ich wollte eine Krankheit vortäuschen, die den Täter zwang, mich zu einem Arzt zu bringen. Ich hatte von meiner Großmutter und ihren Freundinnen immer wieder Geschichten aus der Zeit der russischen Besatzung in Ostösterreich gehört – wie sich die Frauen den Vergewaltigungen und Verschleppungen entzogen, die damals gang und gäbe waren. Einer der Tricks war, rote Marmelade so im Gesicht aufzutragen, dass es nach einer schlimmen Hautkrankheit aussah. Ein anderer drehte sich um Zitronen.

Nachdem ich wieder allein war, löste ich mit meinem Lineal vorsichtig die hauchdünne Haut vom Fruchtfleisch der Zitronen ab. Dann klebte ich sie mir sorgfältig mit Creme auf meinen Arm. Es sah ekelerregend aus – als hätte ich wirklich eine eitrige Entzündung. Als der Täter zurückkam, hielt ich ihm meinen Arm entgegen und täuschte große Schmerzen vor. Ich wimmerte und bat ihn, mich unbedingt zu einem Arzt zu bringen. Er starrte mich unverwandt an, dann wischte er mir mit einer einzigen Geste die Zitronenhäutchen vom Arm.

An diesem Tag drehte er mir das Licht ab. Im Dunkeln liegend zermarterte ich mir den Kopf nach weiteren Möglichkeiten, mit denen ich ihn dazu zwingen konnte, mich freizulassen. Mir fiel keine mehr ein.

* * *

Meine einzige Hoffnung ruhte in jenen Tagen auf der Polizei. Ich rechnete zu diesem Zeitpunkt noch fest mit einer Befreiung und hoffte, dass sie stattfinden würde, bevor er mich doch noch den ominösen Hintermännern übergab – oder sich jemand anderen suchte, der mit einem gekidnappten Mädchen etwas anfangen konnte. Ich wartete jeden Tag darauf, dass Männer in Uniform die Mauer zu meinem Verlies durchbrachen. Tatsächlich war in der Welt draußen die Großfahndung nach mir schon am Donnerstag, nach nur drei Tagen, eingestellt worden. Die Suche in der Umgebung war erfolglos geblieben, nun befragte die Polizei alle Personen in meinem Umkreis. Nur in den Medien erschienen noch täglich Aufrufe mit meinem Bild und der immer gleichen Beschreibung:

»Das Mädchen ist etwa 1,45 Meter groß, 45 Kilogramm schwer und von stärkerer Statur. Es hat glatte hellbraune Haare mit Stirnfransen und blaue Augen. Bekleidet war die Zehnjährige zum Zeitpunkt ihres Verschwindens mit einer roten Skijacke samt Kapuze, einem jeansblauen Kleid mit Oberteil, dessen Ärmel grau-weiß kariert sind, einer hellblauen Strumpfhose sowie schwarzen Raulederschuhen der Größe 34. Natascha Kampusch trägt eine Brille mit einer ovalen Fassung und einem hellblauen Kunststoffrahmen mit gelbem Nasenbügel. Laut Exekutive schielt sie leicht. Das Kind hatte einen blauen Kunststoffrucksack mit gelbem Deckel und türkisem Tragegurt bei sich.«

Aus den Akten weiß ich, dass nach vier Tagen über 130 Hinweise eingegangen waren. Man wollte mich mit meiner Mutter in einem Supermarkt in Wien, allein in einer Autobahnraststätte, einmal in Wels und gleich dreimal in Tirol gesehen haben. Die Polizei in Kitzbühel fahndete tagelang nach mir. Ein Team österreichischer Beamter reiste nach Ungarn, wo mich jemand in Sopron entdeckt haben wollte. Das kleine ungarischen Dorf, in dem ich das vorangegangene Wochenende noch mit meinem Vater in seinem Ferienhaus verbracht hatte, wurde systematisch von ungarischen Polizisten durchkämmt, eine Nachbarschaftswache wurde aufgestellt, das Haus meines Vaters überwacht – man vermutete, ich hätte vom Wochenende noch meinen Kinderausweis bei mir und könnte dorthin weggelaufen sein. Ein Mann rief bei der Polizei an und forderte eine Million Schilling Lösegeld für mich. Ein Trittbrettfahrer und Betrüger, wie so viele, die noch folgen sollten.

Sechs Tage nach der Entführung teilte der Leiter der Ermittlungen den Medien mit: »In Österreich wie auch in Ungarn, wo uniformierte Beamte mit Fahndungsplakaten nach Natascha suchen, wird nicht aufgegeben. Die Hoffnung, das Kind lebend wieder zu sehen, ist allerdings geschwunden.« Keiner der zahlreichen Hinweise habe sich als heiße Spur erwiesen.

Dabei war die Polizei dem einzigen, der zu mir hätte führen können, nicht nachgegangen: Schon am Dienstag, einen Tag nach meiner Entführung, hatte sich ein zwölfjähriges Mädchen gemeldet und ausgesagt, dass ein Kind in der Melangasse in einen weißen Lieferwagen mit verdunkelten Scheiben gezerrt worden war. Doch die Polizei nahm diese Information zunächst nicht ernst.

In meinem Verlies ahnte ich nicht, dass man sich draußen bereits mit dem Gedanken auseinanderzusetzen begann, ich könnte tot sein. Ich war überzeugt davon, dass die Großfahndung noch im Gange sei. Wenn ich auf meiner Gartenliege lag und an die weiße, niedrige Decke mit der nackten Glühlampe starrte, malte ich mir aus, wie die Polizei mit jedem einzelnen meiner Mitschüler sprechen würde, und spielte in Gedanken die einzelnen Antworten durch. Ich sah meine Hort-Betreuerinnen vor mir, wie sie wieder und wieder schilderten, wann und wo sie mich das letzte Mal gesehen hatten. Ich überlegte, wer von den vielen Nachbarn in der Rennbahnsiedlung mich wohl beim Verlassen des Hauses beobachtet und ob irgendjemand in der Melangasse die Entführung und den weißen Lieferwagen gesehen hatte.

Noch intensiver hing ich Phantasien darüber nach, dass der Täter doch Lösegeld fordern und mich nach der Geldübergabe freilassen würde. Jedes Mal, wenn ich mir mein Essen auf der Kochplatte wärmte, riss ich die kleinen Fotos der Mahlzeiten vorsichtig aus den Verpackungen und versteckte sie in der Tasche meines Kleides. Ich wusste aus Filmen, dass Entführer manchmal beweisen müssen, dass ihr Opfer noch am Leben ist, damit das Lösegeld auch überwiesen wird. Ich war darauf vorbereitet: Mit den Bildchen konnte ich belegen, dass ich regelmäßig zu essen bekommen hatte. Und mir selbst konnte ich damit beweisen, dass ich noch am Leben war.

Zur Sicherheit schlug ich von der Arbeitsplatte, auf der ich mein Essen wärmte, einen kleinen Splitter Furnier ab, den ich ebenfalls in meinem Kleid versteckte. Damit könnte einfach nichts mehr schiefgehen. Ich stellte mir vor, dass mich der Täter nach der Lösegeldzahlung an einem unbekannten Ort aussetzen und dort allein lassen würde. Meine Eltern würden erst danach von meinem Aufenthaltsort erfahren und mich holen kommen. Wir würden die Polizei verständigen, und ich würde den Beamten den Furniersplitter übergeben. Dann müsste die Polizei nur noch alle Garagen in Strasshof nach Kellerverliesen untersuchen. Die Arbeitsplatte mit dem fehlenden Splitter wäre der letzte Beweis.

In meinem Kopf speicherte ich jedes Detail über den Täter, damit ich ihn nach meiner Freilassung beschreiben konnte. Dabei war ich weitgehend auf Äußerlichkeiten angewiesen, die kaum etwas über ihn verrieten. Bei seinen Besuchen im Verlies trug er alte T-Shirts und Sporthosen von Adidas – praktische Kleidung, damit er sich durch den engen Durchgang zwängen konnte, der zu meinem Gefängnis führte.

Wie alt er wohl war? Ich verglich ihn mit den Erwachsenen aus meiner Familie: jünger als meine Mutter, aber älter als meine Schwestern, die damals um die dreißig waren. Obwohl er jung aussah, sagte ich ihm einmal auf den Kopf zu: »Du bist 35.« Dass ich richtig lag, erfuhr ich erst viel später.

Tatsächlich aber fand ich seinen Namen heraus – um ihn sofort wieder zu vergessen. »Schau, so heiße ich«, sagte er einmal, genervt von meinen ewigen Fragen, und hielt mir für Sekunden seine Visitenkarte vors Gesicht. »Wolfgang Priklopil« stand darauf. »Das ist natürlich nicht wirklich mein Name«, schob er sofort nach und lachte. Ich glaubte ihm. Dass ein Schwerverbrecher einen so banalen Namen wie Wolfgang tragen sollte, erschien mir unglaubwürdig. Den Nachnamen konnte ich so schnell kaum entziffern – er ist kompliziert und für ein aufgeregtes Kind schwer zu merken. »Vielleicht heiße ich ja auch Holzapfel«, fügte er noch hinzu, bevor er die Tür wieder hinter sich schloss. Damals konnte ich mit diesem Namen nichts anfangen. Heute weiß ich, dass Ernst Holzapfel für Wolfgang Priklopil wohl so etwas war wie ein bester Freund.

* * *

Je näher der 25. März rückte, umso nervöser wurde ich. Ich hatte Priklopil seit meiner Entführung jeden Tag nach dem Datum und der Uhrzeit gefragt, um die Orientierung nicht völlig zu verlieren. Es gab für mich keine Tage und keine Nächte, und obwohl draußen der Frühling begann, blieb es im Verlies fröstelnd kühl, sobald ich die Heizung ausschaltete. Eines Morgens antwortete er: »Montag, 23. März.« Seit drei Wochen hatte ich nicht den geringsten Kontakt mit der Außenwelt gehabt. Und in zwei Tagen feierte meine Mutter Geburtstag.

Das Datum hatte für mich eine hohe Symbolkraft: Wenn ich es verstreichen lassen müsste, ohne meiner Mutter gratulieren zu können, wäre die Gefangenschaft von einem vorübergehenden Alptraum zu etwas unumstößlich Realem geworden. Bisher hatte ich nur ein paar Tage Schule versäumt. Aber an einem wichtigen Familienfeiertag nicht zu Hause zu sein bedeutete, eine deutliche Wegmarke zu setzen. »Das war jener Geburtstag, an dem Natascha nicht da war«, hörte ich meine Mutter rückblickend ihren Enkeln erzählen. Oder, schlimmer: »Das war der erste Geburtstag, an dem Natascha nicht da war.«

Es verstörte mich zutiefst, dass ich im Streit gegangen war und meiner Mutter nun nicht einmal zu ihrem Geburtstag sagen konnte, dass ich das alles nicht so gemeint hatte und sie doch liebte. Ich versuchte in meinem Kopf die Zeit anzuhalten und überlegte verzweifelt, wie ich ihr eine Nachricht schicken könnte. Vielleicht würde es ja dieses Mal klappen, anders als bei meinem Brief. Ich würde auch darauf verzichten, irgendwelche versteckten Hinweise auf meinen Aufenthaltsort einzuflechten. Ein Lebenszeichen zum Geburtstag, das war alles, was ich wollte.

Beim nächsten gemeinsamen Essen redete ich so lange auf den Täter ein, bis er sich bereit erklärte, mir am folgenden Tag einen Kassettenrekorder ins Verlies zu bringen. Ich durfte meiner Mutter eine Nachricht aufnehmen!

Ich nahm all meine Kraft zusammen, um auf dem Band möglichst fröhlich zu klingen: »Liebe Mama, mir geht es gut. Mach dir keine Sorgen um mich. Alles Gute zum Geburtstag. Ich vermisse dich unsäglich.« Ich musste mehrmals ansetzen, weil mir die Tränen die Wangen hinunterliefen und ich nicht wollte, dass mich meine Mutter schluchzen hörte.

Als ich fertig war, nahm Priklopil das Tonband an sich und versicherte mir, er würde meine Mutter anrufen und es ihr vorspielen. Ich wollte nichts so sehr, wie ihm glauben. Es war für mich eine unendliche Erleichterung, dass sich meine Mutter nun nicht mehr so große Sorgen um mich würde machen müssen.

Sie hat das Band nie gehört.

Für den Täter war die Behauptung, meiner Mutter das Tonband vorgespielt zu haben, ein wichtiger Schachzug in seinem manipulativen Spiel um Dominanz: Denn wenig später wechselte er die Strategie und sprach nicht mehr länger von Auftraggebern – sondern von einer Entführung für Lösegeld.

Er behauptete wieder und wieder, dass er meine Eltern kontaktiert habe, diese aber offensichtlich kein Interesse daran hätten, dass ich freikam. »Deine Eltern haben dich gar nicht lieb.«

»Sie wollen dich nicht zurück.«

»Sie sind froh, dass sie dich endlich los sind.«

Die Sätze sickerten wie Säure in die offenen Wunden eines Kindes, das sich schon zuvor ungeliebt gefühlt hatte. Ich glaubte ihm zwar kein einziges Mal, dass meine Eltern mich nicht auslösen wollten. Ich wusste, dass sie nicht viel Geld hatten, aber ich war felsenfest davon überzeugt, dass sie alles tun würden, um das Lösegeld irgendwie aufzutreiben.

»Ich weiß, dass meine Eltern mich liebhaben, sie haben mir das immer gesagt«, hielt ich tapfer gegen die hämischen Bemerkungen des Täters. Der sehr bedauerte, dass er leider immer noch keine Antwort habe.

Doch der Zweifel, der schon vor der Gefangenschaft gesät war, ging auf.

Er untergrub systematisch meinen Glauben an meine Familie und damit ein wichtiges Fundament meines ohnehin angeschlagenen Selbstbewusstseins. Die Sicherheit einer Familie im Rücken, die alles tat, um mich zu befreien, schwand langsam dahin. Denn es verging Tag um Tag, und niemand kam, um mich zu befreien.

* * *

Warum war gerade ich Opfer dieses Verbrechens geworden? Warum hatte er mich ausgewählt und eingesperrt? Diese Fragen begannen mich damals zu quälen, und sie beschäftigen mich heute noch immer. Der Grund für dieses Verbrechen war so schwer zu fassen, dass ich verzweifelt nach einer Antwort suchte: Ich wünschte mir, dass die Entführung irgendeinen Sinn, eine klare Logik hatte, die mir vielleicht bisher nur verborgen geblieben war, die sie aber zu mehr machte als einem zufälligen Angriff auf mich. Es ist bis heute schwer zu ertragen, allein wegen der Laune und der psychischen Krankheit eines einzelnen Mannes meine Jugendzeit verloren zu haben.

Vom Täter selbst bekam ich auf diese Fragen keine Antwort, obwohl ich immer wieder nachbohrte. Nur einmal antwortete er: »Ich habe dich auf einem Schulfoto gesehen und ausgewählt.« Aber auch diese Aussage zog er sofort zurück. Später würde er sagen: »Du bist mir zugelaufen wie eine streunende Katze. Katzen darf man behalten.« Oder: »Ich habe dich gerettet. Du solltest mir dankbar sein.« Gegen Ende meiner Gefangenschaft war er wohl am ehrlichsten: »Ich wollte immer schon eine Sklavin.« Doch bis zu diesem Satz würden noch Jahre vergehen.

Ich habe nie erfahren, warum er gerade mich entführt hatte. Weil es nahelag, mich als Opfer auszuwählen? Priklopil ist im selben Wiener Bezirk wie ich aufgewachsen. In der Zeit, in der ich mit meinem Vater bei seinen Auslieferungstouren durch die Lokale zog, war er ein junger Mann Ende zwanzig, der sich im selben Dunstkreis bewegte wie wir. Ich war ja in meiner Volksschulzeit immer wieder erstaunt, wie viele Menschen mich freudig grüßten, weil sie mich von diesen Touren mit meinem Vater kannten, der mich in meinen hübschen gebügelten Kleidchen gerne herumzeigte. Er mag einer der Männer gewesen sein, denen ich damals aufgefallen bin.

Genauso gut möglich ist es aber, dass es andere waren, die ihn auf mich aufmerksam gemacht haben. Vielleicht stimmte die Geschichte mit dem Pornoring doch. Es gab damals sowohl in Österreich als auch in Deutschland genug solcher

Organisationen, die auch nicht davor zurückschreckten, Kinder für ihre grausamen Praktiken zu entführen. Und die Entdeckung des Verlieses im Haus von Marc Dutroux in Belgien, der immer wieder Mädchen verschleppt und missbraucht hatte, war gerade einmal zwei Jahre her. Dennoch weiß ich bis heute nicht sicher, ob Priklopil – wie er am Anfang immer behauptete – mich im Auftrag anderer gekidnappt oder ob er allein gehandelt hatte. Ich versuche bis heute, den Gedanken an diese Möglichkeit zu verdrängen: Es ist zu unheimlich zu vermuten, dass irgendwo da draußen die wahren Schuldigen noch frei sind. Während meiner Gefangenschaft sprach allerdings, von den anfänglichen Andeutungen Priklopils abgesehen, nichts für Mittäter.

Ich hatte damals ein klares Bild von Entführungsopfern: Es waren blonde Mädchen, klein und sehr dünn, fast durchsichtig, die engelhaft und schutzlos durch die Welt glitten. Ich stellte sie mir als Wesen vor, deren Haar so seidig ist, dass man es unbedingt berühren muss. Deren Schönheit kranke Männer so betäubt, dass sie zu Gewaltverbrechern werden, um sie in ihrer Nähe zu haben. Ich hingegen war dunkelhaarig und fühlte mich plump und unansehnlich. Am Morgen meiner Entführung mehr denn je. Ich passte nicht in mein eigenes Bild eines entführten Mädchens.

Im Rückblick weiß ich, dass dieses Bild falsch war. Es sind eher die unscheinbaren Kinder mit geringem Selbstbewusstsein, die sich die Täter aussuchen, um sie zu quälen. Schönheit ist keine Kategorie, wenn es um Entführung oder sexuelle Gewalt geht. Studien zeigen, dass geistig und körperlich Behinderte sowie Kinder ohne Familienanschluss einem erhöhten Risiko ausgesetzt sind, Opfer eines Verbrechers zu werden. In der »Rangliste« folgen Kinder, wie ich eines war an jenem Morgen des 2. März: Ich war eingeschüchtert, hatte Angst und gerade noch geweint. Ich bewältigte meinen Schulweg unsicher, meine Schritte waren zögerlich und klein. Vielleicht hat er das gesehen. Vielleicht hat er gemerkt, wie wertlos ich mich fühlte, und an diesem Tag spontan beschlossen, dass ich sein Opfer sein sollte.

Mangels äußerer Anhaltspunkte dafür, warum ausgerechnet ich zum Opfer geworden war, begann ich in meinem Verlies, die Schuld bei mir zu suchen. Der Streit mit meiner Mutter am Abend vor meiner Entführung lief in einer Endlosschleife vor meinen Augen ab. Ich hatte Angst vor dem Gedanken, dass die Entführung eine Strafe dafür sein könnte, dass ich eine schlechte Tochter gewesen war. Dass ich ohne ein Wort der Versöhnung gegangen war. In meinem Kopf drehte sich alles. Ich forschte in meiner Vergangenheit nach allen Fehlern, die ich gemacht hatte. Jedes kleine böse Wort. Jede Situation, in der ich nicht höflich, brav oder nett gewesen war. Heute weiß ich, dass es ein weitverbreiteter Mechanismus ist, dass Opfer sich selbst die Schuld an dem Verbrechen geben, das ihnen angetan wurde. Damals war es ein Strudel, der mich mitriss und dem ich nichts entgegenzusetzen hatte.

* * *

Die quälende Helligkeit, die mich während der ersten Nächte wach gehalten hatte, war inzwischen totaler Dunkelheit gewichen. Wenn der Täter am Abend die Glühbirne herausdrehte und die Tür hinter sich schloss, fühlte ich mich von allem abgeschnitten: blind, taub vom andauernden Surren des Ventilators, unfähig, mich im Raum zu orientieren und manchmal auch nur mich selbst zu spüren. In der Sprache der Psychologen nennt man das »Sensory Deprivation«: Reizentzug. Das Abschneiden von allen Sinneseindrücken. Damals wusste ich nur, dass ich Gefahr lief, in dieser einsamen Dunkelheit den Verstand zu verlieren.

Von dem Moment an, in dem er mich abends allein ließ, bis zum Frühstück war ich in einem völlig lichtlosen Schwebezustand gefangen. Ich konnte nichts tun als liegen und ins Dunkle starren. Manchmal schrie ich noch oder trommelte an die Wände, in der verzweifelten Hoffnung, dass mich jemand hören konnte.

In meiner ganzen Angst und Einsamkeit war ich auf mich allein gestellt. Ich versuchte, mir selbst Mut zuzusprechen und meine Panik mit »rationalen« Mitteln zurückzudrängen. Es waren Worte, die mich damals retteten. Wie andere stundenlang häkeln und am Ende ein filigranes Spitzendeckchen entsteht, so verwob ich in meinem Kopf Worte ineinander und schrieb mir selbst lange Briefe und kleine Geschichten, die nie jemand zu Papier bringen würde.

Der Ausgangspunkt meiner Geschichten war meist meine Zukunftsplanung. Ich stellte mir in allen Einzelheiten vor, wie das Leben nach meiner Befreiung aussehen würde. Ich würde mich in allen Schulfächern verbessern und meine Angst vor Menschen überwinden. Ich nahm mir vor, sportlich zu werden und abzunehmen, damit ich an den Spielen der anderen Kinder teilnehmen konnte. Ich dachte mir aus, wie ich nach der Befreiung in eine andere Schule gehen würde – ich war ja in der vierten Klasse Volksschule – und wie die anderen Kinder auf mich reagieren würden. Ob man mich dort wegen des Entführungsfalles wohl kennen würde? Würden sie mir glauben und mich als eine der ihren akzeptieren? Am liebsten aber malte ich mir das Zusammentreffen mit meinen Eltern aus. Wie sie mich in den Arm nehmen würden und mein Vater mich hochheben und durch die Luft wirbeln würde. Wie die heile Welt meiner frühen Kindheit zurückkommen und die Zeit des Streits und der Demütigungen vergessen machen würde.

In anderen Nächten genügten solche Zukunftsphantasien

nicht. Dann übernahm ich die Rolle meiner abwesenden Mutter, spaltete mich gewissermaßen in zwei Teile auf und sprach mir selbst Mut zu: Das ist jetzt wie ein Urlaub. Du bist zwar von zu Hause weg, aber im Urlaub kannst du ja auch nicht einfach anrufen. Es gibt im Urlaub kein Telefon und man bricht auch nicht ab, bloß weil man einmal eine schlechte Nacht gehabt hat. Wenn der Urlaub vorbei ist, kommst du wieder zu uns nach Hause und dann geht die Schule auch schon wieder los.

Bei diesen Monologen sah ich meine Mutter genau vor mir. Ich hörte, wie sie mir mit fester Stimme sagte: »Reiß dich zusammen, es hat jetzt keinen Sinn, sich aufzuregen. Du musst da jetzt durch, und danach ist alles wieder gut.« Ja. Wenn ich nur stark war, würde alles wieder gut werden.

Wenn das alles nichts nützte, versuchte ich, mir eine Situation der Geborgenheit ins Gedächtnis zu rufen. Dabei half mir eine Flasche Franzbranntwein, um die ich den Täter gebeten hatte. Meine Großmutter hatte sich damit immer eingerieben. Der scharfe, frische Geruch versetzte mich sofort in ihr Haus in Süßenbrunn und gab mir ein warmes Gefühl der Sicherheit. Wenn das Hirn nicht mehr ausreichte, dann half die Nase, die Verbindung zu mir selbst – und den Verstand – nicht zu verlieren.

* * *

Mit der Zeit versuchte ich, mich an den Täter zu gewöhnen. Ich stellte mich intuitiv auf ihn ein, so wie man sich den unverständlichen Sitten der Menschen in einem fremden Land anpasst.

Heute denke ich: Es mag mir geholfen haben, dass ich noch ein Kind war. Als Erwachsene hätte ich diese extreme Form der Fremdbestimmung und psychischen Folter, der ich als Gefangene in einem Keller ausgesetzt war, wohl kaum heil überstanden. Aber Kinder sind von klein an darauf ausgerichtet, die Erwachsenen des engsten Umfelds als feste Größen wahrzunehmen, an denen man sich orientiert und die die Maßstäbe dafür setzen, was richtig und was falsch ist. Kindern wird vorgeschrieben, was sie anziehen und wann sie ins Bett gehen sollen. Es wird gegessen, was auf den Tisch kommt, und was nicht gewünscht ist, wird unterbunden. Eltern verweigern Kindern ständig etwas, das diese haben wollen. Schon wenn Erwachsene einem Kind die Schokolade wegnehmen oder die paar Euro, die es von Verwandten zum Geburtstag bekommen hat, ist das ein Eingriff – das Kind muss ihn akzeptieren und darauf vertrauen, dass die Eltern schon das Richtige tun. Sonst würde es an der Diskrepanz zwischen dem eigenen Wollen und dem abschlägigen Verhalten derer, die es liebt, scheitern.

Ich war es gewohnt, Anweisungen von Erwachsenen zu befolgen, auch wenn sie mir gegen den Strich gingen. Hätte man mich entscheiden lassen, ich wäre nach der Schule nicht in den Hort gegangen. Zumal in einen, der den Kindern sogar die grundlegendsten körperlichen Funktionen vorschrieb: wann man essen, schlafen und auf die Toilette gehen durfte. Ich wäre auch nicht jeden Tag nach dem Hort in das Geschäft meiner Mutter gekommen, wo ich meine Langeweile mit Eis und Essiggurken bekämpfte.

Sogar Kindern zumindest vorübergehend die Freiheit zu nehmen war nichts, was mir außerhalb des Denkbaren erschien. Auch wenn ich es selbst nicht erlebt hatte: Es war damals in manchen Familien noch eine gängige Erziehungsmethode, Kinder, die nicht gehorchten, in den dunklen Keller zu sperren. Und alte Frauen beschimpften in der Straßenbahn Mütter von lauten Kindern mit dem Satz: »Also wenn das meines wäre, würde ich es einsperren.«

Kinder können sich selbst an die widrigsten Umstände an-

passen: Sie sehen auch in prügelnden Eltern noch den lieben-
den Anteil und in einer schimmligen Hütte ihr Zuhause. Mein
neues Zuhause war ein Verlies, meine Bezugsperson der Täter.
Meine ganze Welt war aus den Fugen geraten, und er war
der einzige Mensch in diesem Alptraum, zu dem meine Welt
geworden war. Ich war von ihm so abhängig, wie es sonst nur
Säuglinge und Kleinkinder von ihren Eltern sind: Jede Geste
der Zuwendung, jeder Bissen Essen, das Licht, die Luft – mein
ganzes physisches und psychisches Überleben hing von diesem
einen Mann ab, der mich in sein Kellerverlies gesperrt hatte.
Und mit seinen Behauptungen, dass meine Eltern nicht auf
Lösegeldforderungen antworteten, machte er mich auch emotional von sich abhängig.

Wollte ich in dieser neuen Welt überleben, musste ich mich
auf seine Seite stellen. Für jemanden, der nie in einer solchen
extremen Situation der Unterdrückung war, mag das schwer
verständlich sein: Aber ich bin heute stolz darauf, dass ich diesen Schritt jenem Menschen gegenüber geschafft habe, der mir
alles geraubt hat. Denn dieser Schritt hat mir das Leben gerettet. Auch, wenn ich zunehmend mehr Energie aufbringen
musste, um diesen »positiven Zugang« zum Täter aufrechtzuerhalten. Er selbst hat sich sukzessive zum Sklaventreiber
und Diktator gewandelt. Aber ich bin nie von meinem Bild
abgerückt.

Doch noch hielt die Fassade des Wohltäters, der mir das Leben im Verlies so angenehm wie möglich machen wollte. Tatsächlich entwickelte sich eine Art von Alltag. Einige Wochen
nach meiner Entführung brachte Priklopil einen Gartentisch,
zwei Klappsessel, ein Geschirrtuch, das ich als Tischdecke verwenden durfte, und etwas Geschirr in das Verlies. Wenn der
Täter mit dem Essen kam, legte ich das Geschirrtuch auf den
Tisch, stellte zwei Gläser hin und legte die Gabeln ordentlich
neben die Teller. Nur die Servietten fehlten, dafür war er zu

knauserig. Dann setzten wir uns gemeinsam an diesen Klapptisch, aßen das vorgekochte Essen und tranken dazu Fruchtsaft. Er rationierte damals noch nichts, und ich genoss es, so viel zu trinken, wie ich nur wollte. Es stellte sich eine Form von Gemütlichkeit ein, und ich begann, mich auf diese gemeinsamen Mahlzeiten mit dem Täter zu freuen. Sie unterbrachen meine Einsamkeit. Sie wurden mir wichtig.

Diese Situationen waren so hochgradig absurd, dass ich sie in keine Kategorie einzuordnen vermochte, die ich aus meiner bisherigen Realität kannte. Diese kleine, dunkle Welt, die mich plötzlich gefangenhielt, entzog sich in jeder Hinsicht einem normalen Maßstab. Ich musste nach einem anderen suchen. Befand ich mich vielleicht in einem Märchen? An einem Ort, entsprungen der Phantasie der Gebrüder Grimm, fern jeder Normalität? Natürlich. Hatte Strasshof nicht schon früher eine Aura des Bösen umgeben? Die verhassten Schwiegereltern meiner Schwester wohnten in einem Ortsteil namens Silberwald. Als kleines Kind habe ich die Begegnungen mit ihnen in der Wohnung meiner Schwester gefürchtet. Der Name des Ortes und die ablehnende Stimmung in dieser Familie hatten Silberwald − und damit Strasshof − schon vor meiner Entführung zu einem verhexten Zauberwald werden lassen. Ja, ich war ganz sicher in einem Märchen gelandet, dessen Sinn sich mir nicht erschloss.

Das Einzige, was nicht so recht in das böse Märchen passen wollte, war das Waschen am Abend. Ich konnte mich nicht daran erinnern, darüber schon einmal etwas gelesen zu haben. Im Verlies gab es nur das Doppel-Waschbecken aus Nirosta und kaltes Wasser. Die Warmwasserleitung, die der Täter installiert hatte, funktionierte noch nicht. Er brachte mir deshalb warmes Wasser in Plastikflaschen nach unten. Ich musste mich ausziehen, in eines der Becken setzen und die Füße in das andere stellen. Anfangs übergoss er mich dann einfach mit dem warmen Wasser. Später kam ich auf die Idee, kleine Löcher in die Flaschen zu stechen. So entstand eine Art Dusche. Wegen der beengten Lage musste er mir beim Waschen helfen; es war ungewohnt für mich, nackt vor ihm zu stehen, einem fremden Mann. Was wohl dabei in ihm vorging? Ich musterte ihn unsicher, aber er schrubbte mich ab wie ein Auto. Es lag weder etwas Zärtliches noch etwas Anzügliches in seinen Gesten. Er pflegte mich, wie man ein Haushaltsgerät instandhält.

* * *

Genau in jenen Tagen, in denen sich das Bild vom bösen Märchen über die Realität legte, ging die Polizei endlich dem Hinweis des Mädchens nach, das meine Entführung beobachtet hatte. Am 18. März wurde die Aussage der einzigen Zeugin veröffentlicht, gemeinsam mit der Ankündigung, in den nächsten Tagen die Halter von 700 weißen Lieferwagen zu überprüfen. Der Täter hatte genug Zeit, sich vorzubereiten.

Am Karfreitag, dem 35. Tag meiner Gefangenschaft, traf die Polizei in Strasshof ein und verlangte von Wolfgang Priklopil, sein Auto vorzufahren. Er hatte es voller Bauschutt geladen und gab an, den Lieferwagen für Renovierungsarbeiten zu nutzen. Am 2. März, so gab Priklopil laut Polizeiprotokoll an, habe er den ganzen Tag zu Hause verbracht. Zeugen dafür gebe es keine. Der Täter hatte kein Alibi – ein Fakt, der von der Polizei noch Jahre nach meiner Selbstbefreiung vertuscht wurde.

Die Polizisten gaben sich damit zufrieden und sahen auch davon ab, das Haus zu überprüfen, was Priklopil ihnen angeblich freimütig angeboten hatte. Während ich im Verlies saß, auf Rettung hoffte und versuchte, meinen Verstand nicht zu verlieren, schossen sie lediglich ein paar Polaroids von dem Auto, mit dem ich gekidnappt worden war, die sie anschließend zu den Akten legten. In meinen Rettungsphantasien unten im Keller durchkämmten Spezialisten die Gegend auf der Suche nach meinen DNA-Spuren oder kleinsten Stofffetzen meiner Kleider. Doch oben sah das Bild anders aus: Die Polizei tat nichts dergleichen. Sie entschuldigte sich bei Priklopil und zog wieder ab, ohne das Auto oder das Haus genauer zu überprüfen.

Wie knapp der Täter, hätte man die Sache wirklich ernst genommen, damals seiner Verhaftung entgangen war, erfuhr ich erst nach meiner Gefangenschaft. Dass ich nicht mehr freikommen würde, war mir hingegen knapp eine Woche später klar.

Das Osterfest des Jahres 1998 fiel auf den 12. April. Am Ostersonntag brachte mir der Täter einen kleinen Korb mit bunten Eiern aus Schokolade und einem Schoko-Osterhasen. Wir »feierten« die Auferstehung Christi im kahlen Licht der Glühbirne an einem kleinen Gartentisch in meinem muffigen Verlies. Ich freute mich über die Naschereien und versuchte mit allen Mitteln, die Gedanken an draußen, an frühere Ostern zu verdrängen: Gras. Licht. Sonne. Bäume. Luft. Menschen. Meine Eltern.

An diesem Tag erklärte mir der Täter, dass er die Hoffnung auf Lösegeld aufgegeben habe, weil meine Eltern sich immer noch nicht gemeldet hätten. »Sie interessieren sich offenbar nicht genug für dich«, sagte er. Dann kam das Urteil: lebenslänglich. »Du hast mein Gesicht gesehen und kennst mich schon zu gut. Ich kann dich jetzt nicht mehr freilassen. Ich werde dich nie wieder zu deinen Eltern zurückbringen, aber ich werde, so gut ich es kann, hier für dich sorgen.«

Meine Hoffnungen wurden an diesem Ostersonntag mit einem Schlag zerschmettert. Ich weinte und flehte ihn an, mich gehen zu lassen. »Ich habe doch das ganze Leben noch vor mir, du kannst mich nicht hier einsperren: Was ist mit der Schule, was ist mit meinen Eltern?« Ich schwor bei Gott und allem, was mir heilig war, dass ich ihn nicht verraten würde. Doch er glaubte mir nicht – ich würde draußen den Schwur nur allzu schnell vergessen oder dem Druck der Polizei nicht standhalten können. Ich versuchte ihm klarzumachen, dass er doch auch nicht den Rest seines Lebens mit einem Verbrechensopfer im Keller verbringen wollte, und flehte ihn an, mich mit verbundenen Augen weit weg zu bringen – ich würde das Haus ja nicht wiederfinden und hatte keinen Namen, der die Polizei zu ihm führen würde. Ich schmiedete sogar Fluchtpläne für ihn. Er könne sich doch ins Ausland absetzen, das Leben in einem anderen Land sei doch allemal besser, als mich für immer im Verlies einzusperren und für mich sorgen zu müssen.

Ich wimmerte, bettelte und fing irgendwann an zu schreien. »Die Polizei wird mich finden! Und dann werden sie dich einsperren. Oder erschießen! Und wenn nicht, dann werden mich meine Eltern finden!« Meine Stimme überschlug sich.

Priklopil blieb ganz ruhig. »Die interessieren sich nicht für dich, hast du das schon vergessen? Und wenn sie doch hier auftauchen, bringe ich sie um.« Dann ging er rückwärts aus dem Verlies und schloss von außen die Tür.

Ich war allein.

Erst zehn Jahre später, zwei lange Jahre nach meiner Selbstbefreiung und im Zuge eines Polizeiskandals rund um Ermittlungsfehler und deren Vertuschung, sollte ich erfahren, dass ich in jenen Osterfeiertagen, ohne es zu wissen, ein zweites Mal ganz knapp vor meiner Rettung stand. Am Osterdienstag, dem 14. April, veröffentlichte die Polizei einen weiteren Hinweis. Zeugen hatten angegeben, einen Kastenwagen mit verdunkelten Scheiben am Morgen meiner Entführung in der Nähe meiner Siedlung gesehen zu haben. Das Kennzeichen verwies auf Gänserdorf.

Einen zweiten Hinweis veröffentlichte die Polizei hingegen nicht. Ebenfalls am 14. April hatte ein Hundeführer der Wiener Polizei bei einer Polizeistation angerufen. Der diensthabende Beamte nahm im Wortlaut folgende Anzeige auf (Fehler im Original):

Am 14. 04. 1998, um 14:45 Uhr, ruft ha. eine unbekannte männliche Person an und teilt folgenden Sachverhalt mit:

Betreffend der Fahndung nach dem weißen Kastenwagen mit dunklen Scheiben im bezirk Gänserndorf in Bezug zur Abgängigkeit der Kampusch Natasche gibt es in Strasshof/Nordbahn eine Person, welche mit dem verschwinden in Zusammenhang stehen könnte und auch in besitz eines weißen kastenwagens Marke Mercedes mit abgedunkelten Scheiben ist. Dieser Mann sei ein sogenannter »Eigenbrötler«, welcher mit seiner Umwelt extreme Schwierigkeiten habe und Kontaktprobleme habe. Er soll gemeinsam mit seiner Mutter in Straßhof/Nordbahn, Heinestraße 60 (Einfamilienhaus) wohnen, welches jedoch elektronisch voll abgesichert sei. Auch soll der Mann eventuell Waffen zu Hause haben. Vor dem Areal Heinestraße 60 sei ögfters sein weißer kastenwagen, Marke Mercedes, Kennzeichen unbekannt, mit seitlich und hinten total abgedunkelten Scheiben stehen. Dieser Mann sei früher bei der Fa. SIEMENS als Nachrichtenelektroniker beschäftigt gewesen und könnte dies auch jetzt noch sein. Eventuell lebt der Mann mit seiner betagten Mutter in diesem haus und soll er einen hang zu »Kindern« in Bezug auf seine Sexualität haben, ob er diesbezüglich bereits vorbestraft ist, ist unbekannt.

Der Namen des Mannes ist dem Anrufer unbekannt, ist er ihm nur aus der Nachbarschaft bekannt. Der Mann soll ca. 35 Jahre alt sein, blondes Haar haben und 175–180 cm groß sein und schlank sein. Nähere Angaben konnte der anonyme Anrufer nicht machen.

Lebendig begraben
Der Alptraum wird Wirklichkeit

Der Eingang zum Kaninchenbau lief erst geradeaus, wie ein Tunnel und ging dann plötzlich
abwärts; ehe Alice noch den Gedanken fassen
konnte, sich schnell festzuhalten, fühlte sie
schon, dass sie fiel, wie es schien, in einen tiefen,
tiefen Brunnen. Hinunter, hinunter, hinunter!
Wollte denn der Fall nie endigen? (…)

*»Still, was nützt es so zu weinen!«, sagte Alice ganz böse zu sich
selbst; »ich rathe dir, den Augenblick aufzuhören!« Sie gab sich oft
sehr guten Rath (obgleich sie ihn selten befolgte), und manchmal schalt
sie sich selbst so strenge, daß sie sich zum Weinen brachte; und einmal, erinnerte sie sich, hatte sie versucht, sich eine Ohrfeige zu geben,
weil sie im Croquet betrogen hatte, als sie gegen sich selbst spielte;
denn dieses eigenthümliche Kind stellte sehr gern zwei Personen vor.
»Aber jetzt hilft es zu nichts«, dachte die arme Alice, »zu thun als ob
ich zwei verschiedene Personen wäre. Ach! es ist ja kaum genug von
mir übrig zu einer anständigen Person!«*

EINES DER ERSTEN BÜCHER, die ich im Verlies las, war »Alice
im Wunderland« von Lewis Carroll. Das Buch berührte mich
auf eine unangenehme, unheimliche Weise. Alice, ein Mädchen wohl in meinem Alter, folgt im Traum einem weißen,
sprechenden Kaninchen zu seinem Bau. Als sie hineinschlüpft,

stürzt sie in die Tiefe und landet in einem Raum mit unzähligen Türen. Sie ist gefangen in einer Zwischenwelt unter der Erde, der Weg nach oben ist versperrt. Alice findet den Schlüssel zur kleinsten Tür und ein Fläschchen mit Zaubertrank, das sie schrumpfen lässt. Kaum durch den winzigen Durchlass gelangt, fällt die Tür hinter ihr zu. In der unterirdischen Welt, die sie nun betritt, passt nichts zusammen: Die Dimensionen ändern sich ständig, die sprechenden Tiere, denen sie dort begegnet, tun Dinge, die jeder Logik widersprechen. Doch niemand scheint sich daran zu stören. Alles ist verrückt, aus dem Gleichgewicht geraten. Das ganze Buch ist ein einziger greller Alptraum, in dem sämtliche Naturgesetze ausgehebelt sind. Nichts und niemand ist normal, das Mädchen ist allein in einer Welt, die es nicht versteht und in der sie niemanden hat, mit dem sie sich austauschen könnte. Sie muss sich selbst Mut zusprechen, sich das Weinen verbieten und nach den Spielregeln der anderen agieren. Sie besucht die endlosen Teepartys des Hutmachers, auf denen sich allerlei verrückte Gäste tummeln, und nimmt am grausamen Croquetspiel der bösen Herz-Königin teil, an dessen Ende alle anderen Mitspieler zum Tod verurteilt werden. »Kopf ab!«, schreit die Königin und verfällt in irrsinniges Gelächter.

Alice kann diese Welt tief unter der Erde wieder verlassen. Weil sie aus ihrem Traum aufwacht. Wenn ich nach wenigen Stunden Schlaf die Augen öffnete, war der Alptraum immer noch da. Er war meine Realität.

Das ganze Buch, das ursprünglich unter dem Titel »Alice' Abenteuer unter der Erde« erschienen war, wirkte wie eine überdrehte Beschreibung meiner eigenen Lage. Auch ich war unter der Erde gefangen, in einem Raum, den der Täter durch viele Türen von der Außenwelt abgeriegelt hatte. Auch ich war in einer Welt gefangen, in der alle Regeln, die ich kannte, außer Kraft gesetzt waren. Alles, was in meinem Leben bislang gegolten hatte, war hier ohne Bedeutung. Ich war Teil der krankhaften Phantasie eines Psychopathen geworden, die ich nicht verstand. Nicht verstehen konnte. Es gab keinen Bezug mehr zu der anderen Welt, in der ich gerade noch gelebt hatte. Keine vertraute Stimme, kein vertrautes Geräusch, das mir zeigen würde, dass die Welt oben noch *war*. Wie sollte ich in dieser Situation einen Bezug zur Realität und zu mir selbst aufrechterhalten?

Ich hoffte inständig, ich würde plötzlich, wie Alice, aufwachen. In meinem alten Kinderzimmer, verwundert über einen verrückten Angsttraum, der keinerlei Bezug zu meiner »echten Welt« hatte. Aber es war ja nicht mein Traum, in dem ich gefangen war, es war der des Täters. Und der schlief auch nicht, sondern hatte sein Leben der Verwirklichung einer grausamen Phantasie verschrieben, aus der es auch für ihn kein Entrinnen mehr gab.

Ich habe den Täter von diesem Zeitpunkt an nicht mehr versucht zu überreden, mich freizulassen. Ich wusste, es hatte keinen Sinn.

* * *

Die Welt, in der ich nun lebte, war auf fünf Quadratmeter zusammengeschrumpft. Wenn ich in ihr nicht verrückt werden wollte, musste ich versuchen, sie für mich zu erobern. Nicht wie das Volk der Spielkartenmenschen aus »Alice im Wunderland« nur zitternd auf den grausamen Ruf »Kopf ab!« warten; nicht mich wie all die Fabelwesen der verschobenen Wirklichkeit fügen. Sondern versuchen, mir an diesem finsteren Ort einen Rückzugsraum zu schaffen, in den der Täter zwar jederzeit eindringen konnte, aber in dem ich doch so viel wie möglich von mir und meiner alten Welt um mich weben wollte – wie einen schützenden Kokon.

Ich begann, mich im Verlies einzurichten und das Gefängnis des Täters in *meinen* Raum zu verwandeln, in *mein* Zimmer. Als Erstes wünschte ich mir einen Kalender und einen Wecker. Ich war in einem Zeitloch gefangen, in dem der Täter allein Herr über die Zeit war. Die Stunden und Minuten verschwammen zu einem zähen Brei, der sich dumpf über alles legte. Priklopil bestimmte wie ein Gott über Licht und Dunkelheit in meiner Welt. »Gott sprach: Es werde Licht. Und es ward Licht. Und Gott nannte das Licht Tag und die Finsternis nannte er Nacht.« Eine nackte Glühbirne, die mir diktierte, wann ich zu schlafen, wann ich wach zu sein hatte.

Ich hatte den Täter jeden Tag nach dem Wochentag und dem Datum gefragt. Ich wusste nicht, ob er mich anlog, aber das spielte auch keine Rolle. Das Wichtigste war für mich das Gefühl, eine Verbindung zu meinem früheren Leben »oben« zu spüren. Ob es ein Schultag war oder ein freies Wochenende. Ob Feiertage oder Geburtstage nahten, die ich mit meiner Familie verbringen wollte. Zeit zu messen, das habe ich damals gelernt, ist vielleicht der wichtigste Anker überhaupt in einer Welt, in der man sich sonst aufzulösen droht. Der Kalender gab mir ein kleines Stückchen Orientierung zurück – und Bilder, zu denen der Täter keinen Zugang hatte. Ich wusste nun, ob die anderen Kinder früh aufstanden oder ausschlafen durften. In meiner Phantasie ging ich den Tagesablauf meiner Mutter durch. Heute würde sie ins Geschäft gehen. Übermorgen vielleicht eine Freundin besuchen. Und am Wochenende mit ihrem Freund einen Ausflug unternehmen. Die nüchternen Ziffern und Bezeichnungen für die Wochentage entwickelten so ein Eigenleben, das mir Halt gab.

Fast noch wichtiger war der Wecker. Ich wünschte mir einen der altmodischen Sorte, der das Verstreichen der Sekunden mit einem monotonen, lauten Ticken begleitete. Meine geliebte Großmutter hatte einen solchen Wecker. Als ich klein war, hatte ich das laute Ticken, das mich beim Einschlafen störte und sich bis in meine Träume schlich, verabscheut. Nun hielt ich mich an diesem Ticken fest wie jemand, der unter Wasser gefangen ist, an einem letzten Strohhalm, durch den noch etwas Luft von oben in die Lungen kommt. Der Wecker bewies mir mit jedem Ticken, dass die Zeit nicht stehen geblieben war und die Erde sich weiterdrehte. In meinem Schwebezustand ohne ein Gefühl für Zeit und Raum war er meine tickende Verbindung zur realen Welt draußen.

Wenn ich mich anstrengte, konnte ich mich so sehr auf sein Geräusch konzentrieren, dass ich zumindest für ein paar Minuten das nervtötende Surren des Ventilators, das meinen Raum bis zur Schmerzgrenze füllte, ausblenden konnte. Abends, wenn ich auf der Liege lag und nicht einschlafen konnte, war das Ticken des Weckers wie ein langes Rettungsseil, an dem ich mich aus dem Verlies hangeln und in mein Kinderbett in der Wohnung meiner Großmutter schleichen konnte. Dort würde ich beruhigt einschlafen können, in dem Wissen, dass sie im Nebenzimmer über mich wachte. An solchen Abenden rieb ich mir oft etwas Franzbranntwein auf die Hand. Wenn ich mein Gesicht darauf legte und mir der charakteristische Geruch in die Nase stieg, durchströmte mich ein Gefühl der Nähe. So wie früher, wenn ich als Kind mein Gesicht in der Schürze meiner Großmutter vergraben hatte. So konnte ich einschlafen.

Tagsüber war ich damit beschäftigt, den winzigen Raum so wohnlich zu gestalten wie nur möglich. Ich verlangte vom Täter Putzmittel, um den feuchten Geruch nach Keller und Tod zurückzudrängen, der über allem hing. Auf dem Boden des Verlieses hatte sich durch die zusätzliche Feuchtigkeit, die allein meine Anwesenheit verursachte, bereits ein feiner, schwarzer Schimmel gebildet, der die Luft noch muffiger und das Atmen noch schwerer machte. An einer Stelle war das Laminat aufgeweicht, weil Nässe aus dem Erdreich nach oben drang. Der Fleck war eine dauernde, schmerzhafte Erinnerung daran, dass ich mich offenbar weit unter der Erde befand. Der Täter brachte mir ein rotes Kehrset, eine Flasche Pril, ein Raumspray und genau jene Putztücher mit Thymiangeruch, die ich früher immer in der Werbung gesehen hatte.

Ich kehrte nun jeden Tag sorgfältig alle Ecken des Verlieses aus und wischte dann den Boden blank. Ich begann mit dem Schrubben bei der Tür. Die Wand dort war nur wenig breiter als das schmale Türblatt. Von dort führte sie nach links in schrägem Winkel in den Teil des Raumes, in dem die Toilette und die Doppelspüle untergebracht waren. Ich konnte Stunden darauf verwenden, mit Entkalkungsmitteln die kleinen Wassertropfen vom Metall der Spüle zu wischen, bis sie makellos glänzte, und die Toilette so sauber zu wischen, dass sie wie eine kostbare Blume aus Porzellan aus dem Boden wuchs. Dann arbeitete ich mich sorgsam von der Tür weg durch den Rest des Raumes: erst entlang der längeren, dann entlang der kürzeren Wandseite, bis ich an der schmalen Wand gegenüber der Tür angelangt war. Zum Schluss schob ich meine Liege zur Seite und wischte die Mitte des Raumes. Ich achtete peinlich genau darauf, nicht zu viele Putztücher zu verwenden, um die Feuchtigkeit nicht noch zu verstärken.

Wenn ich fertig war, hing eine chemische Version von Frische, Natur und Leben in der Luft, die ich gierig aufsog. Wenn ich dann noch etwas von dem Raumspray versprühte, konnte ich mich für einen Moment fallen lassen. Der Lavendelduft roch nicht sonderlich gut, aber er vermittelte mir eine Illusion von blühenden Wiesen. Und wenn ich die Augen schloss, wurde das Bild, das auf der Spraydose abgedruckt war, zu einer Kulisse, die sich vor die Wände meines Gefängnisses schob: Ich lief in Gedanken die endlosen blauvioletten Reihen von Lavendel entlang, spürte die Erde unter meinen Füßen und roch den herben Duft der Blüten. Die warme Luft war erfüllt vom Brummen der Bienen, die Sonne brannte heiß auf meinen Nacken. Über mir spannte sich der tiefblaue Himmel, unendlich hoch, unendlich weit. Die Felder reichten bis zum Horizont, ohne eine Mauer, ohne eine Beschränkung. Ich rannte, so schnell, dass ich das Gefühl hatte, als könne ich fliegen. Und nichts bremste mich in dieser blauvioletten Unendlichkeit.

Wenn ich die Augen aufschlug, holten mich die kahlen Wände jäh aus meinen Phantasiereisen zurück.

Bilder. Ich brauchte mehr Bilder, Bilder aus *meiner* Welt, die *ich* gestalten konnte. Die *nicht* der kranken Phantasie des Täters entsprachen, die mich aus jedem Winkel des Raumes ansprangen. Ich begann nach und nach, mit den Wachsmalkreiden aus meiner Schultasche die Nut-und-Feder-Bretter, mit denen die Wände verkleidet waren, zu bemalen. Ich wollte etwas von mir hinterlassen, so wie Gefangene die Wände ihrer Zellen bekritzeln. Mit Bildern, Sprüchen, Kerben für jeden einzelnen Tag. Sie tun das nicht aus Langeweile, das verstand ich nun: Das Malen ist eine Methode, mit dem Gefühl der Ohnmacht und des Ausgeliefertseins umzugehen. Sie tun es, um sich und allen, die die Zelle jemals betreten werden, zu beweisen, dass sie existieren – oder zumindest einmal existiert haben.

Meine Wandmalereien hatten noch einen zweiten Zweck: Ich schuf mir damit eine Kulisse, in der ich mir vorstellen konnte, ich wäre zu Hause. Als Erstes versuchte ich, den Eingangsbereich unserer Wohnung an die Wand zu malen: An die Tür zum Verlies zeichnete ich unsere Türklinke, an die Wand daneben die kleine Kommode, die noch heute bei meiner Mutter im Flur steht. Ich malte akribisch den Umriss und die Griffe der Schubladen auf – zu mehr reichte die Farbe nicht aus, doch für die Illusion genügte es. Wenn ich nun auf der

Liege lag und in Richtung Türe blickte, konnte ich mir vorstellen, sie würde gleich aufgehen, meine Mutter würde hereinkommen, mich begrüßen und den Schlüssel auf der Kommode ablegen.

Als Nächstes malte ich einen Stammbaum an die Wand. Mein Name stand ganz unten, dann kamen die Namen von meinen Schwestern, deren Männern und Kindern, von meiner Mutter und ihrem Freund, von meinem Vater und seiner Freundin und schließlich von meinen Großeltern. Ich wendete viel Zeit auf die Gestaltung dieses Stammbaums auf. Er gab mir einen Platz in der Welt und versicherte mir, dass ich Teil einer Familie, Teil eines Ganzen war – und nicht ein versprengtes Atom außerhalb der realen Welt, als das ich mich oft fühlte.

An die Wand gegenüber malte ich ein großes Auto. Es sollte ein Mercedes SL in Silber sein – mein Lieblingsauto, von dem ich ein Modell zu Hause hatte und das ich mir als Erwachsene einmal kaufen wollte. Statt auf Reifen rollte es auf prallen Brüsten. Das hatte ich einmal bei einem Graffiti an einer Betonwand in der Nähe unserer Siedlung gesehen. Ich weiß nicht mehr genau, warum ich gerade dieses Motiv wählte. Ich wollte offenbar etwas Starkes, vermeintlich Erwachsenes. Schon in den letzten Monaten in der Volksschule hatte ich meine Lehrer manchmal mit Provokationen irritiert. Wir durften in der Zeit vor dem Unterricht die Tafel mit Kreide bemalen, wenn wir sie denn rechtzeitig wieder löschten. Während andere Kinder Blumen und Comicfiguren malten, kritzelte ich »Protest!«, »Revolution!« oder »Lehrer raus!«. Es war kein Verhalten, das in dieser kleinen Klasse von zwanzig Kindern, in der wir behütet lernten wie in einem verlängerten Kindergarten, angebracht schien. Ich weiß nicht, ob ich damals einfach schon etwas weiter an die Pubertät herangerückt war als meine Klassenkameraden oder ob ich damit bei all denen punkten wollte, die mich sonst immer nur hänselten. Im Verlies jedenfalls verlieh mir die kleine Rebellion, die in dieser Zeichnung lag, Kraft. Genau wie das Schimpfwort, das ich an einer versteckten Stelle in kleinen Lettern an die Wand kritzelte: »A…«. Ich wollte damit Widerstandskraft zeigen, etwas Verbotenes tun. Den Täter scheine ich damit nicht beeindruckt zu haben, jedenfalls kommentierte er das Bild mit keinem Wort.

∗ ∗ ∗

Die wichtigste Veränderung aber kam durch einen Fernseher und einen Videorekorder in mein Verlies. Ich hatte Priklopil immer wieder darum gebeten, und eines Tages schleppte er die beiden Geräte tatsächlich nach unten und stellte sie neben den Computer auf die Kommode. Nach Wochen, in denen mir »Leben« ja nur in einer einzigen Form begegnet war, nämlich in Person des Täters, konnte ich mir nun mit Hilfe des Bildschirms einen bunten Abklatsch menschlicher Gesellschaft ins Verlies holen.

Anfangs hatte der Täter einfach wahllos das Fernsehprogramm eines Tages aufgezeichnet. Es war ihm aber wohl bald zu mühsam, die Nachrichten herauszuschneiden, in denen immer noch über mich berichtet wurde. Er hätte niemals zugelassen, dass ich Hinweise darauf bekam, dass man mich in der Welt draußen nicht vergessen hatte. Das Bild, dass mein Leben für niemanden einen Wert hatte, allen voran nicht für meine Eltern, war schließlich eines seiner wichtigsten psychologischen Mittel, mich gefügig und abhängig zu halten.

Deshalb nahm er mir später nur noch einzelne Sendungen auf oder brachte mir alte Videokassetten mit Filmen, die er in den frühen 1990er Jahren aufgezeichnet hatte. Der flauschige Außerirdische Alf, die bezaubernde Jeannie, Al Bundy und seine »schrecklich nette Familie« oder die Taylors aus »Hör mal, wer da hämmert« wurden für mich zum Ersatz für Familie und Freunde. Ich freute mich jeden Tag darauf, ihnen wiederzubegegnen, und beobachtete sie wohl genauer als jeder andere Fernsehzuschauer. Jede Facette ihres Umgangs miteinander, jeder noch so kleine Dialogfetzen erschien mir spannend und interessant. Ich analysierte jedes Detail der Set-Kulissen, die den Radius absteckten, zu dem ich Zugang hatte. Sie waren mein einziges »Fenster« zu anderen Häusern und doch manchmal so dünn und dürftig zusammengezimmert, dass die Illusion, ich hätte Zugang zum »echten Leben«, rasch einstürzte. Vielleicht war das auch ein Grund, warum ich mich später vor allem von Science-Fiction-Serien fesseln ließ: »Star Trek«, »Stargate«, »Zurück in die Vergangenheit«, »Zurück in die Zukunft« … – alles, was mit Raum- und Zeitreisen zu tun hatte, faszinierte mich. Die Helden dieser Filme bewegten sich auf Neuland, in unbekannten Galaxien. Nur dass sie die technischen Mittel hatten, sich aus misslichen Lagen und lebensbedrohlichen Situationen einfach wegbeamen zu können.

* * *

Eines Tages in jenem Frühling, von dem ich nur aus dem Kalender wusste, brachte mir der Täter ein Radio ins Verlies. Ich machte innerlich einen Freudensprung. Ein Radio, das würde wirklich eine Verbindung in die echte Welt bedeuten! Nachrichten, die vertrauten Morgensendungen, die ich in der Küche beim Frühstück immer gehört hatte, Musik – und vielleicht doch ein zufälliger Hinweis darauf, dass meine Eltern mich noch nicht vergessen hatten.

»Du kannst damit natürlich keine österreichischen Sender hören«, zerstörte der Täter mit einer beiläufigen Bemerkung meine Illusionen, als er den Apparat ans Stromnetz anschloss und einschaltete. Immerhin, es war Musik zu hören. Doch als der Sprecher eine Ansage machte, verstand ich kein Wort: Der Täter hatte das Radio so manipuliert, dass ich nur tschechische Sender empfangen konnte.

Ich verbrachte Stunden damit, an dem kleinen Apparat herumzudrehen, der mein Tor zur Welt draußen hätte sein können. Immer in der Hoffnung auf ein deutsches Wort, einen vertrauten Jingle. Nichts. Nur eine Stimme, die ich nicht verstand. Die mir zwar einerseits den Eindruck vermittelte, ich sei nicht allein, in mir aber andererseits das Gefühl der Entfremdung, des Ausgeschlossenseins verstärkte.

Verzweifelt bewegte ich Millimeter für Millimeter den Senderknopf hin und her, richtete immer wieder die Antenne neu aus. Doch außerhalb dieser einen Frequenz war nur lautes Rauschen zu hören.

Später bekam ich vom Täter einen Walkman. Da ich vermutete, dass er eher Musik von älteren Bands zu Hause hatte, wünschte ich mir Kassetten von den Beatles und Abba. Wenn am Abend das Licht ausging, musste ich nun nicht mehr allein mit meiner Angst im Dunkeln liegen, sondern konnte – solange die Batterien reichten – Musik hören. Wieder und wieder die gleichen Stücke.

* * *

Mein wichtigstes Hilfsmittel gegen die Langeweile und das Verrücktwerden waren Bücher. Das erste Buch, das der Täter mir brachte, war »Das fliegende Klassenzimmer« von Erich Kästner. Dann folgte eine Reihe von Klassikern – »Onkel Toms Hütte«, »Robinson Crusoe«, »Tom Sawyer«, »Alice im Wunderland«, »Das Dschungelbuch«, »Die Schatzinsel« und »Kon-Tiki«. Ich verschlang die »Lustigen Taschenbücher«

rund um die Enten Donald Duck, seine drei Neffen, den geizigen Onkel Dagobert und den erfinderischen Daniel Düsentrieb. Später wünschte ich mir Agatha Christie, deren Bücher ich von meiner Mutter kannte, und las ganze Stapel von Kriminalromanen wie Jerry Cotton und Science-Fiction-Storys. Die Romane katapultierten mich in eine andere Welt und nahmen meine Aufmerksamkeit so gefangen, dass ich über Stunden vergaß, wo ich war. Und genau das war es, was mir das Lesen so überlebenswichtig machte. Während ich mir mit Fernsehen und Radio die Illusion von Gesellschaft ins Verlies holte, konnte ich es beim Lesen gedanklich für Stunden verlassen.

Einen besonderen Stellenwert hatten in dieser ersten Zeit, als ich noch ein zehnjähriges Kind war, die Bücher von Karl May. Ich verschlang die Abenteuer von Winnetou und Old Shatterhand und las die Erzählungen über den »Wilden Westen Nordamerikas«. Ein Lied, das deutsche Siedler für den sterbenden Winnetou singen, hat mich dabei so berührt, dass ich es Wort für Wort abschrieb und den Zettel mit Niveacreme an die Wand klebte. Ich hatte damals weder Tesafilm noch einen anderen Klebstoff im Verlies. Es ist ein Gebet an die Mutter Gottes:

Es will das Licht des Tages scheiden;
nun bricht die stille Nacht herein.
Ach, könnte doch des Herzens Leiden
so wie der Tag vergangen sein!
Ich leg mein Flehen dir zu Füßen;
o, trag's empor zu Gottes Thron,
und lass, Madonna, lass dich grüßen
mit des Gebetes frommem Ton:
Ave, ave Maria!

Es will das Licht des Glaubens scheiden;
nun bricht des Zweifels Nacht herein.
Das Gottvertraun der Jugendzeiten,
es soll uns abgestohlen sein.
Erhalt, Madonna, mir im Alter
des Glaubens frohe Zuversicht;
schütz meine Harfe, meinen Psalter;
du bist mein Heil, du bist mein Licht!
Ave, ave Maria!

Es will das Licht des Lebens scheiden;
nun bricht des Todes Nacht herein.
Die Seele will die Schwingen breiten;
es muss, es muss gestorben sein.
Madonna, ach, in deine Hände
leg ich mein letztes, heißes Flehn:
Erbitte mir ein gläubig Ende
und dann ein selig Auferstehn!
Ave, ave Maria!

Ich habe dieses Gedicht damals so oft gelesen, geflüstert und
gebetet, dass ich es heute noch auswendig kann. Es schien mir
geradezu für mich geschrieben: Mir hatte man auch das »Licht
des Lebens« genommen, auch ich sah in dunklen Momenten
keinen anderen Ausweg aus meinem Verlies als den Tod.

* * *

Der Täter wusste, wie sehr ich vom Nachschub an Filmen,
Musik und Lesestoff abhängig war, und hatte damit ein neues
Machtinstrument an der Hand. Mit Entzug konnte er mich
unter Druck setzen.

Wann immer ich mich in seinen Augen »ungebührlich« verhalten hatte, musste ich damit rechnen, dass er mir die Tür zu jener Welt der Worte und Klänge zuschlug, die wenigstens ein bisschen Ablenkung versprach. Das war besonders schlimm an den Wochenenden. Normalerweise kam der Täter inzwischen jeden Tag in der Früh und meist noch einmal am Nachmittag oder Abend in das Verlies. Doch am Wochenende war ich ganz allein: Von Freitagmittag, manchmal auch schon von Donnerstagabend an, ließ er sich bis Sonntag nicht blicken. Er versorgte mich mit zwei Tagesrationen an Fertiggerichten, einigen frischen Nahrungsmitteln und Mineralwasser, das er aus Wien mitbrachte. Und mit Videos und Büchern. Unter der Woche bekam ich eine Videokassette voll mit Serien – zwei Stunden, wenn ich sehr darum bat, vier. Das scheint mehr, als es ist: Ich musste jeden Tag 24 Stunden allein überstehen, unterbrochen nur durch die Besuche des Täters. Am Wochenende bekam ich vier bis acht Stunden Ablenkung auf Band und das nächste Exemplar der Buchreihe, die ich gerade las. Aber nur wenn ich seine Bedingungen erfüllte. Nur wenn ich »brav« war, gab er mir die lebenswichtige geistige Nahrung. Was er unter »Bravsein« verstand, wusste nur er. Manchmal reichte eine Kleinigkeit, dass er mein Verhalten sanktionierte.

»Du hast zu viel Raumspray verwendet, das nehme ich dir jetzt weg.«

»Du hast gesungen.«

Du hast dies, du hast das.

Mit den Videos und Büchern wusste er genau, welchen Knopf er drücken musste. Es fühlte sich an, als habe er, nachdem er mich meiner echten Familie entrissen hatte, auch meine Ersatzfamilien aus den Romanen und Serien als Geiseln genommen, damit ich seinen Anweisungen folgte.

Der Mann, der sich anfangs bemüht hatte, mir das Leben im Verlies »angenehm« zu gestalten und für ein bestimmtes Hörspiel von Bibi Blocksberg noch ans andere Ende von Wien gefahren war, hatte sich Schritt für Schritt gewandelt, seit er mir verkündet hatte, dass er mich nie mehr freilassen werde.

* * *

Zu dieser Zeit begann der Täter, mich immer stärker zu kontrollieren. Er hatte mich zwar von Anfang an komplett unter seiner Kuratel: Eingesperrt in seinem Keller, auf fünf Quadratmetern, hatte ich ihm ohnehin nicht viel entgegenzusetzen. Doch je länger die Gefangenschaft dauerte, desto weniger genügte ihm dieses sichtbare Zeichen seiner Macht. Nun wollte er jede Geste, jedes Wort und jede Funktion meines Körpers unter seine Kontrolle bringen.

Es begann mit der Zeitschaltuhr. Die Macht über Hell und Dunkel hatte der Täter von Anfang an gehabt. Wenn er morgens in das Verlies hinunterkam, schaltete er den Strom ein, wenn er abends ging, drehte er ihn wieder ab. Nun installierte er eine Zeitschaltuhr, die die Elektrik im Raum steuerte. Während ich anfangs noch ab und zu eine Verlängerung der Lichtzeiten erbetteln konnte, musste ich mich jetzt einem unerbittlichen Rhythmus beugen, den ich nicht beeinflussen konnte: Um sieben Uhr früh schaltete sich der Strom ein. 13 Stunden lang konnte ich in meinem winzigen, muffigen Raum einen Abklatsch von Leben führen: sehen, hören, Wärme spüren, kochen. Alles kam aus der Retorte. Eine Glühbirne kann niemals die Sonne ersetzen, Fertiggerichte erinnern nur entfernt an ein Familienessen um einen gemeinsamen Tisch, und die flachen Personen, die über den Fernsehschirm flimmern, sind nur ein schaler Ersatz für echte Menschen. Aber solange der Strom da war, konnte ich wenigstens die Illusion aufrechterhalten, ich hätte ein Leben außerhalb meiner selbst.

Um acht Uhr abends schaltete sich der Strom ab. Von einer Sekunde auf die andere fand ich mich in totaler Dunkelheit.

Der Fernseher stoppte mitten in einer Serie. Ich musste mitten im Satz das Buch weglegen. Und wenn ich nicht schon im Bett lag, musste ich mich auf allen vieren zu meiner Liege tasten. Glühbirne, Fernseher, Videorekorder, Radio, Computer, Kochplatte, Herd und Heizung – alles, was Leben in mein Verlies brachte, wurde abgeschaltet. Nur der tickende Wecker und das quälende Sirren des Ventilators füllten den Raum. Die nächsten elf Stunden war ich auf meine Phantasie angewiesen, um nicht durchzudrehen und die Angst in Schach zu halten.

Es war ein Rhythmus wie in einer Strafanstalt, streng vorgegeben von außen, ohne eine Sekunde der Abweichung, ohne Rücksicht auf meine Bedürfnisse. Es war eine Machtdemonstration. Der Täter liebte Regelmäßigkeit. Und mit der Zeitschaltuhr zwang er sie auch mir auf.

Anfangs blieb mir noch der Walkman, der mit Batterien betrieben war. Damit konnte ich die bleierne Dunkelheit zumindest ein bisschen auf Abstand halten, auch wenn die Zeitschaltuhr befunden hatte, dass mein Pensum an Licht und Musik erschöpft war. Doch dem Täter missfiel es, dass ich mit dem Walkman sein göttliches Gebot über Hell und Dunkel umgehen konnte. Er begann, den Stand der Batterien zu kontrollieren. Benutzte ich den Walkman seiner Ansicht nach zu lange oder zu häufig, nahm er ihn mir weg, bis ich Besserung gelobte. Einmal hatte er die äußerste Tür zum Verlies offenbar noch nicht ganz geschlossen, als ich schon mit den Kopfhörern des Walkmans auf meiner Liege saß und lautstark einen Beatles-Song mitsang. Er muss meine Stimme gehört haben und kam fuchsteufelswild ins Verlies zurück. Priklopil strafte mich mit Licht- und Essensentzug für das laute Singen. Und ich musste die nächsten Tage ohne Musik einschlafen.

Sein zweites Kontrollinstrument wurde die Gegensprechanlage. Als er damit in das Verlies kam und begann, die Kabel zu montieren, erklärte er mir: »Ab jetzt kannst du oben läuten und mich rufen.« Ich freute mich im ersten Moment darüber und spürte, wie eine große Angst von mir abfiel. Der Gedanke, ich käme plötzlich in eine Notsituation, hatte mich schon seit Beginn meiner Gefangenschaft gequält: Ich war ja zumindest über das Wochenende oft allein und konnte nicht einmal den einzigen Menschen, der wusste, wo ich war – den Täter –, auf mich aufmerksam machen. Ich hatte unzählige Situationen im Kopf durchgespielt: Ein Kabelbrand, ein Wasserrohrbruch, ein plötzlicher allergischer Anfall … selbst an einer verschluckten Wursthaut hätte ich in diesem Verlies elendig sterben müssen, auch wenn der Täter zu Hause war. Er kam ja nur, wenn er wollte. Die Gegensprechanlage erschien mir deshalb wie ein Rettungsanker. Erst später erkannte ich den eigentlichen Sinn dieser Einrichtung. Eine Gegensprechanlage funktioniert in zwei Richtungen. Der Täter nutzte sie, um mich zu kontrollieren. Um mir seine Allmacht auch dadurch zu demonstrieren, dass er jedes Geräusch, das ich von mir gab, hören, dass er alles kommentieren konnte.

Die erste Version, die der Täter installierte, bestand im Wesentlichen aus einem Knopf, den ich drücken sollte, wenn ich etwas brauchte: Dann leuchtete oben in seiner Wohnung an einer versteckten Stelle ein rotes Licht auf. Doch weder konnte er das Lämpchen immer sehen, noch würde er jederzeit die komplizierte Prozedur auf sich nehmen und das Verlies aufsperren, ohne zu wissen, was ich überhaupt wollte. Und an den Wochenenden konnte er gar nicht erst hinunter. Erst viel später habe ich erfahren, dass das an den Besuchen seiner Mutter lag, die an den Wochenenden im Haus übernachtete: Es wäre viel zu langwierig und auffällig gewesen, die vielen Hürden zwischen der Garage und meinem Verlies wegzuräumen, solange sie anwesend war.

Kurze Zeit später ersetzte er das Provisorium durch eine

Anlage, durch die man auch sprechen konnte. Per Knopfdruck schallten nun seine Anweisungen und Fragen in mein Verlies.

»Hast du dein Essen eingeteilt?«

»Hast du Zähne geputzt?«

»Hast du den Fernseher abgestellt?«

»Wie viele Seiten hast du gelesen?«

»Hast du Rechenübungen gemacht?«

Ich schreckte jedes Mal hoch, wenn seine Stimme die Stille durchschnitt. Wenn er mir Konsequenzen androhte, weil ich zu langsam geantwortet hatte. Oder zu viel gegessen hatte.

»Hast du schon wieder alles vorzeitig aufgegessen?«

»Hab ich dir nicht gesagt, dass du am Abend nur ein Stück Brot essen darfst?«

Die Gegensprechanlage war das perfekte Instrument, um mich zu terrorisieren. Bis ich entdeckte, dass es auch mir ein kleines Stück Macht verlieh. Aus heutiger Sicht scheint es mir gerade wegen des ausgeprägten Kontrollwahns des Täters erstaunlich, dass er wohl nicht auf die Idee gekommen war, dass ein zehnjähriges Mädchen dieses Gerät genauer untersuchen würde. Das aber tat ich nach ein paar Tagen.

Die Anlage hatte drei Knöpfe. Wenn man auf »Sprechen« drückte, war die Leitung nach beiden Seiten hin offen. Das war die Einstellung, die er mir gezeigt hatte. War die Anlage auf »Zuhören« gestellt, konnte ich zwar seine Stimme hören, er aber mich nicht. Der dritte Knopf hieß »Dauer«: Wenn man ihn drückte, blieb die Leitung von meiner Seite her offen – doch von oben herrschte Stille.

Ich hatte schon in der direkten Konfrontation mit ihm gelernt, die Ohren auf Durchzug zu stellen. Nun hatte ich einen Knopf dafür: Wenn mir die Fragen, Kontrollen und Anschuldigungen zu viel wurden, drückte ich auf »Dauer«. Es verschaffte mir eine tiefe Befriedigung, wenn seine Stimme verstummte und nur ich allein den Knopf betätigt hatte, der das geschafft hatte. Ich liebte diesen »Dauer«-Knopf, der den Täter kurz aus meinem Leben sperren konnte. Als Priklopil meine kleine Rebellion mit dem Zeigefinger mitbekam, reagierte er erst fassungslos, dann ungehalten und wütend. Nur selten kam er deswegen ins Verlies hinunter, um mich zu bestrafen. Er brauchte ja jedes Mal fast eine Stunde, um die vielen Türen und Sicherungen zu öffnen. Doch es war klar, dass er sich etwas Neues einfallen lassen würde.

Tatsächlich dauerte es nicht lange, bis er die Gegensprechanlage mit dem segensreichen Knopf abmontierte. Stattdessen kam er mit einem Radio von Siemens ins Verlies. Er nahm das Innenleben aus dem Gehäuse und begann, daran herumzuschrauben. Ich wusste damals noch nichts vom Täter und habe erst viel später erfahren, dass Wolfgang Priklopil früher Nachrichtentechniker bei Siemens gewesen war. Dass er mit Alarmanlagen, Radios und anderen elektrischen Anlagen umgehen konnte, war mir indes nicht verborgen geblieben.

Dieses umgebaute Radio wurde zu einem schrecklichen Folterinstrument für mich. Es hatte ein Mikrofon, das so stark war, dass es jedes Geräusch aus meinem Zimmer nach oben übertrug. Der Täter konnte nun ohne Vorwarnung einfach in mein »Leben« hineinhören und in jeder Sekunde überprüfen, ob ich seinen Anweisungen folgte. Ob ich den Fernseher abgedreht hatte. Ob das Radio lief. Ob ich noch mit dem Löffel über den Teller kratzte. Ob ich atmete.

Seine Fragen verfolgten mich bis unter die Bettdecke:
»Hast du die Banane übriggelassen?«
»Warst du schon wieder so verfressen?«
»Hast du dein Gesicht gewaschen? »
»Hast du den Fernseher nach einer Folge abgedreht?«
Ich konnte ihn nicht einmal anlügen, weil ich nicht wusste,

wie lange er schon gelauscht hatte. Wenn ich es doch einmal tat oder nicht sofort antwortete, tobte er aus dem Lautsprecher, bis in meinem Kopf alles hämmerte. Oder er kam unvermittelt ins Verlies und bestrafte mich, indem er mir das Wichtigste nahm: Bücher, Videos, Essen. Es sei denn, ich legte reuig Rechenschaft über meine Verfehlungen, über jeden noch so kleinen Moment meines Lebens im Verlies ab. Als ob es noch etwas gegeben hätte, das ich vor ihm hätte verbergen können.

Eine andere Möglichkeit, mich spüren zu lassen, dass er mich unter totaler Kontrolle hatte, war es, oben den Hörer hängen zu lassen. Dann kam zum Sirren des Ventilators ein verzerrtes, unerträglich lautes Rauschen, das mein Gefängnis restlos ausfüllte und mich bis in den letzten Winkel des winzigen Kellerraums spüren ließ: Er ist da. Immer. Er atmet am anderen Ende der Leitung. Er kann jederzeit losbrüllen, und du wirst zusammenzucken, auch wenn du in jeder Sekunde damit rechnest. Vor seiner Stimme gibt es kein Entrinnen.

Es wundert mich heute nicht, dass ich damals, als Kind, auch glaubte, dass er mich im Verlies sehen konnte. Ich wusste ja nicht, ob er Kameras eingebaut hatte. Ich fühlte mich nun in jeder Sekunde, bis in den Schlaf hinein, beobachtet. Vielleicht hatte er ja sogar eine Wärmebildkamera installiert, damit er mich auch kontrollieren konnte, während ich in völliger Dunkelheit auf meiner Liege lag. Das Gefühl lähmte mich, ich traute mich kaum noch, mich nachts umzudrehen. Tagsüber blickte ich mich zehnmal um, bevor ich auf die Toilette ging: Ich wusste ja nicht, ob er mich gerade beobachtete – und ob vielleicht auch andere dabei waren.

In völliger Panik begann ich, das ganze Verlies nach Gucklöchern oder Kameras abzusuchen. Immer in der Angst, er würde sehen, was ich tat, und gleich nach unten kommen.

Jede kleinste Ritze in den Wandbrettern füllte ich mit Zahn-pasta, bis ich sicher war, dass es keine Lücke mehr gab. Doch das Gefühl der dauernden Beobachtung blieb.

* * *

»Ich glaube, dass nur wenige Menschen imstande sind, das unglaub-liche Ausmaß von Folter und Agonie zu ermessen, die diese grausame Art der Behandlung, über Jahre gezogen, den Leidenden zufügt; und wenn ich selber darüber nur Vermutungen anstellen kann und darüber nachdenke, was ich in ihren Gesichtern gesehen habe, und was sie meines sicheren Wissens nach fühlen, bin ich umso mehr überzeugt, dass es sich um eine Tiefe schrecklichen Leidens handelt, die niemand als die Betroffenen selbst ermessen können, und die kein Mensch das Recht hat, einem Mitwesen anzutun. Ich halte diese langsame und tägliche Beeinflussung des Gehirns für unermesslich schlimmer als jede Folter des Körpers; und weil ihre grässlichen Spuren nicht so sichtbar für das Auge und nicht spürbar bei Berührung sind wie Folterspuren im Fleisch; weil die Wunden nicht auf der Oberfläche liegen und sie wenige Schreie hervorruft, die menschliche Ohren hören können; umso mehr klage ich sie deshalb an.«

Das schrieb der Schriftsteller Charles Dickens 1842 über die Isolationshaft, die damals in den USA Schule machte und bis heute eingesetzt wird. Meine Isolationshaft, die Zeit, die ich ausschließlich im Verlies verbrachte, ohne ein einziges Mal die fünf Quadratmeter Raum verlassen zu können, dauerte über sechs Monate; meine Gefangenschaft 3096 Tage.

Die Gefühle, die diese Zeit in völliger Dunkelheit oder Dauerbestrahlung durch künstliches Licht in mir auslöste, konnte ich damals nicht in Worte fassen. Wenn ich mir heute die vielen Studien ansehe, die die Effekte von Einzelhaft und sensorischer Deprivation – so nennt man den Entzug von Sinneswahrnehmungen – untersuchen, kann ich genau nachvollziehen, was damals mit mir passierte.

Eine der Studien dokumentiert die folgenden Effekte von »solitary confinement«, wie Isolationshaft auf Englisch heißt:

- *erhebliche Beeinträchtigung der Funktionsfähigkeit des vegetativen Nervensystems*
- *erhebliche Störungen im Hormonhaushalt*
- *Beeinträchtigung von Organfunktionen*
- *Ausbleiben der Menstruation bei Frauen ohne physiologisch-organische, alters- oder schwangerschaftsbedingte Ursache (sekundäre Amenorrhoe)*
- *verstärktes Gefühl, essen zu müssen: Zynorexie / Heißhunger, Hyperorexie, Fresssucht*
- *im Gegensatz dazu Verringerung oder Ausbleiben des Durstgefühls*
- *starke Hitzewallungen und / oder Kältegefühle, die sich nicht auf eine entsprechende Veränderung der Umgebungstemperatur oder auf eine Erkrankung (Fieber, Schüttelfrost o. Ä.) zurückführen lassen*
- *erhebliche Beeinträchtigung der Wahrnehmung und der kognitiven Leistungsfähigkeit*
- *starke Störung der Verarbeitung von Wahrnehmungen*
- *starke Störungen des Körpergefühls*
- *starke allgemeine Konzentrationsschwierigkeiten*
- *starke Schwierigkeiten bis hin zum Unvermögen, zu lesen bzw. das Gelesene gedanklich zu erfassen, nachzuvollziehen und in einen sinnvollen Zusammenhang zu bringen*
- *starke Schwierigkeiten bis hin zum Unvermögen, zu schreiben bzw. Gedanken schriftlich zu verarbeiten (Agraphie / Dysgraphie)*
- *starke Artikulations- / Verbalisierungsschwierigkeiten, die sich besonders in den Bereichen Syntax, Grammatik und Wortwahl zeigen und bis hin zu Aphasie, Aphrasie und Agnosie reichen können*
- *starke Schwierigkeit oder Unvermögen, Gesprächen zu folgen (nach-*

gewiesenermaßen aufgrund einer Verlangsamung der Funktion des primären akustischen Kortex der Schläfenlappenanteile aufgrund von Reizmangel)

Weitere Beeinträchtigungen
- *Führen von Selbstgesprächen zur Kompensation der akustischen und sozialen Reizarmut*
- *deutlicher Verlust an Gefühlsintensität (z. B. gegenüber Angehörigen und Freunden)*
- *situativ euphorische Gefühle, die später in eine depressive Stimmungslage umschlagen*

Gesundheitliche Langzeitfolgen
- *soziale Kontaktstörungen bis hin zur Unfähigkeit, emotional enge und langfristige partnerschaftliche Beziehungen einzugehen*
- *Depressionen*
- *Beeinträchtigung des Selbstwertgefühls*
- *Wiederkehren der Haftsituation in Träumen*
- *behandlungsbedürftige Störungen des Blutdrucks*
- *behandlungsbedürftige Hauterkrankungen*
- *Nicht-Wiedererlangen von insbesondere kognitiven Fähigkeiten (z. B. im Bereich der Mathematik), die vor der Isolationshaft beherrscht wurden*

Als besonders schlimm empfanden die Gefangenen die Auswirkungen des Lebens ohne Sinneseindrücke. Die sensorische Deprivation wirkt auf das Gehirn, stört das vegetative Nervensystem und macht aus selbstbewussten Menschen Abhängige, die weit offen sind für den Einfluss jeder Person, der sie nach einer Phase der Dunkelheit und Isolation begegnen. Das gilt selbst für Erwachsene, die sich freiwillig in eine solche Situation begeben. Im Januar 2008 strahlte die BBC eine Sendung namens »Total Isolation« aus, die mich sehr berührte:

Sechs Freiwillige ließen sich für 48 Stunden in eine Zelle eines Atombunkers sperren. Allein und ohne Licht begaben sie sich in meine Lage – was die Dunkelheit und die Einsamkeit betrifft, nicht die Angst, nicht die Dauer. Trotz der vergleichsweise kurzen Zeitspanne berichteten alle sechs hinterher, dass sie jegliches Zeitgefühl verloren und starke Halluzinationen und Visionen erlebt hatten. Eine Frau war überzeugt davon, dass ihr Bettzeug nass war. Drei hatten akustische und visuelle Halluzinationen – sie sahen Schlangen, Austern, Autos, Zebras. Alle hatten nach Ablauf der 48 Stunden die Fähigkeit verloren, simpelste Aufgaben zu lösen. Keinem fiel auf Aufforderung ein Wort mit »F« ein. Einer hatte 36 Prozent seines Gedächtnisses verloren. Vier waren sehr viel leichter zu beeinflussen als vor ihrer Isolation. Sie glaubten alles, was ihnen der erste Mensch sagte, der ihnen nach ihrer freiwilligen Gefangenschaft begegnete. Ich begegnete immer nur dem Täter.

Wenn ich mich heute mit solchen Studien und Experimenten beschäftige, bin ich selbst erstaunt darüber, dass ich diese Zeit überstanden habe. Meine Situation war in weiten Strecken mit jener vergleichbar, in die sich die Erwachsenen zu Studienzwecken begeben hatten. Abgesehen davon, dass meine Zeit in der Isolation sehr viel länger andauerte, kam in meinem Fall aber noch ein zusätzlicher, erschwerender Faktor hinzu: Ich hatte keine Ahnung, warum ausgerechnet ich in diese Situation geraten war. Während politische Gefangene sich an ihrer Mission festhalten können und selbst zu Unrecht Verurteilte noch wissen, dass ein Justizsystem mit seinen Paragraphen, Institutionen und Abläufen hinter ihrer Abgeschiedenheit steht, sah ich nicht einmal eine feindliche Logik hinter meiner Gefangenschaft. Es gab keine.

Es mag mir geholfen haben, dass ich noch ein Kind war und mich so leichter an die widrigsten Umstände anpassen konnte, als es Erwachsene jemals vermögen. Aber es verlangte mir eine Selbstdisziplin ab, die mir rückblickend fast unmenschlich erscheint. Ich behalf mir in den Nächten mit Phantasiereisen durch die Dunkelheit. Tagsüber hielt ich verbissen an meinem Plan fest, an meinem 18. Geburtstag mein Leben selbst in die Hand zu nehmen. Ich war fest entschlossen, mir das nötige Wissen dafür anzueignen, und verlangte nach Lesestoff und Schulbüchern. Und ich hielt gegen alle Umstände stur an meiner eigenen Identität und der Existenz meiner Familie fest.

Als der erste Muttertag näher rückte, bastelte ich meiner Mutter ein Geschenk. Ich hatte weder Kleber noch Schere – der Täter gab mir nichts, womit ich mich oder ihn hätte verletzen können. Also malte ich mit den Wachsmalkreiden aus meiner Schultasche einige große rote Herzen auf Papier, riss sie sorgfältig aus und klebte sie mit Nivea-Creme übereinander. Ich stellte mir lebhaft vor, wie ich das Herz meiner Mutter übergeben würde, wenn ich wieder frei war. Sie würde dann wissen, dass ich den Muttertag nicht vergessen hatte, obwohl ich nicht bei ihr sein konnte.

* * *

Der Täter ertrug es unterdessen immer schlechter, wenn er sah, dass ich mich mit solchen Dingen beschäftigte. Wenn ich von meinen Eltern, meinem Zuhause, ja selbst meiner Schule sprach. »Deine Eltern wollen dich nicht, die haben dich nicht lieb«, sagte er wieder und wieder. Ich weigerte mich, ihm zu glauben: »Das stimmt nicht, meine Eltern haben mich lieb. Das haben sie mir gesagt.« Ich wusste zwar in meinem tiefsten Inneren, dass ich recht hatte. Aber meine Eltern waren so unerreichbar, dass ich mich fühlte, als wäre ich auf einem anderen Planeten. Dabei lagen nur 18 Kilometer zwischen meinem Verlies und der Wohnung meiner Mutter. 25 Minuten Autofahrt.

Eine Entfernung in der realen Welt, die in meiner verrückten Welt einem Wechsel der Dimension ausgesetzt war. Ich war so viel weiter weg als 18 Kilometer. Und mittendrin in der Welt des despotischen Herzkönigs, in der die Spielkartenleute jedes Mal zusammenzuckten, wenn seine Stimme erschallte.

Wenn er anwesend war, bestimmte er über jede Geste und jeden Gesichtsausdruck: Ich musste so stehen, wie er es mir befahl, und durfte ihm niemals gerade ins Gesicht sehen. In seiner Anwesenheit, so fuhr er mich an, hätte ich den Blick gesenkt zu halten. Ich durfte nicht sprechen, wenn er mich nicht dazu aufgefordert hatte. Er zwang mich dazu, ihm unterwürfig zu begegnen, und wollte Dankbarkeit für jedes bisschen, das er für mich tat: »Ich habe dich gerettet«, sagte er immer wieder, und er schien es ernst zu meinen. Er war meine Nabelschnur nach außen – Licht, Essen, Bücher, all das konnte ich nur von ihm bekommen, all das konnte er mir jederzeit kappen. Und das tat er später auch mit einer Konsequenz, die mich fast an den Rand des Hungertods brachte.

Aber auch wenn mich die dauernde Kontrolle und die Isolation zunehmend zermürbten: Dankbarkeit empfand ich ihm gegenüber nicht. Er hatte mich zwar nicht umgebracht und nicht vergewaltigt, wie ich es am Anfang befürchtet und fast erwartet hatte. Doch ich habe in keinem Augenblick vergessen, dass seine Tat ein Verbrechen war, für das ich ihn verurteilen konnte, wenn ich wollte – für das ich ihm aber niemals dankbar sein musste.

Eines Tages befahl er mir, ihn »Maestro« zu nennen.

Ich nahm ihn zunächst nicht ernst: »Maestro« erschien mir als Wort viel zu lächerlich, als dass sich jemand so bezeichnen lassen würde. Doch er bestand darauf, wieder und wieder: »Du sprichst mich mit Maestro an!« An diesem Punkt wusste ich, dass ich nicht nachgeben durfte. Jemand, der sich wehrt, lebt noch. Wer tot ist, kann sich nicht mehr wehren. Ich wollte nicht tot sein, auch nicht innerlich, ich musste ihm etwas entgegensetzen.

Ich musste an die Passage aus »Alice im Wunderland« denken: »So etwas!«, dachte Alice, »ich habe zwar schon oft eine Katze ohne Grinsen gesehen, aber ein Grinsen ohne Katze! Das ist doch das Allerseltsamste, was ich je erlebt habe.« Vor mir stand ein Mensch, dessen Menschlichkeit weniger wurde; dessen Fassade bröckelte und den Blick freigab auf eine schwache Person. Ein Versager in der wirklichen Welt, der Stärke aus der Unterdrückung eines kleinen Kindes zog. Eine erbärmliche Vorstellung. Eine Fratze, die mich aufforderte, ihn »Maestro« zu nennen.

Wenn ich mich heute an diese Situation erinnere, weiß ich, warum ich ihm diese Anrede damals verweigerte. Kinder sind Meister im Manipulieren. Ich muss instinktiv gespürt haben, wie wichtig ihm das war – und dass ich nun den Schlüssel dafür in der Hand hielt, selbst eine gewisse Macht ausüben zu können. Über die möglichen Folgen, die meine Weigerung nach sich ziehen könnte, habe ich in diesem Moment nicht nachgedacht. Das Einzige, was mir durch den Kopf schoss, war, dass ich mit einem solchen Verhalten schon einmal Erfolg gehabt hatte.

In der Marco-Polo-Siedlung hatte ich manchmal die Kampfhunde der Gäste meiner Eltern ausgeführt. Die Besitzer hatten mir eingeschärft, die Hunde nie an die lange Leine zu nehmen – sie hätten das Zuviel an Bewegungsspielraum ausgenutzt. Ich sollte sie ganz knapp am Halsband nehmen, um ihnen jederzeit zeigen zu können, dass jedes Ausbrechen auf Widerstand stößt. Und ich dürfte ihnen gegenüber nie Angst zeigen. Wenn man das konnte, dann waren die Hunde selbst an der Hand eines Kindes, wie ich es damals war, zahm und gefügig.

Als Priklopil nun vor mir stand, beschloss ich, mich von der furchterregenden Situation nicht einschüchtern zu lassen und ihn ganz knapp am Halsband zu nehmen. »Das mache ich nicht«, sagte ich ihm mit fester Stimme ins Gesicht. Er riss erstaunt die Augen auf, protestierte und verlangte immer wieder von mir, ihn »Maestro« zu nennen. Aber schließlich ließ er das Thema fallen.

Für mich war das ein Schlüsselerlebnis, auch wenn mir das damals vielleicht nicht so klar gewesen ist. Ich hatte Stärke gezeigt, und der Täter hatte sich zurückgezogen. Das überhebliche Grinsen der Katze war zusammengeschnurrt. Übrig geblieben war ein Mensch, der eine böse Tat begangen hatte, von dessen Gemütsverfassungen ich existentiell abhängig war, der aber in gewisser Weise auch von mir abhängig war.

Es fiel mir in den folgenden Wochen und Monaten leichter, mit ihm umzugehen, wenn ich ihn mir als armes ungeliebtes Kind vorstellte. Irgendwo in den vielen Krimis und Fernsehfilmen, die ich früher gesehen hatte, hatte ich aufgeschnappt, dass Menschen böse werden, wenn sie von ihrer Mutter nicht geliebt werden und zu wenig Nestwärme bekommen. Aus heutiger Sicht war es ein überlebenswichtiger Schutzmechanismus, dass ich versuchte, den Täter als Menschen zu sehen, der nicht von Grund auf böse war, sondern der es erst im Laufe seines Lebens geworden war. Das relativierte keineswegs die Tat an sich, aber es half mir, ihm zu verzeihen. Indem ich mir einerseits vorstellte, dass er vielleicht als Waisenkind im Heim schreckliche Erfahrungen gemacht hatte, unter denen er heute noch litt. Und indem ich mir andererseits immer wieder sagte, dass er sicher auch seine guten Seiten hatte. Dass er mir meine Wünsche erfüllte, mir Süßigkeiten brachte, mich versorgte. Ich denke, dies war in meiner völligen Abhängigkeit die einzige Möglichkeit, die lebenswichtige Beziehung zum Täter aufrechtzuerhalten. Wäre ich ihm ausschließlich mit

Hass begegnet, hätte mich dieser Hass so zerfressen, dass ich nicht mehr die Kraft gehabt hätte, zu überleben. Weil ich in jenem Augenblick hinter der Maske des Täters den kleinen, fehlgeleiteten und schwachen Menschen erkennen konnte, war ich in der Lage, auf ihn zuzugehen.

Und es gab auch tatsächlich den Moment, in dem ich ihm das mitteilte. Ich sah ihn an und sagte: »Ich verzeihe dir, weil jeder einmal Fehler macht.« Es war ein Schritt, der manchen seltsam und krank vorkommen mag. Schließlich hatte mich sein »Fehler« die Freiheit gekostet. Aber es war das einzig Richtige. Ich musste mit diesem Menschen auskommen, sonst würde ich nicht überleben.

Ich habe trotzdem nie Vertrauen zu ihm gefasst, das war unmöglich. Aber ich habe mich mit ihm arrangiert. Ich »tröstete« ihn wegen des Verbrechens, das er an mir beging, und appellierte zugleich an sein Gewissen, damit er es bereute und mich zumindest gut behandelte. Er revanchierte sich, indem er mir phasenweise kleine Wünsche erfüllte: eine Pferdezeitschrift, einen Stift, ein neues Buch. Manchmal erklärte er mir gar: »Ich erfülle dir jeden Wunsch!« Dann antwortete ich: »Wenn du mir jeden Wunsch erfüllst, warum lässt du mich dann nicht frei? Ich vermisse meine Eltern so.« Aber seine Antwort war immer die gleiche, und ich wusste sie schon: Meine Eltern liebten mich nicht – und er würde mich niemals freilassen.

Nach ein paar Monaten im Verlies bat ich ihn zum ersten Mal, mich zu umarmen. Ich brauchte den Trost einer Berührung, das Gefühl menschlicher Wärme. Es war schwierig. Er hatte große Probleme mit Nähe, mit Berührungen. Ich selbst wiederum verfiel sofort in blinde Panik und Platzangst, wenn er mich zu sehr festhielt. Aber nach einigen Versuchen schafften wir es, einen Modus zu finden – nicht zu nahe, nicht zu eng, so dass ich die Umarmung aushalten konnte, und eng genug, damit ich mir einbilden konnte, eine liebevolle, umsorgende Berührung zu spüren. Es war der erste Körperkontakt zu einem Menschen seit vielen Monaten. Für ein zehnjähriges Kind eine unendlich lange Zeit.

Sturz ins Nichts
Der Raub meiner Identität

»Du hast keine Familie mehr. Ich bin deine
Familie. Ich bin dein Vater, deine Mutter, deine
Oma und deine Schwestern. Ich bin jetzt alles
für dich. Du hast keine Vergangenheit mehr.
Du hast es so viel besser bei mir. Du hast Glück,
dass ich dich aufgenommen habe und mich so
gut um dich kümmere. Du gehörst nur mir. Ich
habe dich erschaffen.«

IM HERBST 1998, über ein halbes Jahr nach meiner Entführung, war ich völlig mutlos und traurig. Während für meine Klassenkameraden nach der 4. Klasse ein neuer Lebens-
abschnitt begonnen hatte, saß ich fest und strich die Tage am
Kalender aus. Verlorene Zeit. Einsame Zeit. Meine Eltern
fehlten mir so sehr, dass ich mich nachts vor Sehnsucht nach
einem lieben Wort von ihnen, nach einer Umarmung auf
meiner Liege zusammenkrümmte. Ich fühlte mich unendlich
klein und schwach und war kurz davor zu kapitulieren. Wenn
ich als kleines Kind niedergeschlagen und mutlos war, hatte
meine Mutter mir immer ein heißes Wannenbad eingelassen.
Sie gab seidig glänzende, bunte Badekugeln und so viel Badeseife ins Wasser, dass ich in Bergen aus knisternden, duften-
den Schaumwolken versank. Nach dem Baden wickelte sie
mich in ein dickes Badetuch, legte mich ins Bett und deck-

te mich zu. Ich verband damit immer das Gefühl von tiefer Geborgenheit. Ein Gefühl, das ich so lange schon entbehren musste.

Der Täter konnte mit meiner Niedergeschlagenheit nur schwer umgehen. Wenn er ins Verlies kam und mich apathisch auf meiner Liege sitzen sah, musterte er mich irritiert. Er ging zwar nie direkt auf meine Stimmung ein, aber er versuchte, mich mit Spielen, einem Extrastück Obst oder einer Serienfolge auf Video aufzuheitern. Aber meine düstere Stimmung blieb. Wie sollte es auch anders sein? Ich litt ja nicht an einem Mangel an Unterhaltungsmedien. Sondern an der Tatsache, schuldlos an die Phantasie eines Mannes gekettet zu sein, der längst das Urteil lebenslänglich gefällt hatte.

Ich sehnte mich nach dem Gefühl, das mich immer nach einem heißen Bad durchströmt hatte. Als der Täter in jenen Tagen zu mir ins Verlies kam, begann ich auf ihn einzureden. Ein Bad. Ob ich bitte nicht einmal baden könnte. Immer wieder fragte ich ihn. Ich weiß nicht, ob es ihn irgendwann nervte oder ob er von sich aus entschied, dass es vielleicht wirklich einmal Zeit für ein Vollbad wäre, jedenfalls überraschte er mich nach einigen Tagen des Bittens und Bettelns mit dem Versprechen, dass ich ein Bad nehmen durfte. Wenn ich brav war.

Ich durfte das Verlies verlassen! Ich durfte nach oben und baden!

Doch was war dieses »oben«? Was würde mich dort erwarten? Ich schwankte zwischen Freude, Unsicherheit und Hoffnung. Vielleicht würde er mich ja allein lassen und vielleicht könnte ich ja diese Gelegenheit zur Flucht …

Es sollten noch einige Tage vergehen, bis der Täter mich aus dem Verlies holte. Und die nutzte er, um jegliche Fluchtgedanken in mir zu ersticken: »Wenn du schreist, dann muss ich dir etwas antun. Alle Ausgänge und Fenster sind mit Sprengfallen gesichert. Wenn du ein Fenster öffnest, jagst du dich selbst in die Luft.« Er schärfte mir ein, von den Fenstern wegzubleiben und darauf zu achten, dass ich draußen nicht zu sehen war. Wenn ich seine Anweisungen nicht bis ins Detail befolgte, würde er mich auf der Stelle töten. Ich zweifelte nicht im Geringsten daran. Er hatte mich entführt und eingesperrt. Warum sollte er nicht auch imstande sein, mich umzubringen?

Als er schließlich eines Abends die Tür zu meinem Verlies öffnete und mich aufforderte, ihm zu folgen, setzte ich die ersten Schritte nur zögerlich. Im diffusen Licht hinter der Tür zu meinem Gefängnis erkannte ich einen kleinen, etwas höher liegenden und schräg geschnittenen Vorraum mit einer Truhe. Dahinter eine schwere Holztür, über die man in einen zweiten Vorraum kam. Dort fiel mein Blick auf ein wuchtiges, bauchiges Ungetüm an der linken schmalen Wandseite. Eine Tür aus Stahlbeton. 150 Kilo schwer. Eingelassen in eine fast 50 Zentimeter dicke Mauer, von außen zu verriegeln mit einer Eisengewindestange, die ins Mauerwerk eingelassen war.

So steht es in den Polizeiakten. Welche Gefühle beim Anblick dieser Tür in mir hochkamen, kann ich kaum in Worte fassen. Ich war einbetoniert. Hermetisch abgeriegelt. Der Täter warnte mich immer wieder vor den Sprengfallen, den Alarmanlagen, den Kabeln, mit denen er den Eingang zu meinem Verlies unter Strom setzen könne. Ein Hochsicherheitstrakt für ein Kind. Was würde aus mir werden, wenn ihm etwas passierte? Meine Angst vor einer verschluckten Wursthaut kam mir geradezu lächerlich vor, wenn ich mir vorstellte, er würde stürzen, sich den Arm brechen und ins Krankenhaus kommen. Lebendig begraben. Aus.

Ich bekam keine Luft mehr. Ich musste raus hier. Sofort.

Die Stahlbetontür gab den Blick frei auf einen kleinen Durchlass. Höhe: 68,5 Zentimeter. Breite: 48,5 Zentimeter. Wenn ich stand, befand sich die untere Kante des Zugangs etwa in Kniehöhe. Der Täter wartete bereits auf der anderen

Seite, ich sah, wie sich seine Beine vor einem hellen Hintergrund abzeichneten. Dann ging ich auf die Knie und kroch auf allen vieren vorwärts. Die schwarzen Wände schienen geteert, die Luft war muffig und feucht. Als ich mich aus dem Durchlass herauswand, stand ich in einer Montagegrube für Autos. Direkt neben dem Durchlass befanden sich ein ausgebauter Tresor und eine Kommode.

Der Täter forderte mich erneut auf, ihm zu folgen. Ein schmaler Treppenaufgang, die Wände aus grauen Betonfliesen, die Stufen hoch und rutschig. Drei hinunter, neun hinauf, durch eine Falltür, dann stand ich in einer Garage.

Ich war wie gelähmt. Zwei Holztüren. Die schwere Betontür. Der schmale Durchlass. Davor ein massiver Tresor, den der Täter, wenn ich im Verlies war, mit Hilfe einer Eisenstange vor den Eingang schob, dort in der Wand verschraubte und zusätzlich elektrisch absicherte. Die Kommode, die Tresor und Durchlass verbarg. Die Bodenbretter, die die Falltür hinunter zur Montagegrube bedeckten.

Ich hatte schon vorher gewusst, dass ich die Tür zu meinem Gefängnis nicht aufbrechen konnte, dass jeder Fluchtversuch aus dem Verlies sinnlos war. Ich hatte auch geahnt, dass ich noch so lange gegen die Wände trommeln und schreien konnte und niemand mich hören würde. Doch in diesem Augenblick oben in der Garage wurde mir schlagartig klar, dass mich auch nie jemand finden würde. Der Eingang zum Verlies war so perfekt getarnt, dass die Chancen der Polizei, mich bei einer Hausdurchsuchung zu entdecken, erschreckend gering waren.

Der Schock wich erst, als ein noch stärkerer Eindruck das Gefühl der Angst überlagerte: Luft, die in meine Lungen strömte. Ich atmete tief ein, wieder und wieder, wie eine Verdurstende, die die rettende Oase in letzter Sekunde erreicht und sich kopfüber ins lebensrettende Nass stürzt. Nach Monaten im Keller hatte ich völlig vergessen, wie gut es sich anfühlte, Luft zu atmen, die nicht trocken und staubig war und durch ein Gerät in mein winziges Kellerloch geblasen wurde. Das Klappern des Ventilators, das sich als Dauergeräusch in meinen Ohren eingerichtet hatte, wurde für einen Moment schwächer, meine Augen tasteten vorsichtig die fremden Konturen ab, und meine erste Anspannung löste sich.

Sie war unvermittelt wieder da, als der Täter mir mit einer Geste bedeutete, dass ich keinen Laut von mir geben dürfe. Dann führte er mich über einen Vorraum und vier Stufen ins Haus. Es war dämmrig, alle Jalousien waren heruntergelassen. Eine Küche, ein Gang, Wohnzimmer, Flur. Die Räume, die ich nacheinander betrat, schienen mir unglaublich, fast lächerlich groß und weit. Ich hatte mich seit dem 2. März in einer Umgebung bewegt, in der die größte Distanz zwei Meter waren. Ich konnte den winzigen Raum aus jedem Winkel überblicken und sehen, was als Nächstes auf mich zukam. Hier verschluckte mich das Ausmaß der Räume wie eine große Welle. Hier konnte hinter jeder Tür, hinter jedem Fenster eine unangenehme Überraschung, das Böse, lauern. Ich wusste ja nicht, ob der Täter allein lebte und wie viele Personen noch in das Verbrechen verwickelt waren – und was sie mit mir tun würden, wenn sie mich »oben« sahen. Er hatte so oft von »den anderen« gesprochen, dass ich sie hinter jeder Ecke vermutete. Auch dass er eine Familie hatte, die eingeweiht war und nur darauf wartete, mich zu quälen, erschien mir plausibel. Jede erdenkliche Spielart des Verbrechens lag für mich im Bereich des Möglichen.

Der Täter wirkte aufgeregt und nervös. Auf dem Weg ins Badezimmer zischte er mich immer wieder an: »Denk an die Fenster und die Alarmanlage. Tu, was ich dir sage. Ich bring dich um, wenn du schreist.« Nachdem ich den Zugang zu meinem Verlies gesehen hatte, hätte ich auch nicht den leisesten Zweifel daran gehabt, wenn er mir erzählt hätte, das ganze Haus sei vermint.

Während ich mich mit gesenktem Blick, wie er es wollte, ins Badezimmer führen ließ, rasten meine Gedanken. Ich überlegte fieberhaft, wie ich ihn überwältigen und fliehen könnte. Es fiel mir nichts ein. Ich war als Kind kein Feigling, aber ich war schon immer ängstlich gewesen. Er war so viel stärker und schneller als ich – wenn ich losgerannt wäre, hätte er mich schon nach zwei Schritten gehabt; und die Türen und Fenster zu öffnen, war offensichtlich Selbstmord. Ich habe bis nach meiner Befreiung an die ominösen Sicherungen geglaubt.

Es war allerdings schon damals nicht nur der äußere Zwang, die vielen unüberwindbaren Mauern und Türen, die körperliche Stärke des Täters, die mich an einem Fluchtversuch hinderten. Der Grundstein zu dem psychischen Gefängnis, dem ich im Laufe meiner Gefangenschaft immer weniger entrinnen konnte, war bereits gelegt. Ich war eingeschüchtert und ängstlich. »Wenn du kooperierst, dann geschieht dir nichts.« Der Täter hatte mir diesen Satz von Anfang an eingeimpft und mir die schlimmsten Sanktionen bis hin zum Tod angedroht, wenn ich mich ihm widersetzte. Ich war ein Kind und gewohnt, erwachsenen Autoritäten zu gehorchen – umso mehr, wenn sie mir Konsequenzen signalisierten. Die anwesende Autorität war er. Selbst wenn die Haustür in jenem Moment offen gestanden hätte: Ich weiß nicht, ob ich den Mut gehabt hätte zu rennen. Eine Hauskatze, die zum ersten Mal in ihrem Leben zur Tür hinaus darf, wird verschreckt auf der Schwelle sitzen bleiben und kläglich miauen, weil sie nicht weiß, wie sie mit der plötzlichen Freiheit umgehen soll. Und hinter mir war nicht das schützende Haus, in das ich zurück konnte, sondern ein Mann, der bereit war, sein Verbrechen mit dem Leben zu verteidigen. Ich steckte bereits so tief in der Gefangenschaft, dass die Gefangenschaft längst in mir steckte.

Der Täter ließ mir ein Schaumbad ein und blieb, als ich mich auszog und hineinstieg. Es störte mich, dass er mich nicht einmal im Bad allein ließ. Andererseits war ich es ja schon vom Duschen im Verlies gewöhnt, dass er mich nackt sah, also protestierte ich nur leise. Als ich in das warme Wasser sank und die Augen schloss, gelang es mir zum ersten Mal seit Tagen, alles um mich herum auszublenden. Weiße Schaumkronen schoben sich über meine Angst, tanzten durch das dunkle Verlies, spülten mich aus dem Haus und trugen mich mit sich fort. In unser Badezimmer zu Hause, in die Arme meiner Mutter, die mit einem großen, vorgewärmten Handtuch wartete und mich gleich ins Bett bringen würde.

Das schöne Bild platzte wie eine Seifenblase, als der Täter mich zur Eile mahnte. Das Handtuch war rau und roch fremd. Niemand brachte mich ins Bett, stattdessen stieg ich hinab in mein dunkles Verlies. Ich hörte, wie er hinter mir die Holztüren versperrte, die Betontür zuzog und verriegelte. Ich stellte mir vor, wie er durch den engen Durchlass stieg, den Tresor wieder in die Öffnung wuchtete, in der Wand verschraubte und die Kommode davorschob. Ich wünschte, ich hätte nicht gesehen, wie hermetisch ich von der Außenwelt abgeriegelt war. Ich legte mich auf meine Liege, rollte mich zusammen und versuchte, das Gefühl von Badeseife und warmem Wasser auf meiner Haut zurückzuholen. Das Gefühl, zu Hause zu sein.

* * *

Wenig später, im Herbst 1998, zeigte sich der Täter erneut von seiner fürsorglichen Seite. Vielleicht hatte er auch nur ein schlechtes Gewissen, jedenfalls sollte mein Verlies etwas wohnlicher gestaltet werden.

Die Arbeiten gingen nur langsam voran; jedes Brett, jeder

Farbeimer musste einzeln den langen Weg hinuntergeschleppt werden, Regale und Schränkchen konnten erst im Verlies zusammengebaut werden.

Ich durfte mir eine Wandfarbe wünschen und entschied mich für eine Raufasertapete, die ich in einem zarten Rosa gestrichen haben wollte. Genau wie die Wand in meinem Kinderzimmer zu Hause. Die Farbe hieß »Elba glänzend«. Er verwendete denselben Farbton später für sein Wohnzimmer: Es durften ja keine Kübel mit Farbresten im Haus sein, die sich nirgends an einer Wand oben wiederfanden, erklärte er mir, immer vorbereitet auf eine Razzia der Polizei, immer bemüht, keinerlei Verdachtsmomente entstehen zu lassen. Als ob sich die Polizei damals noch für mich interessiert hätte; als ob sie solche Dinge überprüft hätte, wo sie doch trotz zweier Hinweise nicht einmal das Entführungsauto untersucht hatte.

Mit den Rigipsplatten, die er auf die Holzverschalung montierte, verschwanden Stück für Stück die Erinnerungen an meine erste Zeit im Verlies. Die aufgemalte Vorzimmerkommode, der Stammbaum, das Ave Maria. Doch das, was ich nun bekam, erschien mir ohnehin viel besser: eine Wand, die sich anfühlte, als wäre ich zu Hause. Als sie fertig tapeziert und gestrichen war, stank es in dem kleinen Verlies so stark nach Chemie, dass mir über Tage hinweg übel war. Die Ausdünstungen der frischen Farbe waren zu viel für den kleinen Ventilator.

Dann folgte der Einbau meines Hochbetts. Priklopil brachte Bretter und Pfosten aus hellem Kiefernholz ins Verlies, die er sorgfältig miteinander verschraubte. Als das Bett stand, nahm es auf einer Höhe von gut einem Meter fünfzig fast die ganze Zellenbreite ein. An der Decke darüber durfte ich noch eine Verzierung anbringen. Ich entschied mich für drei rote Herzen, die ich vorsichtig aufmalte. Sie waren für meine Mutter bestimmt. Wenn ich sie ansah, konnte ich an sie denken.

Am kompliziertesten gestaltete sich der Einbau der Leiter: Sie passte wegen des ungünstigen Winkels, in dem der Vorraum vom Verlies abgetrennt war, nicht durch die Tür. Der Täter versuchte es wieder und wieder, bis er plötzlich verschwand und mit einem Akkuschrauber zurückkam. Damit zerlegte er die Bretterwand, die den Vorraum unterteilte, bugsierte die Leiter ins Verlies – und zog noch am gleichen Tag die Wand wieder ein.

Beim Einbau meiner neuen Regale erlebte ich zum ersten Mal eine Seite des Täters, die mich zutiefst erschreckte. Bis dahin hatte er mich manchmal angeschrien, er hatte mich niedergemacht und beschimpft und mir alle möglichen schlimmen Strafen angedroht, um mich zur Kooperation zu zwingen. Aber nie hatte er die Kontrolle über sich verloren.

Er stand mit der Bohrmaschine in der Hand vor mir und schraubte gerade ein Brett fest. Die gemeinsame Arbeit im Verlies hatte mich etwas zutraulicher gemacht, und ich platzte mit meiner Frage einfach so heraus: »Warum schraubst du das Brett denn genau da hin?« Dass ich nur dann sprechen durfte, wenn er mich dazu aufforderte, hatte ich einen Moment lang vergessen. In Bruchteilen von Sekunden bekam der Täter einen Wutanfall, brüllte mich an – und schleuderte die schwere Bohrmaschine nach mir. Ich konnte mich im letzten Augenblick ducken, bevor sie hinter mir gegen die Wand krachte. Ich war so erschrocken, dass mir die Luft wegblieb und ich ihn nur mit großen Augen ansah.

Der plötzliche Gewaltausbruch hatte mich zwar nicht körperlich getroffen, die Bohrmaschine hatte mich nicht einmal berührt. Aber dieser Vorfall grub sich tief in meine Psyche. Denn er brachte eine neue Dimension in die Beziehung zum Täter: Ich wusste nun, dass er mir auch weh tun würde, wenn ich mich ihm widersetzte. Das machte mich ängstlicher, gefügiger.

In der Nacht nach dem ersten Gewaltausbruch des Täters lag ich oben auf der dünnen Matratze in meinem neuen Hochbett. Das klappernde Geräusch des Ventilators schien direkt neben meinen Ohren zu entstehen und bohrte sich in mein Hirn, bis ich am liebsten laut geschrien hätte vor Verzweiflung. Die kalte Luft aus dem Dachboden blies mir direkt auf die Füße. Während ich zu Hause immer lang ausgestreckt auf dem Rücken geschlafen hatte, musste ich mich nun seitlich zusammenrollen wie ein Embryo und die Decke fest um die Füße wickeln, um dem unangenehmen Luftzug auszuweichen. Aber ich lag viel weicher als auf der Gartenliege, ich konnte mich drehen, hatte mehr Platz. Und vor allem hatte ich die neue Raufasertapete.

Ich streckte die Hand aus, berührte sie und schloss die Augen. Ich ließ die Möbel meines Kinderzimmers in Gedanken an mir vorbeiziehen, die Puppen und Kuscheltiere. Die Lage des Fensters und der Türe, die Vorhänge, den Geruch. Wenn ich es mir nur intensiv genug vorstellte, dann könnte ich mit der Hand an der Wand des Verlieses einschlafen – und würde am nächsten Tag, immer noch mit der Hand an der Wand, in meinem Zimmer aufwachen. Dann würde meine Mutter mir einen Tee ans Bett bringen, ich würde die Hand von der Tapete nehmen und alles wäre gut.

Jeden Abend schlief ich nun so ein, mit der Hand an der Tapete, und war mir sicher: Eines Tages werde ich beim Aufwachen tatsächlich wieder in meinem Kinderzimmer liegen. In dieser ersten Zeit glaubte ich daran wie an eine Zauberformel, die irgendwann in Erfüllung gehen würde. Später war die Berührung der Tapete wie ein täglich erneuertes Versprechen an mich selbst. Ich habe es gehalten: Als ich acht Jahre später zum ersten Mal nach der Gefangenschaft meine Mutter besuchte, legte ich mich auf das Bett in meinem Kinderzimmer, in dem sich nichts verändert hatte, und schloss die Augen. Als ich mit der Hand die Wand berührte, waren alle diese Momente wieder da – besonders der erste: Die kleine, zehnjährige Natascha, die verzweifelt versucht, das Vertrauen in sich selbst nicht zu verlieren, und das erste Mal die Hand an die Wand im Verlies legt. »Hier bin ich wieder«, flüsterte ich. »Siehst du, es hat funktioniert.«

* * *

Je weiter das Jahr voranschritt, umso stärker wurde meine Traurigkeit. Als ich im Kalender die ersten Dezembertage ausstrich, war ich so niedergeschlagen, dass mich auch der Krampus aus Schokolade nicht freute, den der Täter mir am Nikolaustag brachte. Weihnachten rückte immer näher. Und der Gedanke, die Feiertage allein in meinem Verlies zu verbringen, schien mir absolut unerträglich.

Wie wohl für jedes Kind war Weihnachten für mich einer der Höhepunkte des Jahres. Der Duft von Keksen, der geschmückte Baum, die Vorfreude auf die Geschenke, die ganze Familie, die sich zu diesem Fest einfindet. Dieses Bild hatte ich vor Augen, als ich beinahe lustlos das Stanniolpapier von der Schokolade zog. Es war ein Bild aus Kindertagen, das mit den letzten Weihnachten, die ich mit meiner Familie verbracht hatte, wenig gemeinsam hatte: Meine Neffen waren zwar wie früher zu Besuch gekommen, aber sie hatten ihre Geschenke schon zu Hause erhalten. Ich war das einzige Kind bei der Bescherung. Meine Mutter hatte, was den Baumschmuck anging, eine Schwäche für die immer neuesten Moden, und so blinkte der Baum vor Lametta und lila Kugeln. Darunter lag ein Berg Geschenke für mich. Während ich ein Geschenk nach dem anderen auswickelte, saßen die Erwachsenen bei dudelndem Radio auf dem Sofa und sahen sich gemeinsam eine Zeitschrift für Tattoos an. Es waren Weihnachten, die mich zutiefst enttäuschten. Ich hatte noch nicht einmal jemanden überreden können, ein Weihnachtslied anzustimmen, obwohl ich so stolz darauf war, dass ich die Lieder auswendig konnte, die wir in der Schule geübt hatten.

Erst am nächsten Tag, als wir bei meiner Großmutter feierten, kam ich in Weihnachtsstimmung. Wir versammelten uns alle in einem Nebenzimmer und sangen andächtig »Stille Nacht«. Dann lauschte ich voller Vorfreude, bis das Bimmeln einer feinen Glocke ertönte. Das Christkind war da. Als wir die Tür zur Stube öffneten, erstrahlte der Weihnachtsbaum im Licht echter Bienenwachskerzen und verströmte einen herrlichen Duft. Meine Großmutter hatte immer einen traditionellen Bauernchristbaum, geschmückt mit Strohsternen und Glaskugeln, so zart wie Seifenblasen.

So stellte ich mir Weihnachten vor – und so sollte es auch dieses Jahr sein. Aber wie sollte das gehen? Ich würde das größte Familienfest des Jahres ohne Familie verbringen müssen. Die Vorstellung flößte mir Angst ein. Andererseits kreiste ich wieder und wieder um den Gedanken, dass Weihnachten bei meiner Familie ohnehin nur enttäuschend war. Und dass ich die Vergangenheit in meiner Isolation sicher verklärte. Ich könnte doch versuchen, Weihnachten im Verlies so nahe wie möglich an meine Vorstellungen heranzubringen. Aus ein paar Versatzstücken wollte ich mir ein Fest machen, das mir Anknüpfungspunkte für meine Phantasiereisen zu den Weihnachtstagen bei meiner Großmutter bot.

Der Täter spielte mit. Damals war ich ihm unendlich dankbar dafür, dass er mir den Anschein echter Weihnachten ermöglichte. Heute denke ich, dass er es wohl nicht für mich getan hat, sondern einem inneren Zwang folgte. Auch für ihn war das Begehen von Feiertagen enorm wichtig – sie gaben Struktur, sie folgten gewissen Regeln, und ohne Regeln und Strukturen, an die er sich in fast lächerlicher Striktheit hielt, konnte er nicht leben. Natürlich hätte er trotzdem nicht auf meine Wünsche eingehen müssen. Dass er es dennoch tat, mag auch damit zusammenhängen, dass er dazu erzogen worden war, Erwartungen zu erfüllen und dem Bild zu entsprechen, das andere von ihm haben wollten. Heute weiß ich, dass er vor allem in der Beziehung zu seinem Vater an ebendiesen Vorgaben immer wieder gescheitert ist. Die Anerkennung, die er von ihm so dringend hätte haben wollen, blieb ihm offensichtlich über weite Strecken versagt. Mir gegenüber war diese Haltung nur in Phasen da, aber dann war sie besonders absurd. Er hatte mich schließlich entführt und im Keller eingesperrt. Das ist eigentlich keine Situation, in der man auf die Erwartungen seines Gegenübers und Opfers Rücksicht nehmen muss – es war, als würde er jemanden erwürgen und dabei fragen, ob er gut liege und der Druck so angenehm sei. Doch damals blendete ich das alles aus. Ich war voll dankbarem kindlichem Staunen, dass der Täter sich um mich kümmerte.

Ich wusste, dass ich keinen echten Weihnachtsbaum bekommen würde, also wünschte ich mir einen aus Plastik. Wir packten die Schachtel gemeinsam aus und stellten den Baum auf eines der Schränkchen. Ich bekam ein paar Engel und Süßigkeiten und nahm mir viel Zeit, um den kleinen Baum zu dekorieren.

Am Weihnachtsabend selbst war ich allein und sah fern, bis das Licht ausging, verzweifelt bemüht, nicht an meine Familie zu Hause zu denken. Der Täter war, wie auch an den nächsten Weihnachten, bei seiner Mutter, oder sie bei ihm – das wusste ich damals allerdings noch nicht. Erst am nächsten Tag feierte er mit mir. Ich war sehr erstaunt, dass er mir alle meine Wünsche erfüllte. Ich hatte mir einen kleinen Lerncomputer gewünscht, wie ich ihn im Jahr davor von meinen Eltern bekommen hatte. Er war bei weitem nicht so gut wie mein erster, aber ich war überglücklich, dass ich nun auch ohne Schulunterricht lernen konnte. Schließlich wollte ich nicht völlig zurückgeblieben wirken, falls ich doch einmal freikommen sollte. Ich bekam einen Malblock und einen Kasten mit Pelikan-Wasserfarben. Es war der gleiche, den mir mein Vater einmal geschenkt hatte: mit 24 Farben, inklusive Gold und Silber, als hätte mir der Täter ein Stück meines Lebens zurückgeschenkt. Im dritten Päckchen war ein Set »Malen nach Zahlen« mit Ölfarben. Auch das hatte ich zu Hause schon gehabt, und ich freute mich auf die vielen Stunden Beschäftigung, die das akribische Ausmalen versprach. Das Einzige, das mir der Täter nicht gab, war das Terpentin dazu. Er fürchtete wohl, dass es in dem kleinen Verlies schädliche Dämpfe entwickeln könnte.

Die Tage nach Weihnachten war ich mit Malen und mit meinem Lerncomputer beschäftigt. Ich versuchte, das Positive an meiner Situation zu sehen und den Gedanken an meine Familie so weit wie möglich zurückzudrängen – auch, indem ich mir die schlechten Seiten der letzten gemeinsamen Weihnachten vor Augen hielt. Ich versuchte mir einzureden, dass es doch ganz interessant sei, einmal zu erleben, wie andere Erwachsene feierten. Und ich war über die Maßen dankbar, dass ich überhaupt ein Weihnachtsfest bekommen hatte.

Den ersten Jahreswechsel in Gefangenschaft verbrachte ich allein in völliger Dunkelheit. Ich lag auf meinem Hochbett und lauschte angestrengt, ob ich das Feuerwerk, das oben in der anderen Welt um Mitternacht stattfand, hören konnte. Aber nur das monotone Ticken des Weckers und das Klappern des Ventilators drangen an mein Ohr. Später erfuhr ich, dass der Täter die Silvesterabende immer mit seinem Freund Holzapfel verbrachte. Er bereitete sich akribisch darauf vor und kaufte immer die größten, teuersten Raketen. Einmal, ich muss 14 oder 15 gewesen sein, durfte ich aus dem Inneren des Hauses zusehen, wie er am frühen Abend eine Rakete in die Luft jagte. Und mit 16 war ich sogar draußen im Garten mit dabei und sah zu, wie eine Rakete einen Regen silberner Kugeln über den Himmel streute. Aber das war bereits zu einer Zeit, als die Gefangenschaft schon zu einem so festen Bestandteil meines Selbst geworden war, weshalb der Täter sich traute, mich in den Garten mitzunehmen. Er wusste, dass mein inneres Gefängnis inzwischen so hohe Mauern hatte, dass ich die Gelegenheit zur Flucht nicht ergreifen würde.

* * *

Das Jahr, in dem ich entführt wurde, war vorüber, und ich war immer noch gefangen. Die Welt draußen rückte immer weiter weg, die Erinnerungen an mein früheres Leben wurden schemenhafter und schienen mir unwirklich. Es fiel mir schwer zu glauben, dass ich noch vor weniger als einem Jahr ein Volksschulkind gewesen war, das am Nachmittag spielte, Ausflüge mit seinen Eltern machte, ein normales Dasein führte.

Ich versuchte, mich mit dem Leben, in das ich hineingezwungen geworden war, so gut es ging abzufinden. Das war nicht immer leicht. Die Kontrolle des Täters war weiterhin absolut. Seine Stimme in der Gegensprechanlage raubte mir die Nerven. Ich fühlte mich in meinem winzigen Verlies, als ob ich meilenweit unter der Erde und zugleich in einem Schaukasten leben würde, in dem man mich bei jeder Bewegung beobachten konnte.

Meine Besuche oben im Haus fanden nun regelmäßiger statt: Etwa alle zwei Wochen durfte ich oben duschen und manchmal ließ er mich abends bei sich essen und fernsehen. Ich freute mich über jede Minute, die ich außerhalb des Verlieses verbringen durfte – doch im Haus hatte ich immer noch Angst. Ich wusste zwar inzwischen, dass er dort allein wohnte und mir kein Fremder auflauern würde, aber meine Nervosität nahm kaum ab. Er sorgte mit seiner eigenen Paranoia dafür, dass selbst ein kurzer Moment der Entspannung unmöglich war. Wenn ich oben war, schien ich wie mit einer unsichtbaren Leine an den Täter gebunden: Ich musste immer im gleichen Abstand zu ihm stehen und gehen – einen Meter, nicht mehr, nicht weniger, sonst rastete er sofort aus. Er verlangte, dass ich den Kopf immer gesenkt halte, den Blick nie hebe.

Ich war nach den endlosen Stunden und Tagen, die ich völlig isoliert im Verlies verbrachte, sehr anfällig für seine Anweisungen und Manipulationen. Der Mangel an Licht und menschlichem Umgang hatte mich so geschwächt, dass ich ihm nicht mehr entgegensetzen konnte als einen gewissen Grundwiderstand, den ich nie aufgab und der mir half, die Grenzen zu ziehen, die ich als unabdingbar sah. An Flucht dachte ich kaum noch. Es schien, als würde die unsichtbare Leine, an die er mich oben legte, immer realer werden. Als wäre ich tatsächlich an ihn gekettet und physisch nicht imstande, mich mehr als einen Meter von ihm weg- oder zu ihm hinzubewegen. Er hatte die Angst vor der Welt draußen, in der man mich nicht liebte, mich nicht vermisste, mich nicht suchte, so gut in mir verankert, dass sie fast größer wurde als meine Sehnsucht nach Freiheit.

Wenn ich im Verlies war, versuchte ich, mich so gut wie möglich zu beschäftigen. An den langen Wochenenden, die ich allein verbrachte, putzte und räumte ich nach wie vor stundenlang, bis alles glänzte und frisch duftete. Ich malte viel und nutzte noch das kleinste Fitzelchen Papier auf meinem Block für Bilder: meine Mutter in einem langen Rock, mein Vater mit seinem dicken Bauch und seinem Schnurrbart, ich lachend dazwischen. Ich malte die strahlend gelbe Sonne, die ich seit vielen, vielen Monaten nicht mehr gesehen hatte, und Häuser mit rauchenden Schornsteinen, bunte Blumen und spielende Kinder. Phantasiewelten, die mich für Stunden vergessen ließen, wie meine Wirklichkeit aussah.

Eines Tages brachte mir der Täter ein Bastelbuch. Es war

für Vorschulkinder und stimmte mich eher traurig, als dass es mich aufheiterte. Das lustige Papier-Flieger-Fangen war auf fünf Quadratmetern schlicht nicht möglich. Ein besseres Geschenk war die Barbie-Puppe, die ich wenig später bekam, und ein winziges Näh-Set, wie sie manchmal in Hotels ausliegen. Ich war unendlich dankbar für diese langbeinige Person aus Plastik, die mir nun Gesellschaft leistete. Es war eine Reiter-Barbie mit hohen Stiefeln, weißer Hose, rotem Gilet und einer Gerte. Ich bat den Täter tagelang, mir ein paar Stoffreste zu bringen. Es konnte manchmal sehr lange dauern, bis er einem solchen Wunsch nachkam. Und auch nur dann, wenn ich seine Anweisungen strikt befolgte. Wenn ich etwa weinte, strich er mir für Tage alle Annehmlichkeiten wie die lebensnotwendigen Bücher und Videos. Ich musste, um etwas zu bekommen, Dankbarkeit zeigen und ihn für alles, was er tat, loben – bis hin zu der Tatsache, dass er mich eingesperrt hatte.

Schließlich hatte ich ihn so weit, dass er mir ein altes T-Shirt brachte. Ein weißes Poloshirt aus weichem, glattem Jersey mit einem feinen blauen Muster. Es war das Shirt, das er am Tag meiner Entführung getragen hatte. Ich weiß nicht, ob er das vergessen hatte oder das Shirt in seinem Verfolgungswahn einfach loswerden wollte. Aus dem Stoff nähte ich für meine Barbie ein Cocktailkleid mit feinen Spaghettiträgern aus Fäden und ein elegantes, asymmetrisches Top. Aus einem Ärmel bastelte ich mir mit Hilfe einer Schnur, die ich bei meinen Schulsachen gefunden hatte, ein Etui für meine Brille. Später konnte ich den Täter noch überreden, mir eine alte Stoffserviette zu überlassen, die beim Waschen blau geworden war und die er nun als Putzfetzen verwendete. Daraus wurde ein Ballkleid für meine Barbie, mit einem dünnen Gummiband in der Taille.

Später formte ich Topfuntersetzer aus Drähten und faltete kleine Kunstwerke aus Papier. Der Täter brachte mir Handarbeitsnadeln ins Verlies, mit denen ich häkeln und stricken übte. Draußen, als Volksschulkind, hatte ich das nie richtig gelernt. Wenn ich einen Fehler gemacht hatte, verlor man rasch die Geduld mit mir. Nun hatte ich unendlich viel Zeit, niemand wies mich zurecht, ich konnte immer wieder von vorne anfangen, bis meine kleinen Arbeiten perfekt waren. Diese Handarbeiten wurden zu einem psychischen Rettungsanker für mich. Sie bewahrten mich vor dem Wahnsinn der einsamen Untätigkeit, zu der ich gezwungen war. Und ich konnte dabei beinahe meditativ an meine Eltern denken, während ich kleine Geschenke für sie herstellte – für irgendwann, wenn ich wieder frei sein würde.

Dem Täter gegenüber durfte ich allerdings mit keinem Wort erwähnen, dass ich etwas für meine Eltern gebastelt hatte. Ich versteckte die Bilder vor ihm und sprach seltener von ihnen: Denn er reagierte immer ungehaltener, wenn ich von meinem Leben draußen, vor der Gefangenschaft, sprach. »Deine Eltern lieben dich nicht, denen bist du egal, sonst hätten sie doch für dich Lösegeld bezahlt«, hatte er mich anfangs noch verärgert angeblafft, wenn ich davon sprach, wie sehr ich sie vermisste. Dann, irgendwann im Frühjahr 1999, kam das Verbot: Ich durfte meine Eltern nicht mehr erwähnen und von nichts sprechen, was ich vor der Gefangenschaft erlebt hatte. Meine Mutter, mein Vater, meine Schwestern und Neffen, die Schule, der letzte Skiausflug, mein zehnter Geburtstag, das Ferienhaus meines Vaters, meine Katzen. Unsere Wohnung, meine Gewohnheiten, das Geschäft meiner Mutter. Meine Lehrerin, meine Schulfreunde, mein Zimmer: Alles, was vorher war, wurde zum Tabu.

Das Verbot meiner Geschichte wurde zu einem fixen Bestandteil seiner Besuche in meinem Verlies. Wenn ich meine Eltern erwähnte, bekam er einen Wutanfall. Wenn ich weinte, drehte er das Licht ab und ließ mich so lange in völliger Dunkelheit, bis ich wieder »brav« war. Bravsein, das hieß: Ich sollte dankbar sein dafür, dass er mich von meinem Leben vor der Gefangenschaft »befreit« hatte.

»Ich habe dich gerettet. Du gehörst jetzt mir«, sagte er immer wieder. Oder: »Du hast keine Familie mehr. Ich bin deine Familie. Ich bin dein Vater, deine Mutter, deine Oma und deine Schwestern. Ich bin jetzt alles für dich. Du hast keine Vergangenheit mehr«, bläute er mir ein. »Du hast es so viel besser bei mir. Du hast Glück, dass ich dich aufgenommen habe und mich so gut um dich kümmere. Du gehörst nur mir. Ich habe dich erschaffen.«

* * *

»Weil Pygmalion gesehen hatte, wie die Frauen ihr Leben schändlich verbrachten, war er abgestoßen von ihren Fehlern, die ihnen die Natur in reicher Zahl gab, und lebte daher unvermählt ohne Frau und hatte auch schon lange keine Geliebte. Inzwischen bearbeitete er schneeweißes Elfenbein mit wunderbarer Kunst und gab ihm eine Form, wie sie keine menschliche Frau besitzen kann.« (Ovid, Metamorphosen)

Ich glaube heute, dass sich Wolfgang Priklopil über den Umweg eines schrecklichen Verbrechens nichts anderes schaffen wollte als seine kleine, heile Welt, mit einem Menschen, der ganz für ihn da war. Er hat das wohl auf normalem Weg nie erreicht und deshalb beschlossen, jemanden dazu zu zwingen und dafür zu formen. Im Grunde wollte er auch nichts anderes als jeder Mensch: Liebe, Anerkennung, Wärme. Er wollte einen Menschen, für den er selbst der wichtigste Mensch auf der Welt war. Er scheint keinen anderen Weg gesehen zu haben, als ein schüchternes, zehnjähriges Kind zu entführen und es so lange von der Außenwelt abzuschneiden, bis es psychisch so weit war, dass er es neu »erschaffen« konnte.

In dem Jahr, als ich elf wurde, nahm er mir meine Geschichte und meine Identität. Ich sollte nichts mehr sein als ein Stück weißes Papier, auf das er seine kranken Phantasien schreiben konnte. Er verweigerte mir sogar mein Spiegelbild. Wenn ich mich schon nicht im sozialen Umgang mit anderen Menschen als dem Täter spiegeln konnte, so wollte ich zumindest mein Gesicht sehen können, um mich nicht ganz zu verlieren. Aber er lehnte meinen Wunsch nach einem kleinen Spiegel immer wieder ab. Erst Jahre später bekam ich einen verspiegelten Alibert. Als ich zum ersten Mal hineinblickte, sah ich nicht mehr die kindlichen Züge von einst, sondern ein fremdes Gesicht.

Hat er mich tatsächlich neu geschaffen? Wenn ich mir heute diese Frage stelle, kann ich sie nicht eindeutig beantworten. Einerseits hat er mit mir die falsche Person erwischt. Ich habe seinen Versuchen, mich auszulöschen und zu seinem Geschöpf zu machen, immer widerstanden. Er hat mich nie gebrochen.

Andererseits fielen seine Versuche, einen neuen Menschen aus mir zu machen, gerade bei mir auf fruchtbaren Boden. Ich hatte in der Zeit vor der Entführung mein Leben satt und war so unzufrieden mit mir, dass ich selbst beschlossen hatte, etwas zu ändern. Und nur Minuten, bevor er mich in seinen Lieferwagen zerrte, hatte ich mir ja noch lebhaft ausgemalt, mich vor ein Auto zu werfen – so sehr hasste ich das Leben, zu dem ich mich gezwungen sah.

Natürlich machte mich das Verbot, meine eigene Geschichte zu haben, unendlich traurig. Ich empfand es als tiefe Ungerechtigkeit, dass ich nicht mehr ich selbst sein und über den tiefen Schmerz, den der Verlust meiner Eltern mit sich brachte, nicht mehr sprechen durfte. Doch was war von meiner eigenen Geschichte denn geblieben? Sie bestand nur mehr aus Erinnerungen, die mit der echten Welt, die sich weiter gedreht hatte, nur wenig zu tun hatten. Meine Volksschulklasse gab es nicht mehr, meine kleinen Neffen hatten sich weiterentwickelt und würden mich vielleicht nicht einmal erkennen, wenn ich plötzlich vor ihnen stehen würde. Und meine Eltern waren vielleicht doch erleichtert, weil sie sich nun die langen Streitereien über mich ersparten. Der Täter hatte, indem er mich so lange von allem abgeschnitten hatte, die perfekte Grundlage dafür geschaffen, dass er mir meine Vergangenheit überhaupt erst nehmen konnte. Denn während ich auf der bewussten Ebene und ihm gegenüber immer die Meinung aufrechterhielt, dass die Entführung ein schweres Verbrechen gewesen war, sickerte sein dauernd wiederholter Befehl, ihn als Retter zu betrachten, immer tiefer in mein Unterbewusstsein. Es war für mich im Grunde ja auch viel einfacher, den Täter als Retter zu sehen, nicht als Bösewicht. Im verzweifelten Versuch, der Gefangenschaft positive Seiten abzuringen, um nicht daran zu zerbrechen, sagte ich mir: Es kann zumindest nicht mehr schlimmer kommen. Anders als in den vielen Fällen, von denen ich im Fernsehen gehört hatte, hatte mich der Täter bisher weder vergewaltigt noch ermordet.

Der Raub meiner Identität eröffnete mir aber auch Freiräume. Wenn ich heute rückblickend an dieses Gefühl denke, erscheint es mir angesichts der totalen Freiheitsberaubung, in der ich mich befand, unverständlich und paradox. Doch damals fühlte ich mich zum ersten Mal in meinem Leben von Vorurteilen unbelastet. Ich war nicht mehr nur ein kleines Rädchen in einer Familie, in der die Rollen längst verteilt waren – und in der man mir die des ungeschickten Pummelchens zugedacht hatte. In der ich zum Spielball zwischen den Erwachsenen geworden war, deren Entscheidungen ich oft genug nicht verstanden hatte.

Nun war ich zwar in einem System vollkommener Unterdrückung gefangen, hatte meine Bewegungsfreiheit verloren und ein einziger Mensch bestimmte über jedes Detail in meinem Leben. Aber diese Form der Unterdrückung und Manipulation war direkt und klar. Der Täter war kein Typ, der subtil agierte – er wollte offen und unverblümt Macht ausüben. Im Schatten dieser Macht, die mir alles vorschrieb, konnte ich paradoxerweise zum ersten Mal in meinem Leben ich selbst sein.

Ein Indiz dafür ist für mich heute die Tatsache, dass ich seit meiner Entführung nie mehr ein Problem mit dem Bettnässen hatte. Obwohl ich einer unmenschlichen Belastung ausgesetzt war. Doch eine bestimmte Art von Stress scheint damals von mir abgefallen zu sein. Müsste ich es in einem Satz zusammenfassen, würde ich sagen: Wenn ich meine Geschichte abstreifte und mich dem Täter fügte, war ich erwünscht – zum ersten Mal seit langem.

Im Spätherbst 1999 wurde das »Abstreifen« meiner Identität vollendet. Der Täter hatte mir befohlen, mir einen neuen Namen auszusuchen: »Du bist nicht mehr Natascha. Du gehörst jetzt mir.«

Ich hatte mich lange geweigert, auch weil ich fand, dass die Nennung eines Namens ohnehin unwichtig war. Es gab nur mich und ihn, und »du« genügte, um zu wissen, wer gemeint war. Aber den Namen »Natascha« zu erwähnen rief so viel Wut und Unmut in ihm hervor, dass ich nachgab. Und außerdem: Hatte ich diesen Namen nicht schon immer nicht gemocht? Er hatte für mich, wenn meine Mutter ihn tadelnd rief, einen hässlichen Klang nach unerfüllten Erwartungen und Ansprüchen, die an mich gestellt wurden und denen ich nie genügen konnte. Schon als Kind hatte ich mir einen dieser Namen gewünscht, mit denen die anderen Mädchen gerufen wurden: Stefanie, Jasmin, Sabine. Alles, nur nicht Natascha. In Natascha steckte alles, was ich an meinem früheren Leben nicht gemocht hatte. Alles, was ich loswerden wollte, was ich loswerden musste.

Der Täter schlug »Maria« als neuen Namen für mich vor, weil seine beiden Omas so hießen. Obwohl mir der Vorschlag nicht gefiel, stimmte ich zu, weil Maria ohnehin mein zweiter Vorname ist. Das wiederum ging dem Täter gegen den Strich, da ich ja einen gänzlich neuen Namen bekommen sollte. Er drängte mich, ihm etwas anderes vorzuschlagen. Und zwar sofort.

Ich blätterte durch meinen Kalender, der auch Namenstage enthielt, und stieß am 2. Dezember auf den Eintrag unmittelbar neben Natascha: »Bibiana«. Für die nächsten sieben Jahre wurde Bibiana zu meiner neuen Identität, auch wenn es dem Täter nie gelang, meine alte ganz auszulöschen.

* * *

Der Täter hatte mir meine Familie genommen, mein Leben und meine Freiheit, meine alte Identität. Das physische Gefängnis des Verlieses unter der Erde hinter den vielen schweren Türen wurde Stück für Stück um ein psychisches ergänzt, dessen Mauern immer höher wurden. Und ich begann, dem Gefängniswärter, der es baute, dafür zu danken. Denn am Ende dieses Jahres erfüllte er mir einen meiner sehnlichsten Wünsche: einen Moment unter freiem Himmel.

Es war eine kalte, klare Dezembernacht. Der Täter hatte mir schon Tage zuvor seine Regeln für diesen »Ausflug« mitgeteilt: »Wenn du schreist, bringe ich dich um. Wenn du rennst, bringe ich dich um. Ich töte jeden, der dich hört oder sieht, wenn du so dumm bist, auf dich aufmerksam zu machen.« Es genügte ihm nun nicht mehr, mir mit meinem eigenen Tod zu drohen. Er bürdete mir gleich die Verantwortung für alle auf, die ich zu Hilfe rufen könnte. Ich glaubte ihm seine Mordpläne sofort und ohne nachzudenken. Ich bin bis heute überzeugt, dass er dazu imstande gewesen wäre, einen unbedarften Nachbarn zu töten, der zufällig auf mich aufmerksam geworden wäre. Wer so viel auf sich nimmt, um sich eine Gefangene im Keller zu halten, schreckt auch vor Mord nicht zurück.

Als er mich mit festem Griff am Oberarm packte und die Tür zum Garten öffnete, erfasste mich ein tiefes Glücksgefühl. Die kühle Luft strich sanft über mein Gesicht und über meine Arme, und ich spürte, wie der Geruch von Fäulnis und Isolation, der sich in meiner Nase festgesetzt hatte, langsam wich und mein Kopf freier wurde. Zum ersten Mal seit fast zwei Jahren spürte ich weichen Boden unter meinen Füßen. Jeder Grashalm, der sich unter meinen Sohlen bog, erschien mir wie ein wertvolles, einmaliges Lebewesen. Ich hob den Kopf und sah in den Himmel. Die unendliche Weite, die sich vor mir auftat, raubte mir den Atem. Der Mond stand schräg am Himmel, und ganz oben funkelten ein paar Sterne. Ich war draußen. Zum ersten Mal, seit ich am 2. März 1998 in einen Lieferwagen gezerrt worden war. Ich legte den Kopf in den Nacken und versuchte mühsam, ein Schluchzen zu unterdrücken.

Der Täter führte mich durch den Garten bis zur Ligusterhecke. Dort streckte ich die Hand aus und berührte vorsichtig die dunklen Blätter. Sie dufteten herb und glänzten im Mondlicht. Es erschien mir wie ein Wunder, etwas Lebendiges mit der Hand zu berühren. Ich zupfte ein paar Blätter ab und steckte sie ein. Eine Erinnerung an die Lebendigkeit der Welt draußen.

Nach einem kurzen Moment an der Hecke führte er mich zum Haus zurück. Zum ersten Mal sah ich es, im Mondlicht, von außen: ein gelbes Einfamilienhaus mit abgeschrägtem Dach und zwei Schornsteinen. Die Fenster hatten weiße Umrandungen. Der Rasen, über den wir zurückgingen, wirkte unnatürlich kurz und gut gepflegt.

Plötzlich überfielen mich Zweifel. Ich sah Gras, Bäume, Blätter, ein Stück Himmel, ein Haus, einen Garten. Aber war das die Welt, so wie ich sie in Erinnerung hatte? Alles erschien mir zu flach, zu künstlich. Das Gras war grün und der Himmel hoch, aber man sah doch, dass es sich um Kulissen handelte! Er hatte die Hecke, das Haus dorthin gestellt, um mir etwas vorzuspiegeln. Ich war in einer Inszenierung gelandet, an einem Ort, an dem man Außenszenen einer Fernsehserie drehte. Es gab keine Nachbarn, keine Stadt mit meiner Familie nur 25 Autominuten entfernt. Stattdessen lauter Komplizen des Täters, die mir vorspielten, ich wäre draußen, während sie mich auf großen Monitoren beobachteten und über meine Naivität lachten. Ich schloss die Hand fest um die Blätter in meiner Tasche, als könnten sie mir etwas beweisen: dass dies Wirklichkeit war, dass *ich* Wirklichkeit war. Aber ich fühlte nichts. Nur eine große Leere, die wie eine kalte Hand unbarmherzig nach mir griff.

Misshandlung und Hunger
Der tägliche Kampf ums Überleben

Ich spürte damals, dass der Täter mich mit körperlicher Gewalt nicht brechen konnte. Wenn er
mich die Treppen zum Verlies hinunterschleifte,
mein Kopf auf jeder Stufe aufschlug und meine
Rippen Prellungen davontrugen, dann war es
nicht ich, die er ins Dunkel auf den Boden warf.
Wenn er mich gegen die Wand drückte und
würgte, bis mir schwarz vor Augen wurde, war
es nicht ich, die um Luft rang. Ich war weit weg,
an einem Ort, an dem er mich selbst mit seinen
schlimmsten Tritten und Schlägen nicht berühren
konnte.

MEINE KINDHEIT WAR VORBEI, als ich mit zehn Jahren entführt wurde. Meine Zeit als Kind im Verlies endete im Jahr
2000. Eines Morgens wachte ich mit ziehenden Schmerzen
im Unterleib auf und entdeckte Blutflecken auf meinem
Schlafanzug. Ich wusste sofort, was los war. Ich hatte schon
Jahre auf meine Regel gewartet. Aus der Werbung, die der
Täter nach manchen Serien mit aufgenommen hatte, kannte
ich eine bestimmte Marke von Monatsbinden, die ich haben
wollte. Als er ins Verlies kam, bat ich ihn so abgeklärt wie
möglich, einige Packungen für mich zu kaufen.

Der Täter war angesichts dieser Entwicklung zutiefst verunsichert, sein Verfolgungswahn erreichte eine neue Stufe. Hatte er bislang schon penibel jeden Fussel aufgepickt, jeden einzelnen Fingerabdruck hektisch weggewischt, um wirklich alle Spuren von mir zu beseitigen, achtete er nun beinahe hysterisch darauf, dass ich mich oben im Haus nirgends hinsetzte. Wenn ich doch einmal sitzen durfte, legte er mir Stapel von Zeitungen unter, im absurden Bemühen, noch den kleinsten Blutfleck in der Wohnung zu verhindern. Er rechnete nach wie vor täglich damit, dass die Polizei auftauchen und sein Haus nach DNA-Spuren durchsuchen würde.

Ich fühlte mich durch sein Verhalten persönlich angegriffen und kam mir vor wie eine Aussätzige. Es war eine verwirrende Zeit, in der ich dringend meine Mutter oder eine meiner älteren Schwestern gebraucht hätte, um über diese körperlichen Veränderungen zu sprechen, mit denen ich so plötzlich konfrontiert war. Aber mein einziger Ansprechpartner war ein Mann, der damit heillos überfordert war. Der mich behandelte, als wäre ich schmutzig und abstoßend. Und der offenbar noch nie mit einer Frau zusammengelebt hatte.

Sein Verhältnis zu mir änderte sich mit dem Einsetzen der Pubertät deutlich. Solange ich noch ein Kind gewesen war, »durfte« ich in meinem Verlies bleiben und mich im eng gesteckten Rahmen seiner Vorgaben um mich kümmern. Nun, als heranwachsende Frau, musste ich ihm zu Diensten sein und unter strenger Aufsicht Arbeiten im und am Haus übernehmen.

Ich fühlte mich oben im Haus wie in einem Aquarium. Wie ein Fisch in einem zu kleinen Behälter, der sehnsüchtig nach draußen sieht, aber nicht aus dem Wasser springt, solange er in seinem Gefängnis noch überleben kann. Denn die Grenze zu überschreiten bedeutet den sicheren Tod.

Die Grenze zum Außen war so absolut, dass sie mir unüberwindbar schien. Als hätte das Haus einen anderen Aggregatzustand als die Welt außerhalb seiner biederen, gelben Mauern. Als befänden sich das Haus, der Garten, die Garage mit dem Verlies auf einer anderen Matrix. Manchmal wehte eine Ahnung von Frühling durch ein gekipptes Fenster herein. Ab und zu hörte ich entfernt ein Auto durch die ruhige Straße fahren. Sonst war von der Außenwelt nichts zu spüren. Die Jalousien waren immer heruntergelassen, das ganze Haus war in Dämmerlicht getaucht. Die Alarmanlagen an den Fenstern waren aktiviert – zumindest war ich davon überzeugt. Es gab immer noch Momente, in denen ich an Flucht dachte. Aber ich wälzte keine konkreten Pläne mehr. Der Fisch springt nicht über den Glasrand, dort lauert nur der Tod.

Die Sehnsucht nach Freiheit blieb.

* * *

Ich stand nun unter andauernder Beobachtung. Ich durfte keinen einzigen Schritt tun, ohne dass er mir vorher befohlen wurde. Ich musste so stehen, sitzen oder gehen, wie der Täter es wollte. Ich musste fragen, wenn ich aufstehen oder mich setzen wollte, bevor ich den Kopf drehte oder die Hand ausstreckte. Er schrieb mir vor, wohin ich den Blick richten durfte, und begleitete mich selbst auf die Toilette. Ich weiß nicht, was schlimmer war. Die Zeit allein im Verlies oder die Zeit, in der ich keine Sekunde mehr allein war.

Die permanente Beobachtung verstärkte mein Gefühl, in einem wahnsinnigen Experiment gelandet zu sein. Die Atmosphäre im Haus intensivierte diesen Eindruck zusätzlich. Hinter seiner bürgerlichen Fassade wirkte es, als sei es aus Zeit und Raum herausgefallen. Leblos, unbewohnt, wie eine Kulisse für einen düsteren Film. Von außen hingegen fügte es sich perfekt in die Umgebung ein: spießig, außerordentlich gepflegt, mit dichten Hecken um den großen Garten sorgsam von den Nachbarn abgeschirmt. Neugierige Blicke unerwünscht.

Strasshof ist ein gesichtsloser Ort ohne Geschichte. Ohne Ortskern und ohne dörflichen Charakter, den man bei einer Einwohnerzahl von heute rund 9000 Menschen erwarten könnte. Nach dem Ortsschild ziehen sich die Häuser geduckt im flachen Marchfeld an einer Durchgangsstraße und der Bahnlinie entlang, immer wieder durchbrochen von Gewerbegebieten, wie sie sich im billigen Umland jeder Großstadt finden. Schon der vollständige Ortsname – Strasshof an der Nordbahn – legt nahe, dass es sich hier um eine Siedlung handelt, die von der Anbindung an Wien lebt. Man fährt von hier weg, man fährt hier durch, aber ohne Grund nicht hierher. Die einzigen Attraktionen des Ortes sind eine »Denkmallokomotive« und ein Eisenbahnmuseum namens »Heizhaus«. Vor hundert Jahren wohnten nicht einmal fünfzig Menschen hier, die heutigen Bewohner arbeiten in Wien und kehren nur zum Schlafen in ihre Einfamilienhäuser zurück, die sich monoton aneinanderreihen. Am Wochenende surren die Rasenmäher, die Autos werden poliert, und die gute Stube bleibt hinter zugezogenen Stores und Jalousien im Halbdunkel versteckt. Hier zählt die Fassade, nicht der Blick dahinter. Ein perfekter Ort, um ein Doppelleben zu führen. Ein perfekter Ort für ein Verbrechen.

Das Haus selbst hatte einen Grundriss, der typisch war für einen Bau aus den frühen 1970er Jahren. Im Erdgeschoss ein langer Gang, von dem aus eine Treppe ins Obergeschoss führte, links Bad und Toilette, rechts das Wohnzimmer, am Ende des Ganges die Küche. Ein länglicher Raum, links eine Küchenzeile mit rustikalen Fronten aus nachgebildetem, dunklem Holz, am Boden Fliesen mit orange-braunem Blumenmuster. Ein Tisch, vier Stühle mit Stoffbezug, Prilblumenhaken an den grauweißen Wandfliesen mit den dunkelgrünen Zierblumen neben der Spüle.

Das Auffälligste war eine Fototapete, die sich über die rechte Wandseite spannte. Ein Birkenwald, grün, mit schlanken Bäumen, die sich nach oben reckten, als wollten sie der drückenden Atmosphäre des Raumes entfliehen. Als ich sie das erste Mal bewusst wahrnahm, kam es mir grotesk vor, dass jemand, der jederzeit hinaus in die Natur gehen konnte, der jederzeit das Leben spüren konnte, sich mit künstlicher, toter Natur umgibt. Während ich verzweifelt versuchte, Leben in meinen toten Raum im Verlies zu holen. Und sei es nur in Form von ein paar abgezupften Blättern.

Ich weiß nicht, wie oft ich den Boden und die Fliesen in der Küche geschrubbt und poliert habe, bis sie makellos glänzten. Nicht die kleinste Wischspur, nicht der kleinste Krümel durfte die glatten Flächen trüben. Wenn ich glaubte, fertig zu sein, musste ich mich auf den Boden legen, um aus dieser Perspektive auch den hintersten Winkel kontrollieren zu können. Der Täter stand dabei immer hinter mir und gab Anweisungen. Es war ihm nie sauber genug. Unzählige Male nahm er mir den Lappen aus der Hand und zeigte mir, wie man »richtig« putzt. Er rastete jedes Mal aus, wenn ich eine schöne glatte Oberfläche mit einem fettigen Fingerabdruck beschmutzt hatte. Und damit die Fassade des Unberührten, Reinen zerstört hatte.

Am schlimmsten aber war es für mich, das Wohnzimmer zu putzen. Ein großer Raum, der eine Düsternis ausstrahlte, die nicht nur von den heruntergelassenen Jalousien kam. Eine dunkle, fast schwarze Kassettendecke, dunkle Wandpaneele, eine grüne Couchgarnitur aus Leder, hellbrauner Teppichboden. Ein dunkelbraunes Bücherregal, in dem Titel standen wie »Das Urteil« oder »Nur Puppen haben keine Tränen«. Ein unbenutzter Kamin mit Schürhaken, auf einem Sims darüber eine Kerze auf einem schmiedeeisernen Ständer, eine Standuhr, der Miniaturhelm einer Ritterrüstung. Zwei mittelalterliche Porträts an der Wand über dem Kamin.

Wenn ich mich länger in diesem Raum aufhielt, hatte ich das Gefühl, die Düsternis würde durch meine Kleider in jede Pore meines Körpers dringen. Das Wohnzimmer schien mir wie die perfekte Spiegelung der »anderen« Seite des Täters. Spießig und angepasst an der Oberfläche, die dunkle Ebene darunter nur dürftig überdeckend.

* * *

Heute weiß ich, dass Wolfgang Priklopil in diesem Haus, das seine Eltern in den 1970er Jahren gebaut hatten, über Jahre kaum etwas verändert hatte. Nur das obere Stockwerk, in dem sich drei Zimmer befanden, wollte er komplett renovieren und den Dachboden nach seinen Vorstellungen ausbauen. Eine Dachgaube sollte für zusätzliches Licht sorgen, der staubige Dachboden mit seinen nackten Holzbalken an der schrägen Decke mit Rigips-Platten verschalt und in einen Wohnraum umgewandelt werden. Für mich begann damit in zweifacher Hinsicht ein neuer Abschnitt meiner Gefangenschaft.

Die nächsten Monate und Jahre sollte die Baustelle im Obergeschoss der Ort sein, an dem ich die meiste Zeit des Tages verbrachte. Priklopil selbst hatte damals keine geregelte Arbeit mehr, nur manchmal verschwand er, um mit seinem Freund Holzapfel »Geschäften« nachzugehen. Ich habe erst später erfahren, dass sie Wohnungen renovierten, um sie dann zu vermieten. Doch die Auftragslage kann nicht besonders gut gewesen sein, denn die meiste Zeit beschäftigte sich der Täter mit der Renovierung seines eigenen Hauses. Ich war seine einzige Arbeiterin. Eine Arbeiterin, die er bei Bedarf aus dem Verlies holen konnte, die Knochenarbeit verrichten musste, für die man normalerweise Fachkräfte kommen ließ, und die er »nach Feierabend« noch zum Kochen und Putzen nötigte, bevor er sie wieder in den Keller sperrte.

Ich war damals eigentlich noch viel zu jung für all die Arbeiten, die er mir aufbürdete. Wenn ich heute zwölfjährige Kinder sehe, wie sie jammern und sich sträuben, wenn ihnen kleine Aufgaben übertragen werden, muss ich jedes Mal lächeln. Ich gönne ihnen diesen kleinen Akt des Widerstands so sehr. Ich hatte diese Möglichkeit nicht: Ich musste gehorchen.

Der Täter, der keine fremden Handwerker im Haus haben wollte, übernahm den gesamten Ausbau selbst und zwang mich, Dinge zu tun, die meine Kraft bei weitem überstiegen. Ich schleppte mit ihm zusammen Marmorplatten und schwere Türblätter, zerrte Zementsäcke über den Boden, stemmte Beton mit Stemmeisen und Vorschlaghammer auf. Wir bauten die Gaube ein, dämmten und verschalten die Wände, trugen Estrich auf. Wir verlegten Heizungsrohre und Stromkabel, verputzten die Rigipsplatten, schlugen einen Durchbruch vom ersten Stock in das neue Dachgeschoss und bauten einen Treppenaufgang mit Marmorfliesen.

Dann kam das obere Stockwerk an die Reihe. Der alte Boden wurde herausgerissen, ein neuer verlegt. Die Türen wurden ausgehängt, die Türstöcke abgeschliffen und neu gestrichen. Die alten, braunen Fasertapeten mussten in der gesamten Etage von den Wänden gerissen, neue angebracht und gestrichen werden. In die Dachgaube bauten wir ein neues Badezimmer mit Marmorfliesen ein. Ich war Hilfsarbeiterin und Leibeigene in einer Person: Ich musste schleppen helfen, Werkzeuge reichen, schaben, stemmen, malen. Oder auch stundenlang regungslos die Schüssel mit der Spachtelmasse halten, während er die Wände glattstrich. Wenn er eine Pause machte und sich setzte, musste ich ihn mit Getränken versorgen.

Die Arbeit hatte ihre guten Seiten. Nach zwei Jahren, in denen ich mich in meinem winzigen Raum kaum bewegen konnte, genoss ich die erschöpfende körperliche Betätigung. Die Muskeln an meinen Armen wuchsen, ich fühlte mich stark und nützlich. Vor allem genoss ich es anfangs, dass ich nun unter der Woche mehrere Stunden am Tag außerhalb des Verlieses verbringen konnte. Die Mauern um mich herum waren zwar oben nicht weniger unüberwindbar, auch die unsichtbare Leine war stärker denn je zuvor. Aber zumindest hatte ich Abwechslung.

Gleichzeitig war ich oben im Haus der üblen, dunklen Seite des Täters schutzlos ausgesetzt. Ich hatte ja schon bei dem Zwischenfall mit der Bohrmaschine die Erfahrung gemacht, dass er zu unkontrollierten Wutausbrüchen neigte, wenn ich »nicht brav« war. Im Verlies hatte es dazu kaum Gelegenheit gegeben. Doch nun, beim Arbeiten, konnte ich in jeder Sekunde einen Fehler machen. Und Fehler mochte der Täter nicht.

* * *

»Gib mir die Spachtel«, sagte er an einem unserer ersten Tage auf dem Dachboden. Ich reichte ihm das falsche Werkzeug. »Du bist echt zu deppert zum Scheißen!«, brach es aus ihm heraus. Seine Augen wurden von einer Sekunde zur nächsten ganz dunkel, als ob sich eine Wolke vor die Iris geschoben hätte. Sein Gesicht verzerrte sich. Er griff nach einem Zementsack, der neben ihm lag, hob ihn an und warf ihn mit einem Schrei nach mir. Der schwere Sack traf mich völlig unvorbereitet und mit voller Wucht, so dass ich für einen Moment ins Taumeln geriet.

Innerlich erstarrte ich. Es war nicht so sehr der Schmerz, der mich so schockierte. Der Sack war schwer, und der Aufprall tat weh, aber das hätte ich wegstecken können. Es war das schiere Ausmaß an Aggression, die aus dem Täter herausgebrochen war, das mir den Atem nahm. Er war ja der einzige Mensch in meinem Leben, ich war völlig von ihm abhängig. Dieser Wutausbruch bedrohte mich auf eine ganz existentielle Weise. Ich fühlte mich wie ein geprügelter Hund, der die Hand, die ihn schlägt, trotzdem nicht beißen darf, weil es die gleiche ist, die ihn füttert. Der einzige Ausweg, der mir blieb, war die Flucht in mein Inneres. Ich schloss die Augen, blendete alles aus und rührte mich nicht von der Stelle.

Der Aggressionsschub des Täters war genauso schnell vorüber, wie er gekommen war. Er kam zu mir, schüttelte mich, versuchte meine Arme zu heben und kitzelte mich. »Hör doch auf, es tut mir leid«, sagte er, »das war doch nicht so schlimm.« Ich blieb mit geschlossenen Augen stehen. Er zwickte mich in die Seite und schob mit seinen Fingern meine Mundwinkel nach oben. Ein gequältes Lächeln, im wahrsten Sinne des Wortes. »Sei doch wieder normal. Es tut mir leid. Was kann ich denn machen, damit du wieder normal bist?«

Ich weiß nicht, wie lange ich so dastand, reglos, schweigend, mit geschlossenen Augen. Irgendwann aber siegte der kindliche Pragmatismus. »Ich will ein Eis und Gummibärchen!«

Halb nutzte ich die Situation aus, um an Süßigkeiten zu kommen. Halb wollte ich den Angriff mit meiner Forderung unbedeutender machen, als er war. Ich bekam das Eis sofort, abends brachte er mir die Gummibärchen. Er beteuerte noch einmal, dass es ihm leidtue und dass so etwas nicht wieder vorkommen würde – wie das wohl jeder prügelnde Mann seiner Ehefrau, seinen Kindern gegenüber auch tut.

Doch nach dieser Entgleisung schien ein Bann gebrochen. Er begann, mich regelmäßig zu misshandeln. Ich weiß nicht, welcher Schalter damals gekippt ist oder ob er ganz einfach glaubte, sich in seiner Allmacht alles erlauben zu können. Die Gefangenschaft dauerte nun schon über zwei Jahre. Er war nicht entdeckt worden und hatte mich so gut im Griff, dass ich nicht weglaufen würde. Wer sollte sein Verhalten denn schon sanktionieren? Er hatte in seinen Augen doch das Recht, Ansprüche an mich zu stellen, und mich, wenn ich sie nicht sofort erfüllte, körperlich zu bestrafen.

Von da an reagierte er schon auf die kleinsten Unaufmerksamkeiten mit heftigen Wutanfällen. Ein paar Tage nach dem Vorfall mit dem Zementsack sollte ich ihm eine Gipsfaserplatte reichen. Ich war seiner Meinung nach zu langsam – er packte meine Hand drehte sie um und rieb sie so heftig über eine der Fermacellplatten, bis ich auf dem Handrücken eine Brandwunde hatte, die jahrelang nicht verheilte: Immer wieder scheuerte der Täter die Wunde auf – an der Wand, an den Gipsfaserplatten, selbst an der glatten Oberfläche des Waschbeckens konnte er meinen Handrücken so brutal reiben, dass das Blut durch die Haut sickerte. Bis heute ist diese Stelle an meiner rechten Hand rau.

Als ich ein anderes Mal zu langsam auf eine seiner Anweisungen reagierte, warf er ein Stanleymesser gezielt nach mir. Die scharfe Klinge, mit der man Teppichböden wie ein Stück Butter zerschneiden kann, bohrte sich in mein Knie und blieb stecken. Der Schmerz fuhr so brutal durch mein Bein, dass mir übel wurde. Ich fühlte, wie mir das Blut das Schienbein hinunterrann. Als er das sah, brüllte er wie von Sinnen: »Lass das, du machst Flecken!« Dann packte er mich und schleppte mich ins Badezimmer, um die Blutung zu stillen und die Wunde zu verbinden. Ich stand völlig unter Schock und bekam kaum Luft. Er klatsche mir ungehalten kaltes Wasser ins Gesicht und fuhr mich an: »Hör auf zu heulen.«

Hinterher bekam ich wieder ein Eis.

Bald begann er, mich auch bei der Hausarbeit zu traktieren. Er saß im Wohnzimmer in seinem Ledersessel und sah mir zu, wie ich auf dem Boden kniete und wischte, und kommentierte jede meiner Handbewegungen mit abfälligen Bemerkungen.

»Du bist sogar zu dumm zum Putzen.«

»Du kannst ja nicht einmal einen Fleck wegwischen.«

Ich starrte stumm auf den Boden, innerlich kochend, äußerlich putzte ich mit doppelter Energie weiter. Doch auch das genügte nicht. Ohne Vorwarnung kassierte ich plötzliche Tritte in die Seite oder ans Schienbein. Bis alles glänzte.

Als ich einmal mit dreizehn Jahren die Küchenplatte nicht schnell genug säuberte, trat er mir so heftig gegen das Steißbein, dass ich gegen die Kante schleuderte und mir die Haut an den Hüftknochen aufplatzte. Obwohl ich stark blutete, schickte er mich ohne Pflaster, ohne Verband ins Verlies, ungehalten über die Belästigung durch die klaffende Wunde. Es dauerte Wochen, bis sie verheilt war, auch weil er mich immer wieder in der Küche gegen die Kante stieß. Unerwartet, beiläufig, gezielt. Wieder und wieder riss die dünne Haut auf, die sich über der Wunde auf meinen Hüftknochen gebildet hatte.

Am wenigsten ertrug er es, wenn ich vor Schmerzen weinte. Dann ergriff er meinen Arm und wischte mir mit dem Handrücken so brutal die Tränen aus dem Gesicht, bis ich vor Angst aufhörte. Wenn das nichts nützte, packte er mich an der Gurgel, schleppte mich zum Waschbecken und drückte mich hinein. Er presste mir die Luftröhre zusammen und rieb mein Gesicht mit kaltem Wasser ab, bis ich fast die Besinnung verlor. Er hasste es, mit den Folgen seiner Misshandlungen konfrontiert zu werden. Tränen, blaue Flecken, blutende Wunden, nichts davon wollte er sehen. Was man nicht sehen kann, ist auch nicht passiert.

Es waren keine systematischen Schläge, mit denen er mich traktierte und auf die ich mich in gewisser Weise hätte einstellen können, sondern plötzliche Ausbrüche, die immer heftiger verliefen. Vielleicht, weil er bei jeder Grenze, die er überschritt, merkte, dass ihm keinerlei Konsequenzen drohten. Vielleicht, weil er nicht anders konnte, als die Spirale der Gewalt immer weiter zu beschleunigen.

Ich denke, ich habe diese Zeit nur deswegen überstanden,

weil ich diese Erlebnisse von mir abgespalten habe. Nicht aufgrund einer bewussten Entscheidung, wie sie ein Erwachsener treffen würde, sondern aus kindlichem Überlebensinstinkt. Ich verließ meinen Körper, wenn der Täter ihn traktierte, und sah von weitem zu, wie das zwölfjährige Mädchen am Boden lag und mit Tritten bearbeitet wurde.

Es ist bis heute so, dass ich diese Übergriffe nur aus der Distanz aufzählen kann, als wären sie nicht mir zugestoßen, sondern jemand anderem. Ich erinnere mich lebhaft an die Schmerzen, die ich während der Schläge spürte, und an die Schmerzen, die mich über Tage begleiteten. Ich erinnere mich daran, dass ich so viele Blutergüsse hatte, dass es keine Position mehr gab, in der ich schmerzfrei liegen konnte. Ich erinnere mich an die Qual, die mir das an manchen Tagen bereitete, und daran, wie lange mir das Schambein nach einem Tritt schmerzte. An die Hautabschürfungen, die Platzwunden. Und an das Knacken in meiner Halswirbelsäule, als er mir einmal mit voller Wucht die Faust gegen den Kopf schlug.

Aber emotional fühle ich nichts.

Das einzige Gefühl, das ich nicht abspalten konnte, war die Todesangst, die mich in diesen Augenblicken ergriff. Sie biss sich in meinem Kopf fest, mir wurde schwarz vor Augen, meine Ohren rauschten, das freigesetzte Adrenalin raste durch meine Adern und befahl mir: Flucht! Aber ich konnte nicht. Das Gefängnis, das anfangs nur ein äußeres gewesen war, hielt nun auch mein Inneres gefangen.

Bald genügten schon erste Anzeichen, dass der Täter jeden Augenblick zuschlagen könnte, dass mein Herz zu rasen begann, die Atmung flach wurde und ich in Schockstarre verfiel. Selbst wenn ich in meinem vergleichsweise sicheren Verlies saß, ergriff mich Todesangst, sobald ich in der Ferne hörte, dass der Täter den Tresor vor dem Durchschlupf aus der Wand schraubte. Das Gefühl der Panik, das der Körper nach einer

Erfahrung mit Todesangst gespeichert hat und bei den kleinsten Anzeichen einer ähnlichen Bedrohung abruft, ist nicht kontrollierbar. Es hielt mich mit eisernem Griff fest.

* * *

Nach etwa zwei Jahren, ich war 14, begann ich mich zu wehren. Zuerst war es eine Art passiver Widerstand. Wenn er mich anbrüllte und ausholte, schlug ich mir so lange selbst ins Gesicht, bis er mich bat aufzuhören. Ich wollte ihn zwingen hinzusehen. Er sollte sehen, wie er mich behandelte, er sollte die Schläge, die ich bislang aushalten musste, selbst aushalten. Kein Eis mehr, keine Gummibärchen.

Mit 15 schlug ich zum ersten Mal zurück. Er blickte mich erstaunt und etwas ratlos an, als ich ihm in den Bauch boxte. Ich fühlte mich kraftlos, mein Arm bewegte sich viel zu langsam und der Faustschlag fiel zögerlich aus. Aber ich hatte mich gewehrt. Und schlug noch einmal zu. Er packte mich und nahm mich in den Schwitzkasten, bis ich aufhörte.

Natürlich hatte ich körperlich keine Chance gegen ihn. Er war größer, stärker, fing mich mühelos ab und hielt mich auf Distanz, so dass meine Fausthiebe und Tritte meist ins Leere gingen. Für mich war es trotzdem überlebenswichtig, dass ich mich wehrte. Damit bewies ich mir, dass ich stark war und den Respekt vor mir selbst nicht verloren hatte. Und ihm zeigte ich, dass es Grenzen gab, deren Überschreitung ich nicht länger hinnehmen wollte. Für meine Beziehung zum Täter, zu dem einzigen Menschen in meinem Leben und meinem einzigen Versorger, war das ein entscheidender Moment. Wer weiß, wozu er noch fähig gewesen wäre, wenn ich mich nicht gewehrt hätte.

* * *

Mit dem Einsetzen meiner Pubertät begann auch der Terror mit dem Essen. Der Täter brachte mir ein- bis zweimal die Woche eine Waage ins Verlies gestellt. Ich wog damals 45 Kilo und war ein rundliches Kind. In den nächsten Jahren wuchs ich – und nahm langsam ab.

Nach einer Phase der relativen Freiheit beim »Bestellen« meines Essens hatte er schon im ersten Jahr allmählich die Kontrolle übernommen und mir befohlen, mir mein Essen gut einzuteilen. Neben Fernsehverbot war Essensentzug eine seiner effektivsten Strategien gewesen, mich auf Spur zu halten. Doch als ich zwölf wurde und körperlich einen Schub machte, verknüpfte er die Rationierung der Essensmenge mit Beleidigungen und Vorwürfen.

»Sieh dich doch mal an. Du bist dick und hässlich.«

»Du bist so verfressen, du isst mir noch die Haare vom Kopf.«

»Wer nicht arbeitet, braucht auch nicht zu essen.«

Seine Worte trafen mich wie Pfeile. Ich war schon vor der Gefangenschaft kreuzunglücklich mit meiner Figur gewesen, die mir das größte Hindernis auf dem Weg zu einer sorgenfreien Kindheit schien. Das Bewusstsein, dick zu sein, füllte mich mit nagendem, zerstörerischem Selbsthass. Der Täter wusste genau, welche Knöpfe er drücken musste, um mein Selbstvertrauen zu treffen. Und er drückte gnadenlos zu.

Gleichzeitig ging er dabei so geschickt vor, dass ich ihm in den ersten Wochen und Monaten beinahe dankbar war für seine Kontrolle. Er half mir schließlich dabei, eines meiner größten Ziele zu erreichen: schlank zu sein. »Nimm dir einfach ein Beispiel an mir, ich brauche fast kein Essen«, erklärte er mir immer wieder. »Du musst das wie eine Kur begreifen.« Und tatsächlich konnte ich beinahe dabei zusehen, wie ich Fett verlor und schlank und sehnig wurde. Bis die angeblich wohlmeinende Essenskontrolle in einen Terror überging, der mich mit 16 an den Rand des Hungertodes brachte.

Heute denke ich, der Täter, der extrem schlank war, hatte wohl selbst mit einer Magersucht zu kämpfen, die er nun auch auf mich übertrug. Er war erfüllt von tiefem Misstrauen gegenüber Lebensmitteln jeglicher Art. Er traute der Nahrungsmittelindustrie jederzeit einen kollektiven Mord mit vergiftetem Essen zu. Er verwendete keine Gewürze, weil er gelesen hatte, dass diese zum Teil aus Indien kommen und dort bestrahlt werden. Dazu kam sein Geiz, der im Laufe meiner Gefangenschaft immer krankhafter wurde. Selbst Milch war ihm irgendwann zu teuer.

Meine Essensrationen reduzierten sich dramatisch. Ich bekam in der Früh eine Tasse Tee und zwei Esslöffel Müsli mit einem Glas Milch oder eine Scheibe Guglhupf, die oft so dünn war, dass man die Zeitung durch sie hätte lesen können. Süßigkeiten gab es nur noch nach schlimmen Misshandlungen. Zu Mittag und am Abend bekam ich die Viertelportion eines »Erwachsenentellers«. Wenn der Täter mit dem vorgekochten Essen seiner Mutter oder einer Pizza ins Verlies kam, galt die Faustregel: drei Viertel für ihn, eins für mich. Wenn ich selbst im Verlies kochen musste, listete er mir vorher auf, was ich zu mir nehmen durfte. 200 Gramm gekochtes Tiefkühlgemüse oder ein halbes Fertiggericht. Dazu eine Kiwi und eine Banane pro Tag. Brach ich seine Regeln und aß mehr als vorgesehen, musste ich mit Wutanfällen rechnen.

Er hielt mich dazu an, mich täglich zu wiegen, und kontrollierte akribisch die Notizen über meinen Gewichtsverlauf. »Nimm dir ein Beispiel an mir.«

Ja, nimm dir ein Beispiel an ihm. Ich bin so verfressen. Ich bin viel zu dick. Das dauernde, nagende Hungergefühl blieb.

Noch ließ er mich nicht über lange Phasen ganz ohne Essen im Verlies – das kam erst später. Aber die Folgen der Unterernährung machten sich bald bemerkbar. Hunger beeinträchtigt das Gehirn. Wenn man zu wenig zu essen bekommt, kann man an nichts anderes mehr denken als: Wo bekomme ich den nächsten Bissen her? Wie könnte ich mir ein Stück Brot erschleichen? Wie kann ich ihn so manipulieren, dass er mir von seiner Drei-Viertel-Portion wenigstens einen Bissen mehr abgibt? Ich dachte nur noch an Essen und machte mir gleichzeitig Vorwürfe, dass ich so »verfressen« war.

Ich bat ihn, mir Werbeprospekte von Supermärkten ins Verlies zu bringen, die ich hingebungsvoll durchblätterte, wenn ich allein war. Nach einer Weile entwickelte ich daraus ein Spiel, das ich »Geschmäcker« nannte: Ich stellte mir etwa ein Stück Butter auf der Zunge vor. Kühl und fest, langsam schmelzend, bis der Geschmack die ganze Mundhöhle einnimmt. Dann schaltete ich um auf Grammelknödel: Ich biss in Gedanken hinein, spürte die Knödelmasse zwischen den Zähnen, die Füllung aus knusprigem Speck. Oder Erdbeeren: der süße Saft auf den Lippen, das Gefühl der kleinen Körner am Gaumen, die leichte Säure an den Seiten der Zunge.

Ich konnte dieses Spiel stundenlang spielen und wurde so gut darin, dass es sich beinahe anfühlte wie echtes Essen. Doch meinem Körper brachten die imaginären Kalorien nichts. Immer öfter wurde mir schwindlig, wenn ich beim Arbeiten plötzlich aufstand, oder ich musste mich setzen, weil ich so schwach war, dass meine Beine mich kaum trugen. Mein Magen knurrte andauernd und war manchmal so leer, dass ich mit Krämpfen im Bett lag und versuchte, ihn mit Wasser zu beruhigen.

Ich brauchte lange, bis ich begriff, dass es dem Täter weniger um meine Figur ging, sondern darum, mich durch den Hunger schwach und unterwürfig zu halten. Er wusste genau, was er tat. Sein eigentliches Motiv verbarg er, so gut es ging. Nur manchmal fielen entlarvende Sätze wie: »Du bist schon wieder so aufmüpfig, ich gebe dir wohl zu viel zu essen.« Wer nicht genug zu essen hat, kann kaum noch geradeaus denken. Geschweige denn an Rebellion oder Flucht.

* * *

Eines der Bücher im Regal im Wohnzimmer, auf das der Täter besonderen Wert legte, war »Mein Kampf« von Adolf Hitler. Er sprach oft und mit Bewunderung von Hitler und meinte: »Der hatte recht mit der Judenvergasung.« Sein politisches Idol der Gegenwart war Jörg Haider, der Rechtsaußen-Führer der Freiheitlichen Partei Österreichs. Priklopil zog gerne über Ausländer vom Leder, die er im Slang der Donaustadt »Tschibesen« nannte – ein Wort, das mir von den rassistischen Tiraden der Kunden in den Geschäften meiner Mutter vertraut war. Als am 11. September 2001 die Flugzeuge in das World Trade Center flogen, freute er sich diebisch: Er sah »die amerikanische Ostküste« und »das Weltjudentum« getroffen.

Auch wenn ich ihm die nationalsozialistische Einstellung nie ganz abnahm – sie wirkte aufgesetzt, wie nachgeplapperte Parolen –, gab es etwas, das er ganz tief verinnerlicht hatte. Ich war für ihn jemand, über den er so verfügen konnte, wie es ihm gerade in den Sinn kam. Er fühlte sich als Herrenmensch. Ich war der Mensch zweiter Klasse.

Und dazu wurde ich nun auch äußerlich.

Von Anfang an musste ich jedes Mal, wenn er mich aus dem Verlies holte, meine Haare unter einer Plastiktüte verbergen. Der Putzwahn des Täters vermischte sich mit seinem Verfolgungswahn. Jedes einzelne Haar war eine Bedrohung für ihn – es könnte die Polizei, so sie denn auftauchte, auf meine Spur und ihn ins Gefängnis bringen. Ich musste also meine Haare mit Klemmen und Spangen zusammenstecken, den Plastiksack aufsetzen und ihn mit einem breiten Gummiband festbinden. Wenn sich beim Arbeiten eine Strähne löste und mir ins Gesicht fiel, stopfte er sie mir sofort unter die Plastikhaube zurück. Jedes Haar, das er von mir fand, verbrannte er mit dem Lötkolben oder dem Feuerzeug. Nach dem Duschen fischte er akribisch jedes einzeln aus dem Abfluss und schüttete eine halbe Flasche ätzenden Rohrreiniger hinterher, um selbst im Kanal alle Spuren von mir zu beseitigen.

Ich schwitzte unter der Tüte, alles juckte. Auf meiner Stirn hinterließen die Aufdrucke der Tüten gelbe und rote Streifen, die Klammern gruben sich in meine Kopfhaut, überall hatte ich rote, juckende Stellen. Wenn ich über diese Qual klagte, zischte er mich an: »Wenn du eine Glatze hättest, wäre dein Problem gelöst.«

Ich weigerte mich lange. Haare sind ein wichtiger Bestandteil der Persönlichkeit – es schien mir, als würde ich ein zu großes Stück von mir opfern, wenn ich sie abschnitt. Aber eines Tages hielt ich es nicht mehr aus. Ich nahm die Haushaltsschere, die ich zwischenzeitlich erhalten hatte, griff seitlich in meine Haare und schnitt Strähne für Strähne ab. Ich brauchte wohl über eine Stunde, bis alles so kurz war, dass mein Kopf nur noch von einem struppigen Rest bedeckt war.

Der Täter vollendete das Werk am nächsten Tag. Mit einem Nassrasierer schabte er mir die letzten Haare vom Kopf. Ich hatte eine Glatze. Diese Prozedur wiederholte sich während der nächsten Jahre regelmäßig, wenn er mich in der Badewanne abduschte. Nicht das kleinste Härchen durfte übrigbleiben. Nirgends.

Ich muss ein erbärmliches Bild abgegeben haben. Meine Rippen standen weit hervor, meine Glieder waren von blauen Flecken übersät, meine Wangen eingefallen.

Der Mann, der mir das angetan hatte, fand offenbar Gefallen an diesem Anblick. Denn er zwang mich von nun an, im Haus halbnackt zu arbeiten. Meist trug ich eine Kappe und eine Unterhose. Manchmal auch ein T-Shirt oder Leggings. Aber nie war ich vollständig bekleidet. Wahrscheinlich bereitete es ihm Vergnügen, mich auf diese Art zu demütigen. Sicher aber war es auch eine seiner perfiden Maßnahmen, die mich von einer Flucht abhalten sollten. Er war überzeugt, ich würde mich nicht trauen, halbnackt auf die Straße zu laufen. Und behielt damit recht.

* * *

Mein Verlies bekam in dieser Zeit eine Doppelrolle. Ich fürchtete es zwar immer noch als Gefängnis, und die vielen Türen, hinter denen ich weggesperrt war, trieben mich in klaustrophobische Zustände, in denen ich halb wahnsinnig die Ecken nach einer winzigen Ritze absuchte, durch die ich heimlich einen Gang nach draußen graben konnte. Es gab keine. Gleichzeitig wurde meine winzige Zelle zum einzigen Ort, an dem ich weitgehend vor dem Täter sicher war. Wenn er mich gegen Ende der Woche hinunterbrachte und mit Büchern, Videos und Essen versorgte, wusste ich, dass ich nun wenigstens drei Tage lang von Arbeit und Misshandlungen verschont blieb. Ich räumte auf, putzte und richtete mich auf einen gemütlichen Fernsehnachmittag ein. Oft aß ich schon am Freitagabend fast die gesamten Vorräte für das Wochenende auf. Ein Mal einen vollen Magen zu haben ließ mich vergessen, dass ich danach noch schlimmer würde hungern müssen.

Anfang 2000 bekam ich ein Radio, mit dem ich österreichische Sender empfangen konnte. Er wusste, dass man zwei Jahre nach meinem Verschwinden die Suche nach mir aufgegeben hatte und das Medieninteresse abgeflaut war. Er konnte es sich nun also leisten, mich auch Nachrichten hören zu lassen. Das Radio wurde zu meiner Nabelschnur in die Welt, die

Moderatoren zu meinen Freunden. Ich konnte genau sagen, wann jemand Urlaub machte oder in Pension ging. Über die Sendungen, die im Kulturradio Ö1 liefen, versuchte ich mir ein Bild von der Welt draußen zu machen. Mit FM4 lernte ich etwas Englisch. Wenn ich drohte, den Bezug zur Realität zu verlieren, retteten mich banale Sendungen im Ö3-Wecker, in denen Menschen von ihren Arbeitsplätzen aus anriefen und sich Musik für den Vormittag wünschten. Manchmal hatte ich das Gefühl, auch das Radio sei Teil einer Inszenierung, die der Täter rund um mich aufgebaut hatte und in der alle mitspielten – Moderatoren, Anrufer und Nachrichtensprecher eingeschlossen. Aber wenn dann etwas Überraschendes aus dem Lautsprecher kam, holte mich das wieder auf den Boden.

Das Radio war vielleicht mein wichtigster Begleiter in diesen Jahren. Es vermittelte mir die Sicherheit, dass es neben meinem Martyrium im Keller eine Welt gab, die sich weiter drehte – und in die es sich lohnte, eines Tages zurückzukehren.

Meine zweite große Leidenschaft wurde Science-Fiction. Ich las Hunderte Perry-Rhodan- und Orion-Hefte, in denen die Helden durch ferne Galaxien reisten. Die Möglichkeit, von einem Augenblick zum nächsten Raum, Zeit und Dimension zu wechseln, faszinierte mich zutiefst. Als ich mit zwölf einen kleinen Thermo-Papier-Drucker bekam, begann ich, selbst einen Science-Fiction-Roman zu schreiben. Die Figuren waren an die Mannschaft der Enterprise (Next Generation) angelehnt, aber ich verwendete viele Stunden und viel Mühe darauf, besonders starke, selbstbewusste und unabhängige Frauencharaktere auszuarbeiten. Das Erfinden von Geschichten rund um meine Figuren, die ich mit den abenteuerlichsten technischen Neuerungen ausstattete, rettete mich über Monate hinweg durch die dunklen Nächte im Verlies. Die Worte wurden für Stunden zu einer schützenden Hülle, die sich um mich legte und in der mir nichts und niemand etwas anhaben konnte. Heute sind von meinem Roman nur leere Seiten geblieben. Noch während meiner Gefangenschaft wurden die Buchstaben auf dem Thermopapier immer blasser, bis sie ganz verschwanden.

* * *

Es müssen wohl die vielen Serien und Bücher voller Zeitreisen gewesen sein, die mich auf die Idee brachten, selbst eine solche Zeitreise zu unternehmen. An einem Wochenende, ich war gerade zwölf, packte mich das Gefühl der Einsamkeit so stark, dass ich Angst hatte, den Boden unter den Füßen zu verlieren. Ich war schweißgebadet aufgewacht und in völliger Dunkelheit vorsichtig die schmale Leiter meines Hochbetts nach unten gestiegen. Die freie Bodenfläche im Verlies war auf zwei oder drei Quadratmeter zusammengeschrumpft. Ich taumelte orientierungslos im Kreis herum, stieß immer wieder gegen Tisch und Regal. Out of Space. Allein. Ein geschwächtes, hungriges und verängstigtes Kind. Ich sehnte mich nach einem Erwachsenen, nach einem Menschen, der mich rettete. Aber es wusste ja niemand, wo ich war. Die einzige Möglichkeit, die ich hatte, war, mir selbst dieser Erwachsene zu sein.

Ich hatte früher schon Trost darin gefunden, mir vorzustellen, wie meine Mutter mir Mut zusprach. Wie ich in ihre Rolle schlüpfte und versuchte, ein bisschen von ihrer Stärke auf mich zu übertragen. Nun stellte ich mir die erwachsene Natascha vor, die mir half. Mein eigenes Leben lag vor mir wie ein leuchtender Zeitstrahl, der weit in die Zukunft reichte. Ich selbst stand auf Ziffer zwölf. Weit vor mir aber sah ich mein eigenes 18-jähriges Ich. Groß und stark, selbstbewusst und unabhängig wie die Frauen in meinem Roman. Mein zwölfjähriges Ich bewegte sich auf dem Strahl langsam nach vorne, mein erwachsenes Ich kam mir entgegen. In der Mitte reichten wir uns die Hand. Die Berührung war warm und weich und gleichzeitig fühlte ich, wie sich die Kraft meines großen Ich auf das kleine übertrug. Die große Natascha nahm die kleine, der nicht einmal ihr Name geblieben war, in den Arm und tröstete sie. »Ich werde dich da rausholen, das verspreche ich dir. Jetzt kannst du nicht fliehen, du bist noch zu klein. Aber mit 18 werde ich den Täter überwältigen und dich aus dem Gefängnis holen. Ich lasse dich nicht allein.«

In dieser Nacht schloss ich einen Vertrag mit meinem eigenen, späteren Ich. Ich habe mein Wort gehalten.

Zwischen Wahn und heiler Welt
Die zwei Gesichter des Täters

Diese Gesellschaft braucht Täter wie Wolfgang Priklopil, um dem Bösen, das in ihr wohnt, ein Gesicht zu geben und es von sich selbst abzuspalten. Sie benötigt die Bilder von Kellerverliesen, um nicht auf die vielen Wohnungen und Vorgärten sehen zu müssen, in denen die Gewalt ihr spießiges, bürgerliches Antlitz zeigt. Sie benutzt die Opfer spektakulärer Fälle wie mich, um sich der Verantwortung für die vielen namenlosen Opfer der alltäglichen Verbrechen zu entledigen, denen man nicht hilft – selbst wenn sie um Hilfe bitten.

ES GIBT ALPTRÄUME, aus denen man erwacht und weiß, dass alles nur ein Traum war. Während meiner ersten Zeit im Verlies klammerte ich mich an diese Möglichkeit des Erwachens und verbrachte viele der einsamen Stunden damit, meine ersten Tage in der Welt draußen vorauszuplanen. In dieser Zeit war die Welt, aus der ich gerissen worden war, noch real. Sie war mit echten Menschen bevölkert, von denen ich wusste, dass sie sich in jeder einzelnen Sekunde Sorgen um mich machten und alles daran setzten, mich zu finden. Ich konnte jedes Detail aus dieser Welt vor meinem inneren Auge entstehen lassen: meine Mutter, mein Kinderzimmer, meine Kleider, unsere

Wohnung. Jene Welt, in der ich gelandet war, hatte hingegen die Farben und den Geruch des Irrealen.

Der Raum war zu klein, die Luft zu muffig, um wirklich zu sein. Der Mann, der mich entführt hatte, war taub gegenüber meinen Argumenten, die aus der Welt draußen stammten: dass man mich finden würde. Dass er mich gehen lassen müsse. Dass das, was er mir antat, ein schweres Verbrechen sei, das bestraft werden würde. Und doch stellte sich Tag für Tag mehr heraus, dass ich in dieser Unterwelt gefangen war und den Schlüssel zu meinem Leben längst nicht mehr in meiner Hand hielt. Ich sträubte mich dagegen, in dieser unheimlichen Umgebung heimisch zu werden, der Phantasie eines Verbrechers entsprungen, der jedes kleinste Detail selbst entworfen und mich wie einen dekorativen Einrichtungsgegenstand mitten hineingesetzt hatte.

Aber man lebt nicht ewig in einem Alptraum. Der Mensch hat die Fähigkeit, selbst in den abnormalsten Situationen einen Anschein von Normalität zu schaffen, um sich nicht zu verlieren. Um zu überleben. Kindern gelingt das manchmal besser als Erwachsenen. Ihnen kann der kleinste Strohhalm genügen, um nicht zu ertrinken. Für mich waren diese Strohhalme Rituale wie die gemeinsamen Mahlzeiten, das inszenierte Weihnachtsfest oder meine kleinen Fluchten in die Welt der Bücher, Videos und Fernsehserien. Das waren Momente, die nicht nur düster waren, auch wenn ich heute weiß, dass mein Empfinden letztlich einem psychischen Mechanismus entsprang. Man würde verrückt, wenn man über Jahre hinweg nur das Grauen sieht. Die kleinen Augenblicke der vermeintlichen Normalität sind es, an die man sich klammert, die einem das Überleben sichern. In meinen Aufzeichnungen findet sich eine Stelle, in der diese Sehnsucht nach Normalität besonders deutlich wird:

Liebes Tagebuch!
Ich schrieb deshalb so lange nichts in dich wegen einer schweren De-
pressionsphase. Also berichte ich jetzt kurz, was bisher geschah. Im
Dezember klebten wir die Fliesen an, aber den Spülkasten montierten
wir erst Anfang Jänner. Den Silvester verbrachte ich so: Ich schlief oben
vom 30. bis 31. 12., dann war ich den ganzen Tag allein. Er kam aber
kurz vor Mitternacht. Er duschte sich, wir gossen Blei. Um Mitter-
nacht schalteten wie den Fernseher an und hörten uns die Pummerin
an und den Wiener Donauwalzer. Währenddessen stießen wir an und
sahen beim Fenster hinaus, um die Feuerwerke zu bewundern. Mir
wurde die Freude aber verdorben. Als eine Rakete in unseren Nadel-
baum flog, zwitscherte es plötzlich auf, und ich bin sicher, dass es ein
kleiner Vogel war, der zu Tode erschrocken ist. Ich bin es jedenfalls,
als ich den kleinen Piepmatz aufzwitschern hörte. Ich gab ihm den
Rauchfangkehrer, den ich für ihn gebastelt hatte, und er gab mir einen
Schokotaler, Schokokekse, einen Minischokorauchfangkehrer. Er hatte
mir einen Tag vorher schon einen Kuchen-Rauchfangkehrer geschenkt.
In meinem Rauchfangkehrer waren Smarties, nein Mini-MMs, die
ich Wolfgang schenkte.

Nichts ist nur schwarz und nur weiß. Und niemand ist nur gut
und nur böse. Das gilt auch für den Entführer. Das sind Sätze,
die man von einem Entführungsopfer nicht gerne hört. Denn
hier kippt das klar definierte Schema von Gut und Böse, dem
die Menschen nur zu bereitwillig folgen, um in einer Welt
voller Grauschattierungen nicht die Orientierung zu verlieren.
Wenn ich davon spreche, kann ich in den Gesichtern mancher
Außenstehender Irritation und Ablehnung sehen. Die eben
noch empathische Teilnahme an meinem Schicksal friert ein
und wandelt sich in Abwehr. Menschen, die keinerlei Ein-
blick in das Innere der Gefangenschaft haben, sprechen mir
mit einem einzigen Wort die Urteilskraft über meine eigenen
Erlebnisse ab: Stockholm-Syndrom.

»Unter dem Stockholm-Syndrom versteht man ein psychologisches Phänomen, bei dem Opfer von Geiselnahmen ein positives emotionales Verhältnis zu ihren Entführern aufbauen. Dies kann dazu führen, dass das Opfer mit den Tätern sympathisiert und mit ihnen kooperiert« – so steht es im Lexikon. Eine kategorisierende Diagnose, die ich entschieden ablehne. Denn so mitleidsvoll die Blicke auch sein mögen, mit denen dieser Begriff aus dem Handgelenk geschüttelt wird, der Effekt ist grausam: Er macht das Opfer ein zweites Mal zum Opfer, indem er ihm die Interpretationshoheit über die eigene Geschichte nimmt – und die wichtigsten Erlebnisse darin zum Auswuchs eines Syndroms macht. Er rückt genau jenes Verhalten, das maßgeblich zum Überleben beiträgt, in die Nähe des Anrüchigen.

Die Annäherung an den Täter ist keine Krankheit. Sich im Rahmen eines Verbrechens einen Kokon der Normalität zu schaffen ist kein Syndrom. Im Gegenteil. Es ist eine Strategie des Überlebens in einer ausweglosen Situation – und realitätsgetreuer als jene platte Kategorisierung von Tätern als blutrünstige Bestien und Opfern als hilflose Lämmer, bei der die Gesellschaft gerne stehen bleibt.

* * *

Wolfgang Priklopil war für die Außenwelt wohl ein schüchterner, höflicher Mann, der in seiner adretten Kleidung immer etwas zu jung wirkte. Er trug ordentliche Stoffhosen und gebügelte Hemden oder Polo-Shirts. Seine Haare waren immer frisch gewaschen und ordentlich frisiert, in einem Stil, der ein bisschen zu altmodisch für das beginnende neue Jahrtausend war. Für die wenigen Leute, mit denen er zu tun hatte, blieb er vermutlich unauffällig. Es war nicht leicht, hinter seine Fassade zu blicken, denn er wahrte sie hundertprozentig. Priklopil ging es dabei weniger um das Einhalten gesellschaftlicher Konventionen – er war ein Sklave der Fassade.

Er liebte Ordnung nicht nur, sie war für ihn überlebenswichtig. Unordnung, vermeintliches Chaos und Schmutz brachten ihn völlig aus dem Konzept. Er verwendete einen großen Teil seiner Zeit darauf, seine Autos – er hatte neben dem Lieferwagen noch einen roten BMW –, seinen Garten und sein Haus penibel sauber und gepflegt zu halten. Es genügte ihm nicht, wenn man nach dem Kochen putzte. Noch während die Speisen am Herd standen, musste die Arbeitsfläche gewischt, jedes Brettchen, jedes Messer, das man bei den Vorbereitungen benutzt hatte, abgespült werden.

Ebenso wichtig wie Ordnung waren Regeln. Priklopil konnte sich stundenlang in Bedienungsanleitungen vertiefen und hielt sich akribisch daran. Wenn auf einem Fertiggericht stand »vier Minuten wärmen«, dann nahm er es genau nach vier Minuten aus dem Backrohr – egal, ob es schon warm war oder nicht. Es muss ihn sehr bedrückt haben, dass er sein Leben nicht in den Griff bekam, obwohl er sich doch immer an alle Regeln hielt; so sehr, dass er eines Tages beschloss, eine ganz große Regel zu brechen und mich zu entführen. Aber obwohl er dadurch zum Verbrecher geworden war, hielt er seinen Glauben an Regeln, Anleitungen und Strukturen fast religiös aufrecht. Mich sah er manchmal nachdenklich an und sagte: »Wie dumm, dass es keine Bedienungsanleitung für dich gibt.« Es muss ihn völlig aus dem Konzept gebracht haben, dass seine neueste Anschaffung – ein Kind – nicht nach Plan funktionierte und er an manchen Tagen nicht wusste, wie er es wieder zum Laufen bringen konnte.

Am Anfang meiner Gefangenschaft hatte ich vermutet, dass der Täter ein Waisenkind war, das die mangelnde Nestwärme in der Kindheit zum Verbrecher gemacht hatte. Nun, als ich ihn besser kennenlernte, stellte ich fest, dass ich mir ein falsches Bild zurechtgelegt hatte. Er hatte eine behütete Kindheit in einer klassischen Familie. Vater, Mutter, Kind. Sein Vater Karl hatte als Vertreter für eine große Alkoholfirma gearbeitet und war viel auf Dienstreisen, auf denen er seine Frau anscheinend immer wieder betrogen hatte, wie ich später erfuhr. Aber die Fassade stimmte. Die Eltern blieben zusammen. Priklopil erzählte von Wochenendausflügen zum Neusiedlersee, von gemeinsamen Skiurlauben und Spaziergängen. Seine Mutter kümmerte sich liebevoll um ihren Sohn. Vielleicht ein bisschen zu liebevoll.

Je mehr Zeit ich oben im Haus verbrachte, umso seltsamer kam mir die über allem schwebende Präsenz der Mutter im Leben des Täters vor. Es dauerte einige Zeit, bis ich herausfand, wer die ominöse Person war, die das Haus an den Wochenenden blockierte und mich so zwang, zwei bis drei Tage allein im Verlies zu verbringen. Ich las den Namen »Waltraud Priklopil« auf den Briefen, die im Eingang lagen. Ich aß das Essen, das sie an den Wochenenden vorgekocht hatte. Ein Gericht für jeden Tag, an dem sie ihren Sohn allein ließ. Und wenn ich am Montag wieder ins Haus hinaufdurfte, bemerkte ich ihre Spuren: Alles war blitzblank geputzt. Kein Stäubchen deutete darauf hin, dass jemand darin wohnte. Jedes Wochenende schrubbte sie die Böden und staubte ab für ihren Sohn. Der wiederum ließ mich den Rest der Woche putzen. An den Donnerstagen trieb er mich wieder und wieder mit dem Putzlappen durch die Räume. Es musste alles schön glänzen, bevor die Mutter kam. Es war wie ein absurder Putzwettkampf zwischen Mutter und Sohn, den ich austragen musste. Dennoch freute ich mich nach den einsamen Wochenenden immer, wenn ich kleine Zeichen der Anwesenheit der Mutter entdeckte: gebügelte Wäsche, einen Kuchen in der Küche. Ich habe Waltraud Priklopil in all den Jahren nie gesehen, aber durch diese kleinen Zeichen wurde sie zu einem Teil meiner Welt. Ich stellte sie mir gerne als ältere Freundin vor und malte mir aus, dass ich eines Tages mit ihr am Küchentisch sitzen und eine Tasse Tee trinken könnte. Doch dazu ist es nie gekommen.

Priklopils Vater starb, als Wolfgang 24 Jahre alt war. Der Tod des Vaters muss ein großes Loch in sein Leben gerissen haben. Er sprach selten von ihm, aber man merkte, dass er den Verlust nie verarbeitet hatte. Ein Zimmer im Erdgeschoss des Hauses schien er zu seinem Gedenken unverändert zu bewahren. Es war ein Raum in ländlich-rustikalem Stil mit einer gepolsterten Eckbank und schmiedeeisernen Lampen – ein »Stüberl«, in dem früher wohl Karten gespielt und getrunken wurde, als der Vater noch lebte. Die Produktproben des Schnapsherstellers, für den er gearbeitet hatte, standen noch in den Regalen. Auch als der Täter später das Haus renovierte, ließ er diesen Raum unberührt.

Waltraud Priklopil dürfte vom Tod ihres Mannes ebenfalls hart getroffen worden sein. Ich möchte hier nicht über ihr Leben urteilen und Dinge hineininterpretieren, die vielleicht nicht stimmen. Ich habe sie schließlich nie getroffen. Aus meiner Perspektive wirkte es aber, als hätte sie sich nach dem Tod ihres Mannes noch mehr an ihren Sohn geklammert und ihn zu einem Partnerersatz gemacht. Priklopil, der zwischenzeitlich in einer eigenen Wohnung gelebt hatte, zog zurück ins Haus in Strasshof, wo er sich dem Einfluss seiner Mutter nicht entziehen konnte. Er rechnete ständig damit, dass sie seine Kleiderschränke und die Schmutzwäsche durchforsten würde, und achtete peinlich genau darauf, dass nirgendwo im Haus Spuren von mir zu finden waren. Und er richtete seinen Wochenrhythmus und seinen Umgang mit mir genau nach dem der Mutter aus. Ihre übertriebene Fürsorglichkeit und seine Anpassung hatten etwas Unnatürliches. Sie behandelte ihn nicht wie einen Erwachsenen, und er benahm sich nicht wie einer. Er wohnte im Haus seiner Mutter, die Priklopils

Wohnung in Wien übernommen hatte, und ließ sich rundherum von ihr versorgen.

Ich weiß nicht, ob er nicht sogar von ihrem Geld gelebt hat. Seinen Job als Nachrichtentechniker bei Siemens, wo er in die Lehre gegangen war, hatte er schon vor meiner Entführung verloren. Danach war er wohl jahrelang arbeitslos gemeldet. Er erzählte mir manchmal, dass er, um das Arbeitsamt bei Laune zu halten, hin und wieder zu einem Vorstellungsgespräch gehen, sich dann aber absichtlich dumm stellen würde, um den Job nicht zu bekommen, gleichzeitig aber seine Bezüge nicht zu verlieren. Später half er, wie schon erwähnt, seinem Freund und Geschäftspartner Ernst Holzapfel bei Wohnungsrenovierungen. Auch Holzapfel, den ich nach meiner Selbstbefreiung aufgesucht habe, beschreibt Priklopil als korrekt, ordentlich, zuverlässig. Sozial zurückgeblieben vielleicht, er habe nie andere Freunde, geschweige denn eine Freundin gesehen. Aber auf jeden Fall unauffällig.

Dieser adrette junge Mann, unfähig, seiner Mutter gegenüber Grenzen zu ziehen, höflich zu den Nachbarn und ordentlich bis zur Pedanterie, wahrte also nach außen die Fassade. Seine unterdrückten Gefühle packte er in den Keller und ließ sie später ab und zu in die verdunkelte Küche. Dorthin, wo ich war.

Ich bekam zwei Seiten des Wolfgang Priklopil zu spüren, die sonst wohl niemand kannte. Die eine war ein starker Hang zu Macht und Unterdrückung. Die andere war ein schier unstillbares Bedürfnis nach Liebe und Anerkennung. Um diese beiden widersprüchlichen Seiten ausleben zu können, hatte er mich entführt und »geformt«.

* * *

Wer sich, zumindest auf dem Papier, hinter dieser Fassade verbarg, erfuhr ich irgendwann im Jahr 2000. »Du kannst mich Wolfgang nennen«, meinte er eines Tages lapidar beim Arbeiten. »Wie heißt du denn ganz?«, fragte ich zurück. »Wolfgang Priklopil«, antwortete er. Es war der Name, den ich in der ersten Woche meiner Gefangenschaft auf der Visitenkarte gesehen hatte. Der Name, den ich bei meinen Besuchen oben im Haus auf den adressierten Prospekten gesehen hatte, die er ordentlich auf dem Küchentisch stapelte. Nun hatte ich die Bestätigung. Zugleich wusste ich mit diesem Moment, dass der Täter nun endgültig davon ausging, dass ich sein Haus nicht lebend verlassen würde. Er hätte mir seinen vollständigen Namen sonst niemals anvertraut.

Von da an nannte ich ihn manchmal Wolfgang oder »Wolfi« – eine Form, die eine gewisse Nähe vorgaukelte, während gleichzeitig sein Umgang mit mir eine neue Stufe der Gewalt erreichte. Im Rückblick scheint es mir, als hätte ich versucht, den Menschen dahinter zu erreichen, während der Mensch, der vor mir stand, mich systematisch quälte und misshandelte.

Priklopil war psychisch sehr krank. Seine Paranoia ging selbst über das Maß hinaus, das jemandem ansteht, der ein entführtes Kind im Keller versteckt. Seine Allmachtsphantasien mischten sich mit Wahnvorstellungen. In einigen davon spielte er die Rolle des uneingeschränkten Herrschers.

So erklärte er mir eines Tages, er sei einer der ägyptischen Götter aus der Science-Fiction-Serie »Stargate«, die ich so gerne sah. Die »Bösen« unter den Außerirdischen waren ägyptischen Göttern nachempfunden, die sich junge Männer als Wirte suchten. Sie drangen durch Mund oder Nacken in den Körper ein, lebten als Parasiten in ihm und übernahmen ihren Wirt schließlich ganz. Diese Götter hatten ein bestimmtes Schmuckstück, mit dem sie die Menschen in die Knie zwingen und demütigen konnten. »Ich bin ein ägyptischer Gott«, sagte Priklopil eines Tages im Verlies zu mir, »du musst mir in allem folgen.«

Ich konnte im ersten Moment nicht einordnen, ob es ein seltsamer Scherz war oder ob er eine meiner Lieblingsserien dazu verwenden wollte, mich zu mehr Demut zu zwingen. Ich vermute aber eher, dass er sich zwischenzeitlich tatsächlich für einen Gott hielt, in dessen wahnhafter Phantasiewelt mir nur die Rolle der Unterdrückten blieb, um ihn dadurch gleichzeitig zu erhöhen.

Seine Anspielungen auf ägyptische Götter machten mir Angst. Ich war ja tatsächlich unter der Erde gefangen wie in einem Sarkophag: lebendig begraben in einem Raum, der zu meiner Grabkammer hätte werden können. Ich lebte in der krankhaften Wahnwelt eines Psychopathen. Wenn ich nicht untergehen wollte, musste ich sie mitgestalten, so gut es ging. Schon als er mich aufgefordert hatte, ihn »Maestro« zu nennen, hatte ich an seiner Reaktion gespürt, dass ich nicht nur ein Spielball seines Willens war, sondern selbst bescheidene Möglichkeiten hatte, Grenzen zu setzen. Ähnlich wie der Täter in mir eine Wunde geschlagen hatte, in die er über Jahre hinweg das Gift, meine Eltern hätten mich im Stich gelassen, träufelte, fühlte ich, dass ich ein paar winzige Salzkörner in Händen hielt, die für ihn ebenfalls schmerzhaft sein könnten. »Nenn mich ›mein Gebieter‹!«. Es war absurd, dass Priklopil, dessen Machtposition auf den ersten Blick so offensichtlich war, auf diese verbale Demutsbezeugung so angewiesen war.

Als ich mich weigerte, ihn »Gebieter« zu nennen, schrie und tobte er, mehr als einmal hat er mich deswegen geschlagen. Aber durch mein Verhalten habe ich nicht nur das bisschen eigener Würde gewahrt, sondern auch einen Hebel gefunden, den ich bedienen konnte. Auch wenn ich dafür mit unendlichen Schmerzen bezahlte.

Die gleiche Situation erlebte ich, als er mich das erste Mal aufforderte, vor ihm zu knien. Er saß auf dem Sofa und wartete darauf, dass ich ihm etwas zu essen servierte, als er mich unvermittelt aufforderte: »Knie nieder!« Ich antwortete ruhig: »Nein. Das mache ich nicht.« Er sprang wütend auf und drückte mich auf den Boden. Ich machte eine schnelle Bewegung, um wenigstens auf dem Po zu landen, nicht auf den Knien. Er sollte nicht einmal eine Sekunde lang die Befriedigung erleben, mich vor ihm knien zu sehen. Er packte mich, drehte mich auf die Seite und verbog mir die Beine, als wäre ich eine Gummipuppe. Er presste meine Waden gegen die Oberschenkel, hob mich wie ein verschnürtes Paket vom Boden und versuchte, mich in kniender Stellung wieder nach unten zu drücken. Ich machte mich schwer und steif und wand mich verzweifelt in seinem Griff. Er boxte und trat. Aber am Ende behielt ich die Oberhand. Ich habe ihn kein einziges Mal in all den Jahren, in denen er es vehement von mir forderte, »Gebieter« genannt. Ich habe nie vor ihm gekniet.

Es wäre oft leichter gewesen nachzugeben, und ich hätte mir einige Schläge und Tritte erspart. Aber ich musste mir in dieser Situation der totalen Unterdrückung und der völligen Abhängigkeit vom Täter einen letzten Spielraum zum Handeln wahren. Die Rollen waren zwar klar verteilt, ich war als Gefangene unbestritten das Opfer. Doch dieses Ringen um das Wort »Gebieter« und um das Knien wurde zu einem Nebenschauplatz, auf dem wir wie in einem Stellvertreterkrieg um Macht rangen. Ich war ihm unterlegen, wenn er mich nach Belieben demütigte und misshandelte. Ich war ihm unterlegen, wenn er mich einsperrte, mir den Strom abdrehte und mich als Arbeitssklavin missbrauchte. Aber in diesem Punkt bot ich ihm die Stirn. Ich nannte ihn »Verbrecher«, wenn er wollte, dass ich »Gebieter« sagte. Ich sagte »Schnucki« oder »Schatzi« statt »mein Herr«, um ihm die groteske Situation vor

Augen zu führen, in die er uns beide gebracht hatte. Er bestrafte mich jedes Mal dafür.

Es kostete mich unendlich viel Kraft, ihm gegenüber während der ganzen Zeit der Gefangenschaft konsequent zu bleiben. Immer dagegenhalten. Immer nein sagen. Mich immer gegen Übergriffe wehren und ihm ruhig erklären, dass er zu weit ging und kein Recht hatte, mich so zu behandeln. Selbst an Tagen, an denen ich mich schon aufgegeben hatte und mich völlig wertlos fühlte, konnte ich mir keine Schwäche leisten. An solchen Tagen sagte ich mir mit meiner kindlichen Sicht auf die Dinge, dass ich es für ihn tat. Damit er nicht ein noch böserer Menschen wurde. Als wäre es meine Aufgabe, ihn vor dem moralischen Absturz zu retten.

Wenn er seine Wutanfälle hatte und mich schlug und mit Tritten traktierte, konnte ich gar nichts ausrichten. Auch gegen die Zwangsarbeit, das Eingesperrtsein, den Hunger und die Demütigungen bei der Hausarbeit war ich machtlos. Diese Arten der Unterdrückung waren der Rahmen, in dem ich mich bewegte, sie waren ein integraler Bestandteil meiner Welt. Der für mich einzige Weg, damit umzugehen, war, dass ich ihm seine Taten verzieh. Ich habe ihm die Entführung verziehen und jedes einzelne Mal, wenn er mich schlug und misshandelte. Dieser Akt des Verzeihens gab mir Macht über das Erlebte zurück und ermöglichte mir, damit zu leben. Hätte ich nicht instinktiv von Anfang an diese Haltung angenommen, wäre ich wohl entweder an Wut und Hass zugrundegegangen – oder an den Erniedrigungen zerbrochen, denen ich täglich ausgesetzt war. Ich wäre auf eine Weise ausgelöscht worden, die viel schwerer gewogen hätte als die Aufgabe meiner alten Identität, meiner Vergangenheit, meines Namens. Durch das Verzeihen schob ich seine Taten von mir weg. Sie konnten mich nicht mehr kleinmachen und zerstören, ich hatte sie ja verziehen. Sie waren nur noch Bosheiten, die er begangen hatte und die auf ihn zurückfielen – nicht mehr auf mich.

Und ich hatte meine kleinen Siege: die Weigerung, »mein Gebieter«, »Maestro« oder »mein Herr« zu sagen. Die Weigerung zu knien. Meine Appelle an sein Gewissen, die manchmal auf fruchtbaren Boden fielen. Für mich waren sie überlebenswichtig. Sie gaben mir die Illusion, dass ich innerhalb gewisser Parameter ein gleichberechtigter Partner in dieser Beziehung war – weil sie mir eine Art der Gegenmacht über ihn gaben. Und das zeigte mir etwas ganz Wichtiges: nämlich dass ich noch als Person existierte und nicht zum willenlosen Objekt degradiert war.

* * *

Parallel zu seinen Unterdrückungsphantasien hegte Priklopil eine tiefe Sehnsucht nach einer heilen Welt. Auch für sie sollte ich, seine Gefangene, als Mobiliar und Personal zur Verfügung stehen. Er versuchte, mich als die Partnerin heranzuziehen, die er nie gefunden hatte. »Echte« Frauen kamen nicht in Frage. Sein Frauenhass war tief und unversöhnlich und brach immer wieder in kleinen Bemerkungen aus ihm heraus. Ich weiß nicht, ob er früher Kontakt zu Frauen hatte, vielleicht sogar eine Freundin in seiner Zeit in Wien. Während meiner Gefangenschaft war die einzige »Frau in seinem Leben« seine Mutter – ein Abhängigkeitsverhältnis zu einer überidealisierten Figur. Die Lösung von dieser Dominanz, die ihm in der Realität nicht gelang, sollte in der Welt meines Verlieses durch eine Umkehrung der Verhältnisse geschehen, indem er mich dazu heranzog, die Rolle der unterwürfigen Frau zu übernehmen, die sich fügen und zu ihm aufblicken sollte.

Sein Bild einer heilen Familienwelt war wie aus den 1950er Jahren entsprungen. Er wollte ein fleißiges Frauchen, das zu Hause mit dem Essen auf ihn wartete, das nicht widersprach und perfekt die Hausarbeiten erledigte. Er träumte von »Familienfesten« und Ausflügen, genoss unsere gemeinsamen Mahlzeiten und zelebrierte Namenstage, Geburtstags- und Weihnachtsfeiern, als gäbe es kein Verlies und keine Gefangenschaft. Es war, als versuchte er, durch mich ein Leben zu führen, das ihm außerhalb seines Hauses nicht gelang. Als sei ich ein Krückstock, den er am Wegesrand mitgenommen hatte, um in dem Moment, in dem sein Leben nicht lief, wie er es wollte, eine Stütze zu haben. Ich selbst hatte dabei mein Recht auf ein eigenes Leben verwirkt. »Ich bin dein König«, sagte er, »und du bist meine Sklavin. Du gehorchst.« Oder er erklärte mir: »Deine Familie sind doch alles Proleten. Du hast gar kein Recht auf ein eigenes Leben. Du bist da, um mir zu dienen.«

Er brauchte dieses wahnsinnige Verbrechen, um sich seine Vorstellung einer perfekten, kleinen, heilen Welt zu verwirklichen. Doch letztendlich wollte er von mir vor allem eins: Anerkennung und Zuneigung. Als wäre sein Ziel hinter all der Grausamkeit, von einem Menschen absolute Liebe erzwingen zu können.

* * *

Als ich 14 geworden war, verbrachte ich zum ersten Mal seit vier Jahren eine Nacht über der Erde. Es war kein Gefühl der Befreiung.

Ich lag starr vor Angst im Bett des Täters. Er sperrte die Tür hinter sich zu und platzierte den Schlüssel auf dem Schrank, der so hoch war, dass er selbst nur auf Zehenspitzen hinaufreichte. Für mich war er damit unerreichbar. Dann legte er sich zu mir und fesselte mich an den Handgelenken mit Kabelbindern an sich.

Eine der ersten Schlagzeilen über den Täter nach meiner Selbstbefreiung lautete: »Die Sexbestie«. Ich werde über diesen Teil meiner Gefangenschaft nicht schreiben – es ist der letzte Rest an Privatsphäre, den ich mir noch bewahren möchte, nachdem mein Leben in Gefangenschaft in unzähligen Berichten, Verhören, Fotos zerpflückt wurde. Doch so viel will ich sagen: In ihrer Sensationsgier lagen die Boulevardjournalisten weit daneben. Der Täter war in vielerlei Hinsicht eine Bestie und grausamer, als man es sich überhaupt ausmalen kann – doch in dieser war er es nicht. Natürlich setzte er mich auch kleinen sexuellen Übergriffen aus, sie wurden Teil der täglichen Drangsalierungen, wie die Knüffe, die Fausthiebe, die Tritte im Vorbeigehen gegen das Schienbein. Doch wenn er mich in den Nächten, die ich oben verbringen musste, an sich fesselte, ging es nicht um Sex. Der Mann, der mich schlug, in den Keller sperrte und hungern ließ, wollte kuscheln. Kontrolliert, mit Kabelbindern gefesselt, ein Halt in der Nacht.

Ich hätte schreien können, so schmerzhaft paradox war meine Lage. Aber ich brachte keinen Ton heraus. Ich lag neben ihm auf der Seite und versuchte, mich möglichst wenig zu bewegen. Mein Rücken war, wie so oft, grün und blau geschlagen, er tat so weh, dass ich nicht darauf liegen konnte, die Kabelbinder schnitten ins Fleisch. Ich spürte seinen Atem in meinem Nacken und verkrampfte.

Bis zum nächsten Morgen blieb ich an den Täter gefesselt. Wenn ich aufs Klo musste, dann musste ich ihn wecken, und er begleitete mich, sein Handgelenk an meinem, bis zur Toilette. Als er neben mir eingeschlafen war und ich mit rasendem Herzklopfen wach lag, überlegte ich, ob ich die Fessel wohl sprengen könnte – doch ich gab es bald auf: Wenn ich das Handgelenk drehte und meine Muskeln anspannte, schnitt das Plastik nicht nur in meinen Arm, sondern auch in seinen. Er wäre unweigerlich aufgewacht und hätte meinen

Fluchtversuch sofort bemerkt. Heute weiß ich, dass auch die Polizei bei Verhaftungen Kabelbinder einsetzt. Sie sind mit der Muskelkraft einer hungernden 14-Jährigen ohnehin nicht zu sprengen.

So lag ich, an meinen Entführer gefesselt, das erste Mal von vielen in diesem Bett. Am darauffolgenden Morgen musste ich mit dem Täter frühstücken. Sosehr ich dieses Ritual als Kind gemocht hatte – jetzt wurde mir übel von der Verlogenheit, mit der er mich zwang, mit ihm am Küchentisch zu sitzen und Milch zu trinken, dazu zwei Esslöffel Müsli, keinen Bissen mehr. Heile Welt, als wäre nichts geschehen.

In diesem Sommer versuchte ich das erste Mal, mir das Leben zu nehmen.

* * *

Fluchtgedanken hatte ich in dieser Phase der Gefangenschaft keine mehr. Mit 15 war mein psychisches Gefängnis fertig gebaut. Die Tür des Hauses hätte weit offenstehen können: Ich hätte keinen Schritt tun können. Flucht, das war der Tod. Für mich, für ihn, für alle, die mich hätten sehen können.

Es ist nicht leicht zu erklären, was die Isolation, die Schläge, die Demütigungen in einem Menschen anrichten. Wie einen nach den vielen Misshandlungen schon das Geräusch einer Tür so in Panik versetzen kann, dass man nicht mehr atmen, geschweige denn laufen kann. Wie das Herz schneller schlägt, das Blut in den Ohren rauscht und dann plötzlich ein Schalter im Hirn kippt und man nur noch Lähmung verspürt. Man ist unfähig zu handeln, der Verstand setzt aus. Das Gefühl der Todesangst ist unauslöschlich gespeichert, alle Details der Situation, in der man sie zum ersten Mal verspürt hat – Gerüche, Geräusche, Stimmen –, sind fest im Unterbewusstsein verankert. Taucht eines davon wieder auf, eine erhobene

Hand, ist die Angst wieder da. Ohne dass sich die Hand um die Kehle legt, fühlt man sich ersticken.

So wie Überlebende von Bombenangriffen von einem Silvesterböller in Panik versetzt werden können, erging es mir mit tausend Kleinigkeiten. Das Geräusch, wenn ich hörte, wie die schweren Türen zu meinem Verlies geöffnet wurden. Das Klappern des Ventilators. Dunkelheit. Grelles Licht. Der Geruch oben im Haus. Der Luftzug, bevor seine Hand auf mich niederfuhr. Seine Finger um meinen Hals, sein Atem in meinem Nacken. Der Körper ist auf Überleben geschaltet und reagiert, indem er sich selbst lähmt. Irgendwann ist die Traumatisierung so gewaltig, dass selbst die Außenwelt keine Rettung mehr verspricht, sondern zu einem bedrohlichen, mit Angst besetzten Terrain wird.

Es mag sein, dass der Täter wusste, was in mir vorging. Dass er spürte, dass ich nicht fliehen würde, als er mich in jenem Sommer zum ersten Mal tagsüber in den Garten ließ. Schon einige Zeit vorher hatte er mir kurze Sonnenbäder ermöglicht: Im unteren Stockwerk gab es ein Zimmer mit Fenstern bis zum Boden, das von allen Seiten uneinsehbar war, wenn er eine Jalousie schloss. Dort durfte ich mich auf eine Liege legen und von der Sonne bescheinen lassen. Für den Täter war es wohl eine Art »Wartungsmaßnahme«: Er wusste, dass ein Mensch ohne Sonnenlicht nicht ewig überleben kann, und achtete deshalb darauf, dass ich hin und wieder etwas davon abbekam. Für mich war es eine Offenbarung.

Das Gefühl der warmen Strahlen auf meiner blassen Haut war unbeschreiblich. Ich schloss die Augen. Die Sonne zeichnete rote Kringel hinter meine Lider. Ich dämmerte langsam weg und träumte mich in ein Freibad, hörte die fröhlichen Kinderstimmen und spürte das Wasser, wie es kühl die Haut umspült, wenn man aufgeheizt hineinspringt. Was hätte ich darum gegeben, einmal schwimmen zu gehen! So wie der

Täter, der ab und zu in seiner Badehose im Verlies auftauchte. Die Nachbarn, entfernte Verwandte der Priklopils, hatten den gleichen Swimmingpool wie er im Garten – nur war ihrer eingelassen und konnte benutzt werden. Wenn sie nicht da waren und der Täter bei ihnen nach dem Rechten sah oder die Blumen goss, schwamm er manchmal eine Runde. Ich beneidete ihn zutiefst.

Eines Tages in diesem Sommer überraschte er mich mit der Nachricht, dass ich mit ihm zum Schwimmen kommen dürfe. Die Nachbarn waren nicht zu Hause, und da die Gärten der beiden Häuser durch einen Weg verbunden waren, konnte man zum Pool gelangen, ohne von der Straße aus gesehen zu werden.

Das Gras kitzelte unter meinen nackten Füßen, der Morgentau glitzerte wie kleine Diamanten zwischen den Halmen. Ich folgte ihm über den schmalen Weg in den Garten der Nachbarn, zog mich aus und glitt ins Wasser.

Es war wie eine Wiedergeburt. Während ich untertauchte, fielen die Gefangenschaft, das Verlies, die Unterdrückung für einen Augenblick von mir ab. Der Stress löste sich im kühlen, blauen Nass auf. Ich tauchte auf und ließ mich auf der Wasseroberfläche treiben. Die kleinen türkisfarbenen Wellen funkelten in der Sonne. Über mir spannte sich ein unendlicher, hellblauer Himmel. Meine Ohren waren unter Wasser, um mich herum war nichts als leises Plätschern.

Als mich der Täter nervös aufforderte, aus dem Wasser zu kommen, dauerte es ein wenig, bis ich reagieren konnte. Es war, als müsste ich von einem weit entfernten Ort zurückkehren. Ich folgte Priklopil ins Haus, über die Küche in den Vorraum, von dort in die Garage und hinunter zum Verlies. Dann ließ ich mich wieder einsperren. Für lange Zeit hatte ich wieder nur die Glühbirne, gesteuert von der Zeitschaltuhr, als einzige Lichtquelle. Es blieb vorerst bei diesem einen Mal – er hat mich danach lange nicht mehr in den Pool gelassen. Aber dieses eine Mal genügte, um mich daran zu erinnern, dass ich bei aller Verzweiflung und Kraftlosigkeit doch ein Leben wollte. Die Erinnerung an diesen Moment zeigte mir, dass es sich lohnte durchzuhalten, bis ich mich selbst befreien konnte.

* * *

Ich war dem Täter damals für solche kleinen Wohltaten wie das Sonnenbad oder den Besuch im Pool der Nachbarn unendlich dankbar. Und ich bin es heute noch. Ich kann – auch wenn es befremdlich sein mag – anerkennen, dass es bei all dem Martyrium auch kleine menschliche Augenblicke in meiner Zeit der Gefangenschaft gab. Auch für den Täter galt, dass er sich dem Einfluss des Kindes und jungen Mädchens, mit dem er so viele Stunden verbrachte, nicht vollständig entziehen konnte. Ich klammerte mich damals an jeden noch so winzigen menschlichen Zug, weil ich darauf angewiesen war, das Gute zu sehen in einer Welt, an der ich ja nichts ändern konnte. An einem Täter, mit dem ich einfach umgehen musste, weil ich nicht fliehen konnte. Es gab diese Momente und ich schätzte sie. Momente, in denen er mich etwa beim Malen, Zeichnen oder Basteln unterstützte und mich ermunterte, immer wieder von vorne zu beginnen, wenn mir etwas nicht gelang. Indem er mit mir den Schulstoff, den ich versäumte, durchging und mir Rechenaufgaben stellte, die darüber hinausgingen, auch wenn er hinterher mit besonderer Freude den Rotstift zückte und es ihm bei Aufsätzen nur um Grammatik und Rechtschreibung ging. Regeln müssen eingehalten werden. Aber er war da. Er nahm sich Zeit, die ich im Übermaß hatte.

Mir ist es gelungen, durch unbewusstes Wegdrücken und Abspalten des Grauens zu überleben. Und ich habe durch diese schrecklichen Erfahrungen, die ich während meiner Gefangenschaft gemacht habe, gelernt, stark zu sein. Ja, vielleicht sogar eine Stärke zu entwickeln, zu der ich in Freiheit nie fähig gewesen wäre.

Heute, Jahre nach meiner Selbstbefreiung, bin ich mit solchen Sätzen vorsichtig geworden. Dass im Bösen zumindest in kurzen Augenblicken Normalität, ja sogar gegenseitiges Verständnis möglich ist. Das ist es, was ich meine, wenn ich davon spreche, dass es weder in der Realität noch in Extremsituationen entweder Schwarz oder Weiß gibt, sondern winzige Abstufungen den Unterschied machen. Für mich waren diese Nuancen entscheidend. Indem ich Stimmungsschwankungen rechtzeitig erspürte, entging ich vielleicht einer Misshandlung. Indem ich immer wieder an das Gewissen des Täters appellierte, verschonte er mich vielleicht mit Schlimmerem. Indem ich ihn als Mensch sah, mit einer sehr dunklen und einer etwas helleren Seite, konnte ich selbst Mensch bleiben. Weil er mich so nicht brechen konnte.

Es mag sein, dass ich mich auch deshalb so vehement dagegen wehre, in die Schublade des Stockholm-Syndroms gesteckt zu werden. Der Begriff wurde nach einem Überfall auf eine Bank in Stockholm im Jahr 1973 erfunden. Fünf Tage lang hatten die Täter vier der Angestellten als Geiseln genommen. Zum Erstaunen der Medien zeigte sich bei der Befreiung, dass die Gefangenen mehr Angst vor der Polizei hatten als vor ihren Geiselnehmern – und dass sie durchaus Verständnis für diese entwickelt hatten. Manche der Opfer baten um Gnade für die Täter und besuchten sie im Gefängnis. Die Öffentlichkeit hatte für diese »Sympathie« mit den Tätern kein Verständnis – und pathologisierte das Verhalten der Opfer. Den Täter zu verstehen sei krank, so der Befund. Die frischgebackene Krankheit wird seitdem unter dem Namen »Stockholm-Syndrom« geführt.

Ich beobachte heute manchmal die Reaktion kleiner Kinder, wie sie sich auf ihre Eltern freuen, die sie den ganzen Tag nicht zu Gesicht bekommen haben und dann nur unfreund-liche Worte, manchmal sogar Schläge für sie übrighaben. Man könnte jedem dieser Kinder ein Stockholm-Syndrom unter-stellen. Sie lieben die Menschen, mit denen sie leben und von denen sie abhängig sind, auch wenn sie nicht gut von ihnen behandelt werden.

Auch ich war ein Kind, als meine Gefangenschaft begann. Der Täter hatte mich aus meiner Welt gerissen und in seine eigene gesteckt. Der Mensch, der mich geraubt hatte, der mir meine Familie und meine Identität genommen hatte, wurde zu meiner Familie. Ich hatte keine andere Chance, als ihn als solche zu akzeptieren, und lernte, mich an den Zuwendungen zu freuen und alles Negative zu verdrängen. Wie jedes Kind, das in gestörten Familienverhältnissen aufwächst.

Ich war anfangs erstaunt, dass ich als Opfer zu dieser Dif-ferenzierung fähig bin, aber die Gesellschaft, in der ich nach meiner Gefangenschaft gelandet bin, nicht die kleinste Nu-ancierung zulassen kann. Sie gesteht mir nicht zu, über einen Menschen, der achteinhalb Jahre der einzige in meinem Leben war, auch nur nachzudenken. Ich könnte nicht einmal leise andeuten, dass ich die Gelegenheit der Aufarbeitung vermisse, ohne Unverständnis zu wecken.

Inzwischen habe ich gelernt, dass ich diese Gesellschaft ein Stück weit idealisiert habe. Wir leben in einer Welt, in der Frauen geschlagen werden und nicht vor den prügelnden Männern fliehen können, obwohl ihnen die Tür theoretisch weit offensteht. Jede vierte Frau wird Opfer von schwerer Ge-walt. Jede zweite macht im Laufe ihres Lebens Erfahrungen mit sexueller Belästigung. Diese Verbrechen sind überall, sie können hinter jeder Wohnungstür dieses Landes stattfinden, jeden Tag, und kaum jemandem ringen sie mehr ab als schul-terzuckendes, oberflächliches Bedauern.

Diese Gesellschaft braucht Täter wie Wolfgang Priklopil,

um dem Bösen, das in ihr wohnt, ein Gesicht zu geben und es von sich selbst abzuspalten. Sie benötigt die Bilder von Kellerverliesen, um nicht auf die vielen Wohnungen und Vorgärten sehen zu müssen, in denen die Gewalt ihr spießiges, bürgerliches Antlitz zeigt. Sie benutzt die Opfer spektakulärer Fälle wie mich, um sich der Verantwortung für die vielen namenlosen Opfer der alltäglichen Verbrechen zu entledigen, denen man nicht hilft – selbst wenn sie um Hilfe bitten.

Verbrechen wie jenes, das an mir begangen wurde, bilden das grelle, schwarzweiße Gerüst für die Kategorien von Gut und Böse, an dem sich die Gesellschaft aufrecht hält. Der Täter muss eine Bestie sein, damit man selbst auf der guten Seite stehen bleiben kann. Man muss sein Verbrechen ausschmücken mit Sado-Maso-Phantasien und wilden Orgien, bis es so weit entrückt ist, dass es mit dem eigenen Leben nichts mehr zu tun hat.

Und das Opfer muss gebrochen sein und es auch bleiben, damit die Externalisierung des Bösen funktioniert. Ein Opfer, das diese Rolle nicht annimmt, personifiziert den Widerspruch in der Gesellschaft. Man will das nicht sehen. Man müsste sich mit sich selbst beschäftigen.

Deshalb löse ich in manchen Menschen unbewusst Aggressionen aus. Vielleicht, weil die Tat und alles, was mir zugestoßen ist, Aggressionen auslösen. Da ich die Einzige bin, die nach dem Selbstmord des Täters greifbar ist, treffen sie mich. Besonders heftig, wenn ich die Gesellschaft zum Hinsehen bewegen will. Dass der Täter, der mich entführt hat, auch ein Mensch war. Einer, der mitten unter ihnen gelebt hat. Wer anonym in Internetpostings reagieren kann, lädt seinen Hass direkt auf mir ab. Es ist der Selbsthass einer Gesellschaft, die auf sich selbst zurückgeworfen wird und sich fragen lassen muss, warum sie so etwas zulässt. Warum Menschen mitten unter uns so entgleiten können, ohne dass es jemand merkt. Über acht Jahre lang. Jene, die mir bei Interviews und Veranstaltungen gegenüberstehen, gehen subtiler vor: Sie machen mich – der einzigen Person, die die Gefangenschaft erlebt hat – mit einem kleinen Wort zum zweiten Mal zum Opfer. Sie sagen nur »Stockholm-Syndrom.«

Ganz unten
Wenn körperlicher Schmerz
die seelischen Qualen lindert

Diese Dankbarkeit dem Menschen gegenüber, der einem Essen erst vorenthält und dann vermeintlich großzügig gewährt, ist wohl eines der markantesten Erlebnisse bei Entführungen oder Geiselnahmen.
Es ist so einfach, einen Menschen an sich zu binden, den man hungern lässt.

DIE STIEGE WAR SCHMAL, steil und rutschig. Ich balancierte eine schwere Obstschüssel aus Glas vor mir her, die ich oben abgewaschen hatte und nun hinunter ins Verlies trug. Ich konnte meine Füße nicht sehen und tastete mich langsam vorwärts. Da geschah es: Ich rutschte aus und fiel hin. Ich schlug mit dem Kopf gegen die Stufen und hörte noch, wie die Schüssel mit einem lauten Klirren zersprang. Dann war ich für einen Augenblick weg. Als ich wieder zu mir kam und den Kopf hob, wurde mir übel. Von meinem kahlen Schädel tropfte Blut auf die Stufen. Wolfgang Priklopil war wie immer direkt hinter mir. Er sprang die Stufen hinunter, hob mich auf und trug mich ins Bad, um das Blut abzuwaschen. Unablässig schimpfte er dabei vor sich hin: Wie man nur so ungeschickt sein konnte! Was ich ihm wieder für Probleme bereiten würde! Dass ich selbst zum Gehen zu blöd sei. Dann legte er mir ungeschickt einen Verband an, um die Blutung zu stillen, und sperrte mich im Verlies ein. »Jetzt muss ich die Stiege neu streichen«, fuhr er mich noch an, bevor er die Tür verriegelte. Tatsächlich kam er am nächsten Morgen mit einem Farbeimer zurück und strich die grauen Betonstufen, auf denen sich hässliche dunkle Flecken abzeichneten.

Mein Kopf pulsierte. Wenn ich ihn anhob, schoss mir ein greller, stechender Schmerz durch den Körper und mir wurde schwarz vor Augen. Ich verbrachte mehrere Tage im Bett und konnte mich kaum rühren. Ich denke, ich hatte damals eine Gehirnerschütterung. Aber in den langen Nächten, wenn ich vor Schmerzen nicht schlafen konnte, hatte ich Angst, dass ich mir vielleicht den Schädel gebrochen hatte. Dennoch wagte ich es nicht, nach einem Arzt zu fragen. Der Täter hatte von meinen Schmerzen auch früher nie etwas hören wollen und bestrafte mich auch diesmal dafür, dass ich mich verletzt hatte. In den nächsten Wochen schlug er bevorzugt mit der Faust auf diese Stelle, wenn er mich misshandelte.

Nach diesem Sturz wurde mir klar, dass mich der Täter eher sterben lassen würde, als bei einem Notfall Hilfe zu holen. Ich hatte bisher einfach Glück gehabt: Ich hatte keine Außenkontakte und konnte mich mit Krankheiten kaum anstecken – Priklopil war so hysterisch darauf bedacht, keine Keime einzufangen, dass ich auch im Kontakt mit ihm vor Krankheiten sicher war. Mehr als leichtere Verkühlungen mit etwas Fieber habe ich in all den Jahren der Gefangenschaft nicht erlebt. Aber bei den schweren Arbeiten im Haus hätte jederzeit ein Unfall geschehen können, und manchmal kam es mir wie ein Wunder vor, dass ich von seinen Misshandlungen immer nur große Blutergüsse, Prellungen und Schürfwunden davontrug und er mir nie einen Knochen brach. Aber nun hatte ich die Gewissheit, dass jede schwere Krankheit, jeder Unfall, der ärztliche Hilfe erforderte, meinen sicheren Tod bedeuten würde.

Hinzu kam, dass sich unser »Zusammenleben« nicht ganz nach seinen Vorstellungen gestaltete. Der Sturz über die Treppe und sein Verhalten danach waren symptomatisch für eine Phase des zähen Ringens, die sich über die nächsten zwei Jahre meiner Gefangenschaft hinziehen sollte. Eine Phase, in der ich zwischen Depressionen und Selbstmordgedanken auf der einen Seite und der Überzeugung schwankte, dass ich leben wollte und alles bald ein gutes Ende nehmen würde. Und eine Phase, in der er damit rang, seine schweren Übergriffe im Alltag mit dem Traum von einem »normalen« Zusammenleben in Gleichklang zu bringen. Was ihm immer schlechter gelang und ihn quälte.

Als ich 16 wurde, neigte sich der Umbau des Hauses, dem er seine ganze Energie und meine Arbeitskraft gewidmet hatte, dem Ende zu. Die Aufgabe, die seinem Tagesablauf über Monate und Jahre Struktur verliehen hatte, drohte ersatzlos wegzufallen. Aus dem Kind, das er gekidnappt hatte, war eine junge Frau geworden und damit der Inbegriff dessen, was er zutiefst hasste. Ich wollte ihm nicht die willenlose Marionette sein, die er sich vielleicht erträumt hatte, um sich nicht erniedrigt zu fühlen. Ich war aufmüpfig, wurde gleichzeitig immer depressiver und versuchte, mich zu entziehen, wann immer es ging. Manchmal musste er mich nun zwingen, überhaupt aus dem Verlies zu kommen. Ich heulte stundenlang und hatte nicht mehr die Kraft aufzustehen. Er hasste Widerstand und Tränen, und meine Passivität machte ihn rasend. Er hatte ihr nichts entgegenzusetzen. Es muss ihm damals endgültig klargeworden sein, dass er nicht nur mein Leben an seins, sondern auch sein Leben an meins gekettet hatte. Und dass jeder Versuch, diese Ketten zu lösen, für einen von uns tödlich enden würde.

Wolfgang Priklopil wurde von Woche zu Woche fahriger, seine Paranoia nahm zu. Er beobachtete mich argwöhnisch, immer darauf vorbereitet, dass ich ihn angreifen oder fliehen könnte. Abends verfiel er in regelrechte Angstzustände, holte mich in sein Bett, fesselte mich an sich und versuchte, sich durch Körperwärme zu beruhigen. Doch seine Launenhaftigkeit nahm weiter zu, und ich war der Adressat jeder seiner Gefühlsschwankungen. Auf der einen Seite begann er nun, von einem »gemeinsamen Leben« zu sprechen. Viel öfter als in den Jahren zuvor informierte er mich über seine Entscheidungen und sprach mit mir über seine Probleme. Die Tatsache, dass ich seine Gefangene war und er jede meiner Bewegungen kontrollierte, schien er in seiner Sehnsucht nach einer heilen Welt kaum noch wahrzunehmen. Wenn ich ihm eines Tages ganz gehören würde – wenn er sicher sein könnte, dass ich nicht doch fliehen würde –, dann könnten wir beide ein besseres Leben führen, erklärte er mir immer mit glänzenden Augen.

Wie dieses bessere Leben aussehen sollte, davon hatte er diffuse Vorstellungen. Seine Rolle war dabei klar definiert: Er sah sich in jeder Version als Herrscher im Haus, für mich hatte er verschiedene Rollen reserviert. Mal die Hausfrau und Arbeitssklavin, die ihm alle Arbeiten von Hausbau bis Kochen und Putzen abnahm. Mal die Gefährtin, an die er sich anlehnen konnte, mal der Mutterersatz, der Mülleimer für seelische Befindlichkeiten, der Sandsack, in den er die Wut über seine Ohnmacht in der Wirklichkeit prügeln konnte. Was sich nie änderte, war seine Vorstellung, dass ich voll und ganz verfügbar sein müsste. Eine eigene Persönlichkeit, eigene Bedürfnisse oder gar kleine Freiheiten kamen im Drehbuch dieses »gemeinsamen Lebens« nicht vor.

Ich reagierte gespalten auf seine Träume. Sie erschienen mir einerseits zutiefst abwegig – niemand kann sich bei klarem Verstand ein gemeinsames Leben mit einer Person ausmalen, die er entführt und jahrelang misshandelt und eingesperrt hat. Zugleich aber begann diese ferne schöne Welt, die er mir ausmalte, sich in meinem Unterbewusstsein zu verankern. Ich hatte eine übermächtige Sehnsucht nach Normalität. Ich wollte Menschen treffen, das Haus verlassen, einkaufen, schwimmen gehen. Die Sonne sehen, wann ich wollte. Mit jemandem sprechen, egal woüber. Dieses gemeinsame Leben in der Vorstellung des Täters, in dem er mir kleine Bewegungsfreiheiten einräumen würde, in dem ich das Haus unter seiner Aufsicht verlassen könnte, schien mir an manchen Tagen wie das Maximum, das mir in diesem Leben vergönnt sein würde. Freiheit, wahre Freiheit, konnte ich mir nach all den Jahren kaum noch vorstellen. Ich hatte Angst davor, den gesteckten Rahmen zu verlassen. Innerhalb dieses Rahmens hatte ich gelernt, die ganze Klaviatur und jede Tonart zu spielen. Den Klang der Freiheit hatte ich vergessen.

Ich fühlte mich wie ein Soldat, dem man erklärt, dass nach dem Krieg alles gut wird. Macht nichts, dass er zwischendurch ein Bein eingebüßt hat, das gehört einfach dazu. Für mich war es mit der Zeit zu einer unumstößlichen Wahrheit geworden, dass ich erst leiden musste, bevor das »bessere Leben« würde beginnen können. Das bessere Leben in der Gefangenschaft. Du kannst so froh sein, dass ich dich gefunden habe, du könntest draußen doch überhaupt nicht leben. Wer würde dich schon wollen. Du musst mir dankbar sein, dass ich dich aufgenommen habe. Mein Krieg fand im Kopf statt. Und der hatte diese Sätze aufgesogen wie ein Schwamm.

Doch selbst diese gelockerte Form der Gefangenschaft, die sich der Täter ausmalte, lag an den meisten Tagen in weiter Ferne. Er gab mir die Schuld daran. An einem Abend am Küchentisch seufzte er: »Wenn du nicht so trotzig wärst, könnten wir es viel schöner haben. Wenn ich sicher sein könnte, dass du nicht wegläufst, müsste ich dich nicht einsperren und fesseln.«

Je älter ich wurde, umso stärker übertrug er mir die ganze Verantwortung für meine Gefangenschaft. Es läge nur an mir, dass er mich schlagen und wegsperren müsste – wenn ich besser kooperieren würde, demütiger und folgsamer wäre, dann könnte ich mit ihm oben im Haus leben. Ich hielt dagegen: »Du bist es doch, der mich eingesperrt hat! Du hältst mich gefangen!« Aber es schien, als hätte er den Blick für diese Realität schon lange verloren. Und ein Stück weit zog er mich dabei mit.

An seinen guten Tagen wurde dieses Bild, sein Bild, das zu meinem werden sollte, greifbar. An den schlechten wurde er unberechenbarer als je zuvor. Viel öfter als früher benutzte er mich als Fußabtreter für seine miesen Launen. Am schlimmsten waren die Nächte, in denen er nicht schlafen konnte, weil eine chronische Nasen-Nebenhöhlen-Entzündung ihn quälte. Wenn er nicht schlief, dann sollte ich auch nicht schlafen. Wenn ich in den Nächten im Verlies auf meinem Bett lag, dröhnte über Stunden seine Stimme durch den Lautsprecher. Er erzählte mir im Detail, was er den Tag über getan hatte, und verlangte von mir Auskunft über jeden Schritt, jedes gelesene Wort, jede Bewegung: »Hast du aufgeräumt? Wie hast du das Essen eingeteilt? Was hast du im Radio gehört?« Ich musste in aller Ausführlichkeit antworten, mitten in der Nacht, und wenn ich nichts zu erzählen hatte, etwas erfinden, um ihn zu beruhigen. In anderen Nächten quälte er mich einfach: »Gehorche! Gehorche! Gehorche!«, rief er monoton in die Gegensprechanlage. Die Stimme dröhnte durch den kleinen Raum und füllte ihn bis in den letzten Winkel aus: »Gehorche! Gehorche! Gehorche!« Ich konnte sie nicht ausblenden, selbst wenn ich den Kopf unter den Kissen verbarg. Sie war immer da. Und sie machte mich rasend. Ich konnte dieser Stimme nicht entfliehen. Sie signalisierte mir Tag und Nacht, dass er mich in seiner Gewalt hatte. Sie signalisierte mir Tag und Nacht, dass ich mich nicht aufgeben durfte. In klaren Momenten war der Drang, zu überleben und eines

Tages zu fliehen, unglaublich stark. Im Alltag hatte ich kaum noch Kraft, diese Gedanken zu Ende zu denken.

* * *

Das Rezept seiner Mutter lag auf dem Küchentisch, ich hatte es unzählige Male durchgelesen, damit mir kein Fehler unterlief: Die Eier trennen. Das Mehl mit Backpulver versieben. Das Eiweiß zu Schnee schlagen. Er stand hinter mir und beobachtete mich nervös.

»Meine Mutter schlägt die Eier aber ganz anders auf!«

»Meine Mutter macht das viel besser!«

»Du bist viel zu ungeschickt, pass doch auf!«

Etwas Mehl war auf die Arbeitsfläche geraten. Er brüllte und fuhr mich an, dass das alles viel zu langsam ginge. Seine Mutter würde einen Kuchen … Ich bemühte mich nach Kräften, aber egal, was ich tat, es genügte ihm nicht. »Wenn deine Mutter das so viel besser kann, warum fragst du dann nicht sie, ob sie dir einen Kuchen backt?« Es war mir einfach so rausgerutscht. Und es war zu viel.

Er schlug wie ein trotziges Kind um sich, fegte die Schüssel mit dem Teig auf den Boden und stieß mich gegen den Küchentisch. Dann zerrte er mich in den Keller und sperrte mich ein. Es war helllichter Tag, aber er gönnte mir kein Licht. Er wusste, wie er mich foltern konnte.

Ich legte mich auf mein Bett und wiegte mich leise hin und her. Ich konnte nicht weinen und mich auch nicht wegträumen. Bei jeder Bewegung schrie in mir der Schmerz aus den Prellungen und den Blutergüssen. Aber ich blieb stumm und lag einfach nur da, in der absoluten Dunkelheit, als wäre ich aus Raum und Zeit gefallen.

Der Täter kam nicht wieder. Der Wecker tickte leise und versicherte mir, dass die Zeit nicht stehengeblieben war. Ich muss zwischendurch geschlafen haben, erinnern konnte ich mich nicht daran. Alles ging ineinander über, Träume wurden zu Delirien, in denen ich mich mit jungen Leuten in meinem Alter am Meer entlanglaufen sah. Das Licht in meinem Traum war gleißend hell, das Wasser tiefblau. Ich flog mit einem Drachen über das Wasser, der Wind spielte in meinen Haaren, die Sonne brannte auf meinen Armen. Es war ein Gefühl der absoluten Entgrenzung, berauscht vom Gefühl zu leben. Ich phantasierte mich auf eine Bühne, meine Eltern saßen im Publikum und ich sang aus voller Kehle ein Lied. Meine Mutter applaudierte, sprang auf und umarmte mich. Ich trug ein herrliches Kleid aus schimmerndem Stoff, leicht und zart. Ich fühlte mich schön, stark, heil.

Als ich aufwachte, war es immer noch dunkel. Der Wecker tickte monoton. Er war das einzige Zeichen, dass die Zeit nicht stehengeblieben war. Es blieb dunkel – den ganzen Tag über.

Der Täter kam nicht am Abend, und er kam auch nicht am nächsten Morgen. Ich hatte Hunger, mein Magen knurrte, langsam bekam ich Krämpfe. Ich hatte etwas Wasser im Verlies, das war alles. Aber das Trinken half nicht mehr. Ich konnte an nichts anderes mehr denken als an Essen. Ich hätte alles getan für ein Stück Brot.

Im Laufe des Tages verlor ich zunehmend die Kontrolle über meinen Körper, über meine Gedanken. Die Schmerzen in meinem Bauch, die Schwäche, die Gewissheit, dass ich den Bogen überspannt hatte und er mich nun elendig verrecken lassen würde. Ich fühlte mich wie an Bord der sinkenden Titanic. Das Licht war schon ausgefallen, das Schiff neigte sich langsam, aber unaufhaltsam zur Seite. Es gab kein Entrinnen mehr, ich spürte, wie das kalte, dunkle Wasser höher stieg. Ich spürte es an den Beinen, am Rücken, es schwappte mir über die Arme, umschloss meinen Brustkorb. Höher, immer höher … Da! Ein gleißender Lichtstrahl blendete mein Gesicht, ich hörte, wie etwas mit einem dumpfen Geräusch auf den Boden fiel. Dann eine Stimme: »Da hast du was.« Dann fiel eine Tür ins Schloss. Es war wieder stockfinster.

Benommen hob ich den Kopf. Ich war schweißgebadet und wusste nicht, wo ich war. Das Wasser, das mich in die Tiefe ziehen wollte, war weg. Aber alles schwankte. Ich schwankte. Und unter mir war nichts, ein schwarzes Nichts, das meine Hand immer wieder ins Leere greifen ließ. Ich weiß nicht, wie lange ich in dieser Vorstellung gefangen war, bis ich realisierte, dass ich in meinem Hochbett im Verlies lag. Es kam mir wie eine Ewigkeit vor, bis ich die Kraft hatte, nach der Leiter zu tasten, und rückwärts hinunterkletterte, Sprosse für Sprosse. Als ich am Boden angelangt war, kroch ich auf allen vieren vorwärts. Meine Hand stieß an einen kleinen Sack aus Plastik. Ich riss ihn gierig und mit zitternden Fingern auf, so ungeschickt, dass der Inhalt herausfiel und über den Boden rollte. Ich tastete panisch umher, bis ich etwas Längliches, Kühles unter meinen Fingern spürte. Eine Karotte? Ich wischte das Etwas mit der Hand ab und biss hinein. Er hatte mir eine Tüte Karotten ins Verlies geworfen. Auf den Knien rutschte ich über den eiskalten Boden, bis ich alle ertastet hatte. Dann trug ich sie einzeln nach oben in mein Hochbett. Das Hinaufklettern der Leiter erschien mir jedesmal wie die Besteigung eines gewaltigen Berges – aber es brachte meinen Kreislauf in Gang. Schließlich verschlang ich die Karotten, eine nach der anderen. Mein Magen rumpelte laut und krampfte sich zusammen. Die Schmerzen waren entsetzlich.

Erst nach zwei Tagen holte mich der Täter wieder nach oben. Schon auf der Treppe in die Garage musste ich die Augen schließen, so sehr blendete mich die dämmrige Helligkeit. Ich atmete tief ein, in der Gewissheit, wieder einmal überlebt zu haben.

* * *

»Wirst du jetzt brav sein?«, fragte er mich, als wir oben angekommen waren. »Du musst dich bessern, sonst muss ich dich wieder einsperren.« Ich war viel zu schwach, um ihm zu widersprechen. Am nächsten Tag sah ich, dass sich die Haut an der Innenseite meiner Oberschenkel und am Bauch gelb gefärbt hatte. Das Betacarotin der Karotten hatte sich in den letzten winzigen Fettschichten unter meiner durchsichtig weißen Haut abgelagert. Ich wog nur noch 38 Kilo, war 16 Jahre alt und einen Meter siebenundfünfzig groß.

Das tägliche Wiegen war mir in Fleisch und Blut übergegangen, und ich beobachtete, wie sich der Zeiger Tag für Tag nach unten bewegte. Der Täter hatte jedes Maß verloren und hielt mir immer noch vor, ich sei viel zu dick. Und ich glaubte ihm. Heute weiß ich, dass mein Body-Mass-Index damals 14,8 betrug. Die Weltgesundheitsorganisation hat einen Body-Mass-Index von 15 als Schwelle zu einem drohenden Hungertod festgesetzt. Ich lag damals darunter.

Hunger ist eine absolute Grenzerfahrung. Am Anfang fühlt man sich noch gut: Wenn die Nahrungszufuhr abgeschnitten wird, putscht sich der Körper selbst auf. Adrenalin strömt ins System. Man fühlt sich plötzlich besser, voller Energie. Es ist wohl ein Mechanismus, mit dem der Körper signalisieren will: Ich habe noch Reserven, du kannst sie für die Suche nach Nahrung einsetzen. Eingesperrt unter der Erde findet man keine Nahrung, die Adrenalinschübe laufen ins Leere. Dann kommen Magenknurren und das Phantasieren von Essen dazu. Die Gedanken kreisen nur noch um den nächsten Bissen. Später verliert man den Bezug zur Realität, gleitet ab ins Delirium. Man träumt nicht mehr, sondern wechselt einfach die Welt. Man sieht Büffets, große Teller mit Spaghetti, Torten und Kuchen, zum Greifen nah. Eine Fata Morgana. Krämpfe, die den ganzen Körper schütteln, die sich anfühlen, als würde sich der Magen selbst verzehren. Die Schmerzen, die Hunger verursachen kann, sind unerträglich. Man weiß das nicht, wenn man unter Hunger nur leichtes Magenknurren versteht. Ich wünschte, ich hätte diese Krämpfe nie kennengelernt. Schließlich kommt die Schwäche. Man kann kaum mehr den Arm heben, der Kreislauf versagt, und wenn man aufsteht, wird einem schwarz vor Augen und man kippt um.

Mein Körper zeigte deutliche Spuren des Essens- und Lichtentzugs. Ich war nur noch Haut und Knochen, auf den Waden zeichneten sich schwarz-blaue Flecken auf meiner weißen Haut ab. Ich weiß nicht, ob sie vom Hunger oder von den langen Zeiten ohne Licht kamen – doch sie sahen beunruhigend aus, wie Leichenflecken.

Wenn er mich über längere Zeit hungern ließ, päppelte mich der Täter danach langsam wieder auf, bis ich so weit bei Kräften war, dass ich arbeiten konnte. Es dauerte, weil ich nach einer längeren Hungerphase nur löffelweise Nahrung zu mir nehmen konnte. Ich ekelte mich schon vor dem Geruch von Essen, obwohl ich tagelang von nichts anderem phantasiert hatte. Wenn ich ihm dann wieder »zu stark« wurde, begann er erneut mit dem Essensentzug. Priklopil setzte das Hungern ganz gezielt ein: »Du bist viel zu aufmüpfig, du hast zu viel Energie«, sagte er manchmal, bevor er mir den letzten Bissen meiner winzigen Mahlzeiten wegnahm. Zugleich verstärkte sich seine eigene Essstörung, die er auf mich mit übertrug. Seine zwanghaften Versuche, gesund zu essen, nahmen absurde Formen an. »Wir trinken jeden Tag ein Glas Wein als Vorbeugung gegen Herzinfarkt«, verkündete er eines Tages. Ab da musste ich einmal am Tag Rotwein trinken. Es ging nur um ein paar Schlucke, doch der Geschmack ekelte mich an, ich würgte den Wein hinunter wie eine bittere Medizin. Auch er mochte Wein nicht, zwang sich aber, ein kleines Glas zum Essen zu trinken. Es ging ihm nie um Genuss, sondern nur darum, wieder eine neue Regel aufzustellen, die er – und damit auch ich – strikt einzuhalten hatte.

Als Nächstes erklärte er Kohlenhydrate zum Feind: »Wir halten jetzt eine ketogene Diät.« Zucker, Brot, selbst Obst war nun verboten, ich bekam nur noch fette und eiweißreiche Nahrung vorgesetzt. Obwohl nur in winzigen Portionen, vertrug mein ausgezehrter Körper diese Behandlung immer schlechter. Vor allem, wenn ich tagelang ohne Nahrung im Verlies eingesperrt war und, wieder oben, fettes Fleisch und ein Ei bekam. Wenn ich mit dem Täter aß, schlang ich meine Portion, so schnell es ging, hinunter. War ich früher fertig als er, konnte ich vielleicht darauf hoffen, dass er mir noch einen Bissen abgab, denn es war ihm unangenehm, wenn ich ihm beim Essen zusah.

Am schlimmsten war es für mich, wenn ich völlig ausgehungert kochen musste. Eines Tages legte er mir ein Rezept seiner Mutter und eine Packung mit Kabeljaustücken auf die Küchenplatte. Ich schälte die Kartoffeln, bemehlte den Kabeljau, trennte Eier und zog die Fischstücke durch das Eigelb. Dann erhitzte ich ein wenig Öl in einer Pfanne, wälzte den Fisch in Semmelbrösel und briet ihn an. Wie immer saß er in der Küche und kommentierte meine Handgriffe:

»Meine Mutter macht das zehnmal schneller.«

»Du siehst doch, dass das Öl viel zu heiß wird, du dumme Kuh.«

»Schäl nicht so viel von den Kartoffeln ab, das ist Verschwendung.«

Der Duft des gebratenen Fisches zog durch die Küche und machte mich halb wahnsinnig. Ich hob die Stücke aus der Pfanne und ließ sie auf Küchenpapier abtropfen. Das Wasser lief mir im Mund zusammen: Es war genug Fisch für ein wahres Festmahl da. Vielleicht könnte ich zwei Stücke essen? Und noch etwas Kartoffeln dazu?

Ich weiß nicht mehr, was genau ich in diesem Moment falsch machte. Ich weiß nur noch, dass Priklopil plötzlich aufsprang, mir die Platte, die ich gerade auf den Küchentisch stellen wollte, aus der Hand riss und mich barsch anfuhr: »Du bekommst heute gar nichts!«

In diesem Augenblick verlor ich die Fassung. Ich war so hungrig, dass ich für ein Stück Fisch hätte morden können. Mit der Hand griff ich auf die Platte, nahm mir ein Stück Fisch und versuchte, es mir hastig in den Mund zu stopfen. Doch er war schneller und schlug mir den Fisch aus der Hand. Ich versuchte, ein zweites Stück zu schnappen, aber er fing mein Handgelenk ab und drückte so lange zu, bis ich es fallen lassen musste. Ich stürzte mich auf den Boden, um die Reste aufzuklauben, die während unseres Gerangels hinuntergefallen waren. Es gelang mir, einen winzigen Bissen in den Mund zu stecken. Aber sofort fuhr mir seine Hand an die Gurgel, er zog mich hoch, schleppte mich zum Waschbecken und drückte meinen Kopf hinunter. Mit der anderen Hand presste er meine Zähne auseinander und würgte mich so lange, bis der unerlaubte Bissen wieder hochkam. »Das wird dir eine Lehre sein.« Dann nahm er langsam die Platte vom Tisch und brachte sie in den Vorraum. Ich stand zitternd vor der Küchenzeile, gedemütigt und hilflos.

Mit solchen Methoden hielt mich der Täter schwach – und in einer Mischung aus Abhängigkeit und Dankbarkeit gefangen. Man beißt die Hand nicht, die einen füttert. Für mich gab es nur eine einzige Hand, die mich vor dem Hungertod bewahren konnte. Es war die Hand desselben Mannes, der mich systematisch dorthin trieb. So erschienen mir die kleinen Essensrationen manchmal wie großzügige Geschenke. Ich erinnere mich so lebhaft an den Wurstsalat, den seine Mutter am Wochenende ab und an zubereitete, dass er mir noch heute als Delikatesse erscheint. Wenn ich nach zwei oder drei Tagen im Verlies wieder nach oben durfte, gab er mir manchmal ein kleines Schälchen davon. Meistens schwammen nur noch die Zwiebeln und ein paar Tomatenstücke in der Marinade – die Wurst und die hartgekochten Eier fischte er vorher heraus. Aber mir erschienen diese Reste wie ein Festmahl. Wenn er mir einen zusätzlichen Bissen von seinem Teller oder gar ein Stück Kuchen gab, war ich überglücklich. Es ist so einfach, einen Menschen an sich zu binden, den man hungern lässt.

* * *

Am 1. März 2004 begann in Belgien der Prozess gegen den Serienmörder Marc Dutroux. Sein Fall war mir noch aus meiner Kindheit in lebhafter Erinnerung. Ich war acht Jahre alt, als die Polizei im August 1996 sein Haus stürmte und zwei Mädchen befreite – die zwölfjährige Sabine Dardenne und die 14-jährige Laetitia Delhez. Vier weitere Mädchen waren tot aufgefunden worden.

Über Monate verfolgte ich im Radio und im Fernsehen die Nachrichten über den Prozess. Ich erfuhr vom Martyrium Sabine Dardennes und litt mit, als sie im Gerichtssaal dem Täter gegenüberstand. Auch sie war auf dem Schulweg in einen Kastenwagen gezerrt und entführt worden. Das Kellerverlies, in dem sie eingesperrt war, war noch etwas kleiner als meines, und auch ihre Geschichte während der Gefangenschaft war eine andere. Sie hatte tatsächlich den Alptraum erlebt, mit dem der Täter mir gedroht hatte. Auch wenn es gravierende Unterschiede gab: Das Verbrechen, das zwei Jahre vor meiner eigenen Entführung aufgeflogen war, hätte durchaus eine Blaupause für den kranken Plan Wolfgang Priklopils sein können. Beweise dafür gibt es allerdings nicht.

Der Prozess wühlte mich auf, auch wenn ich mich in Sabine Dardenne nicht wiederfand. Sie war nach achtzig Tagen Gefangenschaft befreit worden. Sie war noch wütend und wusste, dass sie im Recht war. Sie nannte den Täter »Monster« und »Dreckskerl« und forderte eine Entschuldigung, die sie damals, vor Gericht, nicht bekam. Sabine Dardennes Gefangenschaft war kurz genug gewesen, um sich nicht selbst zu verlieren. Ich hingegen war zu diesem Zeitpunkt bereits 2200 lange Tage und Nächte gefangen, meine Wahrnehmung hatte sich längst verschoben. Ich wusste intellektuell durchaus, dass ich das Opfer eines Verbrechens war. Aber emotional hatte ich durch den langen Kontakt zum Täter, den ich zum Überleben brauchte, dessen psychopathische Phantasien längst verinnerlicht. Sie waren meine Realität.

Ich lernte zwei Dinge aus diesem Prozess: erstens, dass man Opfern von Gewaltverbrechen nicht immer Glauben schenkt. Die ganze Gesellschaft in Belgien schien davon überzeugt, dass ein großes Netzwerk hinter Marc Dutroux steckte – ein Netzwerk, das sich bis in höchste Kreise zog. Ich hörte im Radio, welchen Schmähungen Sabine Dardenne ausgesetzt war, weil sie diesen Theorien keinen Zündstoff gab, sondern immer darauf bestand, außer Dutroux selbst niemanden gesehen zu haben. Und zweitens, dass Mitleid und Empathie den Opfern nicht unbegrenzt entgegengebracht werden. Sondern schnell in Aggression und Ablehnung übergehen können.

Etwa zur selben Zeit hörte ich zum ersten Mal meinen eigenen Namen im Radio. Ich hatte eine Sachbuchsendung des Kultursenders Ö1 angeschaltet, als ich plötzlich zusammenzuckte: »Natascha Kampusch«. Seit sechs Jahren hatte ich niemanden diesen Namen aussprechen hören. Der einzige Mensch, der ihn hätte sagen können, hatte mir meinen Namen verboten. Der Sprecher im Radio erwähnte ihn im Zusammenhang mit einem neuen Buch von Kurt Totzer und Günther Kallinger. Der Titel lautete: »Spurlos – die spektakulärsten Vermisstenfälle der Interpol«. Die Autoren sprachen über ihre Recherchen – und über mich. Eine mysteriöser Fall, in dem es keine heiße Spur gebe und keine Leiche. Ich saß vor dem Radio und wollte nur noch schreien: Hier bin ich! Ich lebe! Aber es konnte mich niemand hören.

* * *

Nach dieser Sendung erschien mir meine eigene Situation so ausweglos wie noch nie. Ich saß auf meinem Bett und sah plötzlich alles ganz klar vor Augen. Ich konnte nicht mein ganzes Leben so verbringen, das wusste ich. Ich wusste auch, dass ich nicht mehr befreit werden würde, und eine Flucht erschien mir völlig unmöglich. Es gab nur einen Ausweg.

Es war nicht der erste Selbstmordversuch, den ich an jenem Tag unternahm. Einfach zu verschwinden, in ein entferntes Nichts, in dem es keinen Schmerz und keine Gefühle mehr gibt, das hielt ich damals für einen Akt der Selbstermächtigung. Ich hatte ja sonst kaum Verfügungsgewalt über mein Leben, meinen Körper, meine Handlungen. Mir dieses Leben selbst nehmen zu können erschien mir als der letzte Trumpf.

Mit 14 hatte ich mehrere Male erfolglos versucht, mich mit Hilfe von Kleidungsstücken zu strangulieren. Mit 15 wollte ich mir die Pulsadern aufschneiden. Ich hatte mir mit einer großen Nähnadel die Haut aufgeritzt und so lange weitergebohrt, bis ich es nicht mehr aushielt. Mein Arm brannte fast unerträglich, aber gleichzeitig linderte es den inneren Schmerz, den ich empfand. Es ist manchmal leichter, wenn körperlicher Schmerz die seelischen Qualen für kurze Momente übertönt.

Diesmal wollte ich eine andere Methode wählen. Es war einer jener Abende, an denen mich der Täter früh in das Verlies gesperrt hatte, und ich wusste, dass er bis zum nächsten Tag nicht mehr kommen würde. Ich räumte mein Zimmer auf, legte die wenigen T-Shirts ordentlich zusammen und warf einen letzten Blick auf das Flanellkleid, in dem er mich entführt hatte und das nun an einem Haken unter dem Bett hing. In Gedanken verabschiedete ich mich von meiner Mutter. »Verzeih mir, dass ich gehe. Und dass ich wieder ohne ein Wort gehe«, flüsterte ich. Was soll schon passieren?

Dann ging ich langsam zur Kochplatte und schaltete sie an. Als sie zu glühen begann, legte ich leere Klorollen und Papier darauf. Es dauerte einige Zeit, bis das Papier anfing zu rauchen – aber es funktionierte. Ich stieg die Leiter zu meinem Bett hoch und legte mich hin. Das Verlies würde sich mit Rauch füllen, und ich würde ganz sanft wegdämmern, selbstbestimmt, aus einem Leben, das schon lange nicht mehr meines war.

Ich weiß nicht, wie lange ich auf dem Bett lag und auf den Tod wartete. Es schien mir wie die Ewigkeit, auf die ich mich gerade einstellte. Aber vermutlich ging es relativ schnell. Als der beißende Qualm meine Lungen erreichte, atmete ich zunächst ganz tief ein. Doch dann drängte mein verloren geglaubter Überlebenswille mit voller Macht nach oben. Jede Faser meines Körpers war auf Flucht eingestellt. Ich begann zu husten, hielt mir mein Kopfkissen vor den Mund und stürmte die Leiter hinunter. Ich drehte den Wasserhahn auf, hielt Putztücher unter den Wasserstrahl und warf sie auf die schwelenden Kartonrollen auf der Platte. Das Wasser zischte, der beißende Rauch wurde dichter. Hustend und mit tränenden Augen wedelte ich mit meinem Handtuch im Raum herum, um den Rauch zu verteilen. Ich überlegte fieberhaft, wie ich den Versuch, mich durch ein Feuer zu ersticken, vor dem Täter verbergen konnte. Selbstmord, die ultimative Ungehorsamkeit, das schlimmste denkbare Vergehen.

Aber noch am nächsten Morgen roch es wie in einer Räucherkammer. Als Priklopil ins Verlies kam, sog er irritiert die Luft ein. Er zerrte mich aus dem Bett, schüttelte mich und brüllte mich an. Wie ich es wagen könne, mich ihm zu entziehen! Wie ich es wagen könne, sein Vertrauen so zu missbrauchen. In seinem Gesicht spiegelte sich eine Mischung aus grenzenloser Wut und Angst. Der Angst davor, ich könne alles kaputtmachen.

Angst vor dem Leben
Das innere Gefängnis steht

Fausthiebe und Tritte, würgen, kratzen, Handgelenk prellen, abquetschen desselbigen, gegen
Türrahmen gestoßen. Mit Hammer und mit
Fäusten in Magengegend (schwerer Hammer)
geschlagen. Ich habe Blutergüsse auf und am:
rechten Hüftknochen, rechten Ober- (5 mal
1 cm) und Unterarm (ca. 3,5 cm Durchmesser),
am linken und am rechten Oberschenkel außen
(links ca. 9 – 10 cm lang und tiefschwärzlich bis
violett gefärbt, ca. 4 cm breit) sowie an beiden
Schultern. Schürfungen und Kratzschnittwunden
an den Oberschenkeln, der linken Wade.

I want once more in my life some happiness
And survive in the ecstasy of living
I want once more see a smile and a laughing for a while
I want once more the taste of someone's love
Tagebucheintrag, Januar 2006

ICH WAR 17, als mir der Täter eine Videokassette mit dem Film
»Pleasantville« ins Verlies brachte. Er handelt von zwei Ge-
schwistern, die in den 1990er Jahren in den USA aufwachsen.
In der Schule sprechen die Lehrer von düsteren Jobaussichten,
Aids und dem drohenden Weltuntergang durch den Klima-
wandel. Zu Hause streiten die geschiedenen Eltern am Telefon

darüber, wer am Wochenende die Kinder übernehmen soll, und mit den Freunden gibt es auch nur Probleme. Der Junge flüchtet sich in die Welt einer Fernsehserie aus den 1950er Jahren: »Willkommen in Pleasantville! Moral und Anstand. Herzliche Begrüßungen: ›Schatz, ich bin zu Hause!‹ Richtige Ernährung: ›Wollt ihr noch Kekse?‹ Willkommen in der perfekten Welt von Pleasantville. Nur auf TV-Time!« In Pleasantville serviert die Mutter das Essen immer genau in dem Moment, wenn der Vater von der Arbeit nach Hause kommt. Die Kinder sind hübsch gekleidet und treffen beim Basketball immer den Korb. Die Welt besteht nur aus zwei Straßen, und die Feuerwehr hat nur eine einzige Aufgabe: Katzen von Bäumen zu holen – denn Feuer gibt es in Pleasantville nicht.

Nach einem Streit um die Fernbedienung landen die beiden Geschwister plötzlich in Pleasantville. Sie sind an diesem seltsamen Ort gefangen, in dem es keine Farben gibt und die Bewohner nach Regeln leben, die sie nicht nachvollziehen können. Wenn sie sich anpassen, sich in diese Gesellschaft integrieren, kann es sehr schön sein in Pleasantville. Doch als sie gegen Regeln verstoßen, wird aus den freundlichen Bewohnern ein wütender Mob.

Der Film schien mir wie eine Parabel auf das Leben, das ich führte. Für den Täter war die Außenwelt gleichbedeutend mit Sodom und Gomorrha, überall lauerten Gefahren, Schmutz und Laster. Eine Welt, die für ihn der Inbegriff dessen war, woran er scheiterte und von dem er sich – und mich – fernhalten wollte. Unsere Welt hinter den gelben Mauern, das sollte die von Pleasantville sein: »Noch ein paar Kekse?« – »Danke, Schatz.« Eine Illusion, die er immer wieder beschwor in seinem Gerede, dass wir es doch so schön haben könnten. In diesem Haus mit den blank polierten Oberflächen, die zu sehr glänzten, und mit den Möbeln, die an in ihrer Spießigkeit fast erstickten. Aber er arbeitete weiter an der Fassade, investierte in sein, in unser neues Leben, das er im nächsten Augenblick mit den Fäusten traktierte. In »Pleasantville« heißt es in einer Szene: »Nur was ich kenne, ist meine Realität.« Wenn ich heute durch mein Tagebuch blättere, erschrecke ich manchmal, wie gut ich mich in Priklopils Drehbuch mit all seinen Widersprüchlichkeiten eingepasst habe:

Liebes Tagebuch, es ist Zeit, dir mein Herz nun vollkommen und vorbehaltlos mit jedem Schmerz, den es erfahren musste, auszuschütten. Beginnen wir beim Oktober. Ich weiß nicht mehr genau, wie alles war, aber die Sachen, die waren, waren nicht sehr schön. Er hat die Brabant-Tujen eingepflanzt. Sie machen sich ganz gut. Ihm ging es zeitweise nicht gut, und wenn es ihm nicht gut geht, macht er mir das Leben zur Hölle. Immer, wenn er Kopfschmerzen hat und ein Pulver nimmt, bekommt er eine allergische Reaktion, und das bedeutet bei ihm sehr starkes Nasenrinnen. Aber er hat vom Arzt Tropfen zum Schlucken bekommen. Jedenfalls war es sehr schwer. Es kamen immer wieder unangenehme Szenen. Ende Oktober kam dann die neue Schlafzimmereinrichtung mit dem klingenden Namen Esmeralda. Die Decken, Polster und Matratzen kamen etwas früher. Alles selbstverständlich antiallergisch und auskochbar. Als das Bett da war, musste ich ihm helfen, den alten Kasten abzubauen. Das hat circa drei Tage in Anspruch genommen. Wir mussten die Teile zerlegen, die schweren Spiegeltüren rüber ins Arbeitszimmer tragen, die Seitenwände und Einlagebretter trugen wir hinunter. Dann gingen wir in die Garage und packten alle Kästen und einen Teil des Bettes aus. Das Mobiliar besteht aus zwei Nachtkästen mit je zwei Laden und goldenen Messinggriffen, zwei Kommoden, eine schmale hohe mit … (abgebrochen.)

Goldene Messinggriffe, poliert von der perfekten Hausfrau, die nach den Kochrezepten seiner noch perfekteren Mutter das Essen auf den Tisch bringt. Wenn ich alles richtig machte und mich an meine Laufwege zwischen den Kulissen hielt, funktionierte die Illusion für einen Moment. Aber jede Abweichung von diesem Drehbuch, das mir keiner vorher zum Lesen gegeben hatte, wurde drakonisch bestraft. Seine Unberechenbarkeit wurde zu meinem größten Feind. Selbst wenn ich überzeugt war, alles gut gemacht zu haben, selbst wenn ich zu wissen glaubte, welche Requisite in einem Moment gebraucht wurde, war ich nicht vor ihm sicher. Ein Blick, zu lange auf ihn gerichtet, ein Teller auf dem Tisch, der gestern noch der richtige gewesen war, schon rastete er aus.

Etwas später heißt es in meinen Notizen:

Brutale Fausthiebe auf den Kopf, die rechte Schulter, den Bauch, den Rücken und das Gesicht sowie aufs Ohr und aufs Auge. Unkontrollierte, unberechenbare urplötzliche Wutanfälle. Anschreien, Beleidigungen. Stoßen beim Stufensteigen. Würgen, sich auf mich setzen und den Mund und die Nase zuhalten, ersticken. Auf meine Armgelenke setzen, auf meinen Armknöcheln knien, meine Arme mit den Fäusten abwürgen. An den Unterarmen habe ich fingerförmige Blutergüsse und eine Kratz- und Schürfwunde am linken Unterarm. Er setzte sich auf meinen Kopf oder schlug, auf meinem Rumpf kniend, meinen Kopf mit voller Wucht auf den Boden. Dies mehrmals und mit aller Kraft, so dass ich Kopfweh und Übelkeit verspürte. Dann unkontrollierter Fausthiebregen, mit Gegenständen werfen und brutal gegen das Nachtkasterl schlagen. (…)

Das Nachtkasterl mit den Messinggriffen.

Dann wieder gestattete er mir Dinge, die mir die Illusion vermittelten, es ginge um mich. Er erlaubte mir zum Beispiel, die Haare wieder wachsen zu lassen. Aber auch das war nur Teil der Inszenierung. Denn ich musste sie wasserstoffblond färben, um seinem Idealbild von einer Frau zu entsprechen: folgsam, arbeitsam, blond.

Ich verbrachte immer mehr Zeit oben im Haus, verwendete Stunden darauf, Staub zu wischen, aufzuräumen und zu kochen. Nach wie vor ließ er mich keine Sekunde allein. Sein Wunsch, mich völlig zu kontrollieren, ging so weit, dass er selbst die Klotüren im Haus aushängte: Nicht einmal für zwei Minuten sollte ich mich seinem Blick entziehen können. Seine dauernde Anwesenheit trieb mich zur Verzweiflung.

Aber auch er war ein Gefangener seines eigenen Drehbuchs. Wenn er mich ins Verlies sperrte, musste er mich versorgen. Wenn er mich ins Haus holte, war er jede Minute damit beschäftigt, mich zu kontrollieren. Die Mittel waren immer die gleichen. Doch der Druck auf ihn wurde stärker. Was, wenn auch hundert Schläge nicht mehr ausreichten, mich am Boden zu halten? Dann würde er auch in seinem Pleasantville scheitern. Und es gäbe kein Zurück mehr.

* * *

Priklopil war dieses Risiko bewusst. Deshalb tat er alles dafür, mir vor Augen zu führen, was mir drohte, sollte ich es wagen, seine Welt zu verlassen. Ich erinnere mich an eine Szene, in der er mich so demütigte, dass ich fluchtartig ins Haus zurückstürzte.

Eines Nachmittags arbeitete ich oben und bat ihn, ein Fenster zu öffnen – ich wollte einfach ein bisschen mehr Luft, eine Ahnung vom Vogelgezwitscher draußen. Der Täter fuhr mich an: »Das willst du doch nur, weil du schreien und weglaufen willst.«

Ich beschwor ihn, mir zu glauben, dass ich nicht fliehen würde: »Ich bleibe, ich verspreche es. Ich werde niemals weglaufen.«

Er blickte mich zweifelnd an, dann packte er mich am Oberarm und schleppte mich zur Haustür. Es war helllichter Tag, die Straße war menschenleer, trotzdem war sein Manöver riskant. Er öffnete die Tür und schubste mich hinaus, ohne den festen Griff an meinem Arm zu lockern. »Jetzt lauf doch! Geh nur! Schau doch, wie weit du kommst, so wie du aussiehst!«

Ich war starr vor Schreck und Scham. Ich hatte kaum etwas an und versuchte, mit meiner freien Hand notdürftig meinen Körper zu bedecken. Die Scham darüber, dass mich ein Fremder in meiner ganzen Magerkeit, mit all den Blutergüssen und den kurzen Stoppelhaaren auf dem Kopf sehen könnte, war größer als die leise Hoffnung, dass jemand diese Szene beobachten und sich darüber wundern könnte.

Er hat das ein paar Mal gemacht – mich nackt vor die Haustüre gestoßen und gesagt: »Lauf doch. Schau doch, wie weit du kommst.« Mit jedem Mal wurde die Welt draußen bedrohlicher. Ich geriet in einen massiven Konflikt zwischen meiner Sehnsucht, diese Außenwelt kennenzulernen, und der Angst vor diesem Schritt. Ich hatte über Monate darum gebettelt, kurz ins Freie zu dürfen, und immer wieder bekam ich zu hören: »Was willst du denn, du versäumst nichts, draußen ist es genauso wie hier drinnen. Außerdem schreist du, wenn du draußen bist, und dann muss ich dich umbringen.«

Er wiederum schwankte zwischen krankhafter Paranoia, Furcht vor der Entdeckung seines Verbrechens und den Vorstellungen von einem normalen Leben, in dem es zwangsläufig Ausflüge in die Außenwelt geben musste. Es war wie ein Teufelskreis, und je mehr er sich von seinen eigenen Gedanken in die Ecke gedrängt fühlte, umso aggressiver wandte er sich gegen mich. Wie schon früher setzte er dabei auf eine Mischung von physischer und psychischer Gewalt. Er trampelte erbarmungslos auf den letzten Resten meines Selbstbewusstseins herum und trichterte mir immer wieder die gleichen Sätze ein. »Du bist nichts wert, du musst mir dankbar sein, dass ich mich deiner angenommen habe. Niemand würde dich sonst wollen.« Er erzählte mir, dass meine Eltern im Gefängnis seien und niemand mehr in der alten Wohnung wäre. »Wohin willst du denn schon, wenn du wegläufst? Niemand will dich dort draußen haben. Du würdest reumütig zu mir zurückkriechen.« Und er erinnerte mich eindringlich daran, dass er jeden umbringen würde, der zufällig Zeuge eines Fluchtversuchs werden würde. Die ersten Opfer, erklärte er mir, seien wahrscheinlich die Nachbarn. Und dafür wolle ich doch sicher nicht die Verantwortung übernehmen, oder?

Er meinte seine Verwandten im Haus nebenan. Seit ich ab und zu in ihrem Pool geschwommen war, fühlte ich mich ihnen auf eine eigenartige Weise verbunden. Als wären sie es gewesen, die mir diese kleine Flucht aus dem Alltag im Haus ermöglicht hätten. Ich habe sie nie gesehen, aber am Abend, wenn ich oben im Haus war, hörte ich manchmal, wie sie ihre Katzen riefen. Die Stimmen klangen freundlich und besorgt. Nach Menschen, die sich liebevoll um die kümmern, die von ihnen abhängig sind. Priklopil versuchte, den Kontakt zu ihnen weitgehend zu minimieren. Sie brachten ihm manchmal einen Kuchen vorbei oder eine Kleinigkeit mit von einer Reise. Einmal war ich im Haus, als sie läuteten, und musste mich rasch in der Garage verstecken. Ich hörte ihre Stimmen, während sie mit dem Täter vor der Tür standen und ihm irgendetwas Selbstgemachtes übergaben. Er warf solche Sachen immer sofort weg – in seinem Hygienewahn hätte er niemals ein Stück davon gegessen, weil es ihn davor ekelte.

* * *

Als er mich zum ersten Mal nach draußen mitnahm, spürte ich keine Befreiung. Ich hatte mich so sehr darauf gefreut, mein Gefängnis endlich verlassen zu dürfen. Doch nun saß ich auf dem Beifahrersitz und war gelähmt vor Angst. Der Täter hatte mir genau eingeschärft, was ich sagen musste, wenn mich jemand erkannte: »Du musst erst tun, als wüsstest du nicht, wovon die Rede ist. Wenn das nichts hilft, sagst du: Nein, das ist eine Verwechslung. Und wenn dich jemand fragt, wer du bist, sagst du, du bist meine Nichte.« Natascha gab es schon lange nicht mehr. Dann ließ er den Wagen an und rollte aus der Garage.

Wir fuhren die Heinestraße in Strasshof entlang: Vorgärten, Hecken, dahinter Einfamilienhäuser. Die Straße war menschenleer. Mir klopfte das Herz bis zum Hals. Das erste Mal seit über sieben Jahren hatte ich das Haus des Täters verlassen. Ich fuhr durch eine Welt, die ich nur noch aus meiner Erinnerung kannte und von kurzen Videofilmen, die der Täter vor Jahren für mich gedreht hatte. Kleine Schnipsel, die Strasshof zeigten, ganz selten ein paar Menschen. Als er in die Hauptstraße einbog und sich in den Verkehr reihte, sah ich aus den Augenwinkeln einen Mann den Gehsteig entlanggehen. Er lief seltsam monoton, kein Innehalten, keine überraschende Bewegung, wie ein Spielzeugmännchen, das man am Rücken mit einer großen Flügelschraube aufgezogen hat.

Alles, was ich sah, wirkte unecht. Und wie schon beim ersten Mal, als ich mit zwölf Jahren nachts im Garten stand, erfassten mich Zweifel an der Existenz all dieser Menschen, die sich so selbstverständlich und unbeeindruckt durch eine Umgebung bewegten, die ich zwar kannte, die mir aber völlig fremd geworden war. Das helle Licht, in das alles getaucht war, wirkte, als käme es von einem riesigen Scheinwerfer. Ich war mir in diesem Moment sicher, dass der Täter das alles arrangiert hatte. Das war sein Filmset, seine große Truman-Show, die Leute waren alle Statisten, alles war nur inszeniert, um mir vorzugaukeln, dass ich draußen war. Während ich in Wirklichkeit nur in einer erweiterten Zelle gefangen blieb. Dass es mein eigenes, psychisches Gefängnis war, in dem ich steckte, habe ich erst später begriffen.

Wir verließen Strasshof, fuhren eine Weile über Land und hielten in einem kleinen Wald. Ich durfte kurz aus dem Auto aussteigen. Die Luft roch würzig nach Holz, und unter mir huschten Sonnenflecken über die trockenen Föhrennadeln. Ich ging in die Knie und legte vorsichtig eine Hand auf den Boden. Die Nadeln pieksten und hinterließen rote Pünktchen auf meinem Handballen. Ich ging ein paar Schritte zu einem Baum und legte die Stirn an die Rinde. Die rissige Borke war warm von der Sonne und verströmte einen intensiven Geruch nach Harz. Genauso wie die Bäume meiner Kindheit.

Auf dem Rückweg sagte keiner von uns ein Wort. Als der Täter mich in der Garage aus dem Auto ließ und mich ins Verlies sperrte, fühlte ich eine tiefe Traurigkeit in mir hochsteigen. Ich hatte mich so lange auf die Welt draußen gefreut, hatte mir in den schönsten Farben ausgemalt, wie sie sich anfühlen würde. Und nun bewegte ich mich durch sie wie durch eine Scheinwelt. Meine Realität war die Birkentapete in der Küche, das war die Umgebung, in der ich wusste, wie ich mich zu bewegen hatte. Hier draußen stolperte ich herum wie im falschen Film.

* * *

Dieser Eindruck legte sich langsam, als ich das nächste Mal rausdurfte. Der Täter war durch meine demütige, schreckhafte Haltung bei meinen ersten Gehversuchen außerhalb des Hauses mutiger geworden. Schon einige Tage später nahm er mich in den Drogeriemarkt des Ortes mit. Er hatte mir versprochen, dass ich mir dort etwas Schönes aussuchen durfte. Der Täter parkte das Auto vor dem Geschäft und zischte mir noch einmal zu: »Kein Wort. Sonst sterben alle da drin.« Dann stieg er aus, ging um den Wagen herum und hielt mir die Tür auf.

Ich ging vor ihm in das Geschäft hinein. Ich hörte ihn dicht hinter mir leise atmen und stellte mir vor, wie er die Hand in der Jackentasche um eine Pistole schloss, um alle zu erschießen, wenn ich nur eine einzige falsche Bewegung machte. Aber ich würde brav sein. Ich würde niemanden gefährden, ich würde nicht fliehen, ich wollte nichts als einen kleinen Schnipsel des Lebens erhaschen, das für andere Mädchen in meinem Alter selbstverständlich war: in einem Drogeriemarkt durch die Kosmetikabteilung zu gehen. Ich durfte mich zwar nicht schminken – der Täter gestattete mir ja nicht einmal normale Kleidung –, aber ein Zugeständnis hatte ich ihm abringen können. Zwei Artikel, die zu einem normalen Teenagerleben gehörten, durfte ich mir aussuchen. Wimperntusche war nach meiner Vorstellung ein unbedingtes Muss. Das hatte ich in den Mädchenzeitschriften gelesen, die er mir ab und zu ins Verlies brachte. Ich hatte die Seiten mit den Schminktipps wieder und wieder angesehen und mir dabei vorgestellt, wie ich mich selbst für meinen ersten Besuch in der Disco schönmachen würde. Lachend und prustend mit meinen Freundinnen vor dem Spiegel, erst in die eine Bluse schlüpfen, dann doch in die andere, sitzen die Haare? Kommt, wir müssen los!

Und da stand ich nun zwischen den langen Regalen mit unzähligen Fläschchen und Döschen, die ich nicht kannte, die mich magisch anzogen, aber gleichzeitig verunsicherten. Es waren so viele Eindrücke, ich wusste nicht wohin und hatte Angst, ich könnte etwas herunterwerfen.

»Los! Beeil dich!«, hörte ich die Stimme hinter mir. Ich nahm hastig ein Röhrchen mit Wimperntusche, dann suchte ich mir aus einem kleinen Holzregal mit Aromaölen ein Fläschchen Minzöl aus. Ich wollte es offen in mein Verlies stellen, in der Hoffnung, es würde den schimmligen Geruch überdecken. Die ganze Zeit über blieb der Täter dicht hinter mir. Es machte mich nervös, ich kam mir vor wie eine Verbrecherin, die noch nicht erkannt worden war, aber jederzeit auffliegen konnte. Ich bemühte mich, so kontrolliert wie möglich zur Kasse zu gehen. Eine dickliche Frau saß dahinter, wohl um die fünfzig Jahre alt, die grauen Locken etwas schief gewickelt. Als sie mich freundlich mit »Grüß Gott!« ansprach, zuckte ich zusammen. Es war das erste Wort, das ein Fremder seit über sieben Jahren an mich gerichtet hatte. Das letzte Mal, als ich mit jemand anderem als mit mir selbst oder dem Täter gesprochen hatte, war ich noch ein kleines, pummeliges Kind gewesen. Nun grüßte mich die Kassiererin wie eine echte, erwachsene Kundin. Sie sprach mich mit »Sie« an und lächelte, während ich stumm die beiden Artikel auf das Band legte. Ich war dieser Frau so dankbar, dass sie mich wahrnahm, dass ich tatsächlich existierte. Ich hätte stundenlang an der Kasse stehen bleiben können, einfach nur, um die Nähe eines anderen Menschen zu spüren. Sie um Hilfe zu bitten kam mir nicht in den Sinn. Der Täter stand, wie ich dachte bewaffnet, nur Zentimeter neben mir. Ich hätte diese Frau, die mir für einen kurzen Augenblick das Gefühl gegeben hatte, dass ich tatsächlich lebte, niemals in Gefahr gebracht.

* * *

In den nächsten Tagen nahmen die Misshandlungen wieder zu. Immer wieder sperrte mich der Täter wütend ein, immer wieder lag ich mit blauen Flecken auf meinem Bett und kämpfte mit mir selbst. Ich durfte mich nicht in meine Schmerzen fallen lassen. Ich durfte mich nicht aufgeben. Ich durfte dem Gedanken, dass diese Gefangenschaft das Beste war, was mir in meinem Leben widerfahren würde, keinen Raum geben. Ich musste mir immer wieder sagen, dass es kein Glück war, beim Täter leben zu dürfen, so wie er mir das immer wieder eingeredet hatte. Seine Sätze hatten sich um mich gelegt wie Fuß-angeln. Wenn ich vor Schmerzen gekrümmt im Dunkeln lag, wusste ich, dass er unrecht hatte. Aber das menschliche Gehirn verdrängt Verletzungen schnell. Schon am nächsten Tag gab ich mich allzu gerne wieder der Illusion hin, dass das alles nicht so schlimm sei, und glaubte seinen Beschwörungen.

Aber wenn ich jemals aus meinem Verlies herauskommen wollte, musste ich diese Fußangeln loswerden.

I want once more in my life some happiness
And survive in the ecstasy of living
I want once more see a smile and a laughing for a while
I want once more the taste of someone's love

Damals begann ich, mir selbst kleine Botschaften zu schreiben. Wenn man etwas schwarz auf weiß vor sich sieht, werden die Dinge greifbarer. Sie sind auf einer Ebene, der sich der Kopf schwerer entziehen kann, Wirklichkeit geworden. Ich notierte von nun an jede Misshandlung, nüchtern und ohne Emotio-nen. Ich habe diese Aufzeichnungen heute noch. Manches ist in einem einfachen Schülerblock im Format A5 eingetragen, in akkurater Schönschrift. Anderes habe ich auf ein grünes A4-Blatt geschrieben, die Zeilen dichtgedrängt. Damals wie heute erfüllen diese Notizen den gleichen Zweck. Denn selbst im Nachhinein sind mir die kleinen positiven Erlebnisse während meiner Gefangenschaft präsenter als die unglaubliche Grau-samkeit, der ich jahrelang ausgesetzt war.

20. 8. 2005 Wolfgang schlug mich mindestens drei Mal ins Gesicht, stieß mir ca. 4 Mal das Knie ins Steißbein und einmal gegen das Schambein. Er zwang mich, vor ihm niederzuknien und bohrte mir einen Schlüsselbund in den linken Ellenbogen, wovon ich einen Blut-erguss und eine Schürfwunde mit gelblichem Ausflusssekret davontrug.

Dann kommt noch Anschreien und Quälen dazu. Sechs Fausthiebe auf den Kopf.

21. 8. 2005 Morgens anbrummen. Beschimpfungen ohne Grund. Dann Schläge und übers Knie legen. Tritte und Puffe. Sieben Schläge ins Gesicht, ein Fausthieb auf den Kopf. Beschimpfungen und Schläge ins Gesicht, ein Fausthieb auf den Kopf. Beschimpfungen und Schläge, nur Frühstück ohne Müsli. Dann Dunkelhaft bei mir unten / ohne Aussprache / blöde ausspielerische Sprüche. Und einmal mit dem Finger kratzen am Zahnfleisch. Kinndrücken und Halswürgen.

22. 8. 2005 Fausthiebe auf den Kopf.

23. 8. 2005 Mindestens 60 Schläge ins Gesicht. 10−15 schwere Übelkeit verursachende Schläge mit der Faust auf den Kopf, vier Schläge mit der flachen brutalen Hand auf den Kopf, ein Fausthieb mit voller Wucht auf mein rechtes Ohr und Kiefer. Das Ohr färbt sich schwärzlich. Würgen, schweren Uppercut, dass der Kiefer knirschte, Knietritte ca. 70 Stück, vorwiegend ins Steißbein und auf den Po. Fausthiebe ins Kreuz und auf das Rückgrat, die Rippenbögen und zwischen die Brüste. Schläge mit dem Besen auf den linken Ellenbogen und den Oberarm (schwärzlich-brauner Bluterguss), sowie das linke Handgelenk. Vier Schläge ins Auge, so dass ich blaue Blitze sah. Uvm.

24. 8. 2005 Brutale Tritte mit dem Knie in Bauch und Genitalbereich (wollte mich zum Knien bringen). Sowie auf die untere Wirbelsäule. Schläge mit der Handfläche ins Gesicht, ein brutaler Fausthieb auf mein rechtes Ohr (schwarzblaue Verfärbung). Dann Dunkelhaft ohne Luft und Essen.

25. 8. 2005 Fausthiebe auf meine Hüftknochen und mein Brustbein. Dann vollkommen gemeine Beleidigungen. Dunkelhaft. Ich hatte den ganzen Tag nur sieben rohe Karotten und ein Glas Milch.

26. 8. 2005 Brutale Schläge mit der Faust auf die Vorderseite meiner Oberschenkel und auf meinen Po (Knöchel). Sowie schallende, brennende rote Pusteln zurücklassende Schläge auf Po, Rücken, seitlichen Oberschenkel, rechte Schulter und Achsel sowie Busen.

Der Horror einer einzigen Woche, von denen es unzählige gab. Manchmal war es so schlimm, dass ich so zitterte, dass ich den Stift nicht mehr halten konnte. Ich kroch wimmernd ins Bett, voller Angst, dass die Bilder des Tages mich auch in der Nacht einholen würden. Dann sprach ich mit meinem zweiten Ich, das auf mich wartete, das mich an der Hand nehmen würde, egal, was noch passieren würde. Ich stellte mir vor, dass es mich durch den dreiteiligen Spiegel, der inzwischen über dem Waschbecken in meinem Verlies hing, sehen könnte. Wenn ich nur lange genug hineinblickte, würde sich mein starkes Ich in meinem Gesicht spiegeln.

* * *

Das nächste Mal, das hatte ich mir fest vorgenommen, würde ich die ausgestreckte Hand nicht loslassen. Ich würde die Kraft haben, jemanden um Hilfe zu bitten.

Eines Morgens gab mir der Täter Jeans und ein T-Shirt. Er wollte, dass ich ihn in den Baumarkt begleite. Mein Mut sank bereits, als wir auf die Zufahrtsstraße nach Wien bogen. Wenn er diese Straße weiterfuhr, würden wir in meine alte Wohngegend kommen. Es war derselbe Weg, den ich am 2. März 1998 in umgekehrter Richtung zurückgelegt hatte – am Boden des Laderaums kauernd. Damals hatte ich Angst davor zu sterben. Jetzt war ich 17, saß auf dem Vordersitz und hatte Angst vor dem Leben.

Wir fuhren durch Süßenbrunn, ein paar Straßen vorbei am Haus meiner Großmutter. Mich überfiel eine tiefe Sehnsucht nach dem Mädchen, das hier die Wochenenden bei seiner Großmutter verbracht hatte. Es schien mir unwiederbringlich verloren, aus einem fernen Jahrhundert. Ich sah die vertrauten Gassen, die Häuser, die Pflastersteine, auf denen ich Himmel und Hölle gespielt hatte. Aber ich gehörte nicht mehr dazu.

»Senk den Blick«, herrschte mich Priklopil von der Seite an. Ich gehorchte sofort. Die Nähe zu den Orten meiner Kindheit schnürte mir den Hals zu, ich kämpfte mit den Tränen. Irgendwo da, rechts von uns, ging es in den Rennbahnweg. Irgendwo da rechts in der großen Siedlung saß vielleicht meine Mutter gerade am Küchentisch. Sie dachte inzwischen sicher, dass ich tot sei, dabei fuhr ich gerade einmal ein paar hundert Meter an ihr vorbei. Ich fühlte mich wie erschlagen und sehr viel weiter weg als die paar Straßen, die tatsächlich zwischen uns lagen.

Der Eindruck verstärkte sich noch, als der Täter auf den Parkplatz des Baumarktes einbog. Hunderte Male hat meine Mutter an dieser Ecke mit dem Auto an der roten Ampel gewartet, um rechts abzubiegen. Denn dort lag die Wohnung meiner Schwester. Heute weiß ich, dass Waltraud Priklopil, die Mutter des Täters, ebenfalls nur wenige Hundert Meter weiter wohnte.

Der Parkplatz des Baumarkts war voller Menschen. Ein paar hatten sich in eine Schlange vor einem Würstelstand am Eingang eingereiht. Andere schoben ihre vollen Einkaufswagen zum Auto. Arbeiter mit fleckigen blauen Hosen trugen Holzlatten über den Parkplatz. Meine Nerven waren zum Zerreißen gespannt. Ich starrte aus dem Fenster. Irgendeiner dieser vielen Menschen musste mich doch sehen, musste doch merken, dass hier etwas nicht stimmte. Der Täter schien meine Gedanken zu ahnen: »Du bleibst sitzen. Du steigst erst aus, wenn ich es dir sage. Und dann bleibst du dicht vor mir und gehst langsam zum Eingang. Ich will keinen Ton hören!«

Ich ging vor ihm in den Baumarkt hinein. Er dirigierte mich mit sanftem Druck, eine Hand auf meiner Schulter. Ich konnte seine Nervosität spüren, die Fasern seiner Finger zuckten.

Ich ließ meinen Blick durch den langen Gang vor mir schweifen. Männer in Arbeitskleidung standen vor den Regalen, in Gruppen oder allein, mit Listen in der Hand geschäftig in ihre Besorgungen vertieft. Wen von ihnen sollte ich ansprechen? Und was sollte ich überhaupt sagen? Ich musterte jeden, der im Gang stand, aus den Augenwinkeln. Doch je länger ich sie ansah, umso mehr verzerrten sich die Gesichter der Menschen zu Fratzen. Sie erschienen mir plötzlich feindselig und unfreundlich. Grobschlächtige Menschen, mit sich selbst beschäftigt und blind für ihre Umwelt. Meine Gedanken rasten. Es kam mir mit einem Mal völlig absurd vor, jemanden um Hilfe zu bitten. Wer würde mir schon glauben – einem mageren, verwirrten Teenager, der kaum seine eigene Stimme benutzen konnte? Was würde geschehen, wenn ich mich an einen dieser Männer wenden würde mit dem Satz: »Bitte helfen Sie mir?«

»Das hat meine Nichte öfter, die Ärmste, sie ist leider verwirrt – sie braucht ihre Medikamente«, würde Priklopil wohl sagen, und rundherum würde man verständnisvoll nicken, wenn er mich am Oberarm packen und aus dem Baumarkt zerren würde. Für einen Moment hätte ich in irrsinniges Gelächter ausbrechen können. Der Täter würde überhaupt niemanden umbringen müssen, um sein Verbrechen zu decken! Alles hier spielte ihm perfekt in die Hände. Niemand interessierte sich für mich. Niemand würde auf die Idee kommen, dass es die Wahrheit war, wenn ich sagte: »Helfen Sie mir, ich wurde entführt.« Versteckte Kamera, haha, gleich kommt der Moderator mit Pappnase hinter den Regalen hervor und löst die Sache auf. Oder eben der nette Onkel hinter dem komischen Mädchen. Stimmen schrillten wirr durch meinen

Kopf: Ach Gott, der ist ja auch wirklich zu bedauern, ein Kreuz ist das mit so einer … Aber nett, wie er sich um sie kümmert.

»Kann ich Ihnen helfen?« Der Satz donnerte wie Hohn in meinen Ohren. Ich brauchte einen Moment, bis ich realisierte, dass er nicht aus dem Stimmengewirr in meinem Kopf kam. Ein Verkäufer der Sanitärabteilung stand vor uns. »Kann ich Ihnen helfen?«, wiederholte er seine Frage. Sein Blick schweifte kurz über mich hinweg und blieb hinter mir am Täter hängen. Wie ahnungslos dieser freundliche Mann doch war! Ja, Sie können mir helfen! Bitte! Ich begann zu zittern, auf meinem T-Shirt bildeten sich Schweißflecken. Mir war schlecht, mein Gehirn gehorchte mir nicht mehr. Was hatte ich noch sagen wollen?

»Danke, wir kommen zurecht«, hörte ich eine Stimme hinter mir. Dann schraubte sich eine Hand um meinen Arm. Danke, wir kommen zurecht. Und falls wir uns nicht mehr sehen sollten: Guten Tag. Guten Abend. Gute Nacht. Wie in der Truman-Show.

Wie in Trance schleppte ich mich durch den Baumarkt. Vorbei, vorbei. Ich hatte meine Chance vertan – vielleicht hatte ich auch nie eine gehabt. Ich fühlte mich wie in einer durchsichtigen Blase gefangen, meine Arme und Beine strampeln, versinken in einer gallertartigen Masse, aber können die Haut nicht durchstoßen. Ich taumelte durch die Gänge und sah überall Menschen: Aber ich gehörte nicht länger zu ihnen. Ich hatte keine Rechte mehr. Ich war unsichtbar.

* * *

Nach diesem Erlebnis war mir klar, dass ich nicht um Hilfe bitten konnte. Was wussten die Menschen hier draußen schon von der abstrusen Welt, in der ich gefangen war – und wer war ich, dass ich sie da hineinziehen durfte? Was konnte dieser freundliche Verkäufer schon dafür, dass ich ausgerechnet in seinem Geschäft aufgetaucht war? Welches Recht hatte ich, ihn der Gefahr auszusetzen, dass Priklopil durchdrehte? Seine Stimme hatte zwar neutral geklungen und seine Nervosität nichts verraten. Doch ich hatte fast hören können, wie sein Herz in seinem Brustkorb raste. Dann sein Griff um meinen Arm, sein Blick, der mich auf unserem weiteren Weg durch den Baumarkt von hinten durchbohrte. Die Drohung, Amok zu laufen. Dazu meine eigene Schwäche, mein Unvermögen, mein Versagen.

In dieser Nacht lag ich lange wach. Ich musste an meinen Vertrag mit meinem zweiten Ich denken. Ich war 17, der Zeitpunkt, an dem ich diesen Vertrag hatte einlösen wollen, rückte immer näher. Der Vorfall im Baumarkt hatte mir gezeigt, dass ich es allein schaffen musste. Gleichzeitig spürte ich, dass meine Kraft schwand und ich immer tiefer in die paranoide, seltsame Welt rutschte, die der Täter für mich gebaut hatte. Aber wie sollte mein verzagtes, angstvolles Ich zu dem starken Ich werden, das mich an der Hand nehmen und aus dem Gefängnis führen würde? Ich wusste es nicht. Das Einzige, was ich wusste, war, dass ich unendlich viel Kraft und Selbstdisziplin brauchen würde. Woher auch immer ich sie nehmen sollte.

* * *

Was mir damals half, waren tatsächlich die Selbstgespräche mit meinem zweiten Ich und meine Notizen. Ich hatte eine zweite Serie von Zetteln begonnen; nun hielt ich nicht nur die Misshandlungen fest, sondern versuchte, mir schriftlich Mut zu machen. Durchhalteparolen, die ich hervorkramte, wenn ich am Boden war, und die ich mir dann laut vorlas. Manchmal war das eher wie das Pfeifen im dunklen Wald, aber es funktionierte.

Nicht unterkriegen lassen, wenn er sagt, du bist zu blöd für alles.
Nicht unterkriegen lassen, wenn er dich schlägt.
Nichts darauf geben, wenn er sagt, du bist unfähig.
Nichts darauf geben, wenn er sagt, du kannst ohne ihn nicht leben.
Nicht reagieren, wenn er dir das Licht abdreht.
Ihm alles verzeihen und nicht weiter böse sein.
Stärker sein.
Nicht aufgeben.
Niemals, niemals aufgeben.

Nicht unterkriegen lassen, niemals aufgeben. Aber das war einfacher gesagt als getan. So lange waren all meine Gedanken darauf konzentriert gewesen, aus diesem Keller, aus diesem Haus herauszukommen. Nun war das gelungen. Und nichts hatte sich geändert. Ich war draußen genauso gefangen wie drinnen. Die äußeren Mauern schienen durchlässiger geworden, meine innere war betoniert wie nie. Hinzu kam, dass unsere »Ausflüge« Wolfgang Priklopil an den Rand der Panik brachten. Hin- und hergerissen zwischen seinem Traum von einem normalen Leben und der Furcht davor, ich könne es durch einen Fluchtversuch oder mein Verhalten allgemein zerstören, wurde er immer fahriger und unkontrollierter. Auch wenn er mich sicher verwahrt im Haus wusste. Seine Wutausbrüche wurden häufiger, natürlich gab er mir die Schuld daran und verfiel in einen regelrechten paranoiden Wahn. Er ließ sich auch durch mein zaghaftes, ängstliches Verhalten in der Öffentlichkeit nicht beruhigen. Ich weiß nicht, ob er mir insgeheim unterstellte, ich würde ihm die Verunsicherung nur vorspielen. Wie unfähig ich zu einer solchen Inszenierung gewesen wäre, zeigte mir ein weiterer Ausflug nach Wien, der meine Gefangenschaft eigentlich hätte beenden müssen.

Wir fuhren gerade auf der Brünnerstraße, als der Verkehr ins

Stocken geriet. Eine Polizeikontrolle. Ich sah den Wagen und die Uniformierten, die die Autos herauswinkten, schon von weitem. Priklopil sog scharf Luft ein. Er veränderte seine Sitzposition nicht um einen Millimeter, doch ich beobachtete, wie sich seine Hände um das Lenkrad krampften, bis die Fingerknöchel weiß hervortraten. Äußerlich war er ganz ruhig, als er den Wagen am Straßenrand stoppte und das Fenster öffnete. »Führerschein und Fahrzeugpapiere bitte!« Ich hob vorsichtig den Kopf. Das Gesicht des Polizisten wirkte überraschend jung, sein Ton war bestimmt, aber freundlich. Priklopil kramte nach den Papieren, während der Polizist ihn musterte. Sein Blick streifte mich nur kurz. In meinem Kopf formte sich ein Wort, das ich wie in einer großen Sprechblase in der Luft schweben sah: HILFE! Ich hatte es so deutlich vor Augen, dass ich gar nicht glauben konnte, dass der Polizist nicht sofort reagierte. Doch der nahm unbeeindruckt die Papiere entgegen und überprüfte sie.

Hilfe! Holen Sie mich hier raus! Sie kontrollieren einen Verbrecher! Ich blinzelte und rollte mit den Augen, als würde ich Morsezeichen geben. Es muss ausgesehen haben, als hätte ich irgendeinen Anfall. Dabei war es nichts als ein verzweifeltes SOS, gefunkt mit den Augenlidern eines mageren Teenagers, der auf dem Beifahrersitz eines weißen Kastenwagens hockte.

In meinem Kopf wirbelten die Gedanken durcheinander. Vielleicht könnte ich einfach aus dem Auto springen und losrennen? Ich könnte zum Streifenwagen laufen, er stand ja direkt vor meinen Augen. Aber was sollte ich sagen? Würde man mir zuhören? Was, wenn ich abgewiesen würde? Priklopil würde mich wieder einsammeln, sich wortreich für die Unannehmlichkeiten entschuldigen und dafür, dass seine gestörte Nichte den ganzen Betrieb aufhielt. Und außerdem: Ein Fluchtversuch – das war das schlimmste Tabu, das ich brechen konnte.

Wenn er scheiterte, mochte ich mir gar nicht ausmalen, was mir blühen würde. Doch was, wenn es funktionierte? Ich sah Priklopil vor mir, wie er das Gaspedal durchdrückt und mit quietschenden Reifen losrast. Dann gerät er ins Schleudern und auf die Gegenfahrbahn. Kreischende Bremsen, splitterndes Glas, Blut, Tod. Priklopil hängt reglos über dem Lenkrad, aus der Ferne nähern sich Sirenen.

»Danke, alles in Ordnung! Gute Fahrt!« Der Polizist lächelte kurz, dann reichte er Priklopil die Papiere durchs Fenster. Er hatte keine Ahnung, dass er das Auto angehalten hatte, in das vor fast acht Jahren ein kleines Mädchen gezerrt worden war. Er hatte keine Ahnung, dass dieses kleine Mädchen seit fast acht Jahren im Keller des Entführers gefangengehalten wurde. Er ahnte nicht, wie nahe er daran war, ein Verbrechen aufzudecken – und Zeuge einer Amokfahrt zu werden. Ein Wort von mir hätte genügt, ein mutiger Satz aus dem Auto. Stattdessen sank ich in meinem Sitz zusammen und schloss die Augen, während der Täter den Wagen anließ.

Ich hatte die wohl größte Chance verpasst, aus diesem Alptraum auszusteigen. Erst im Nachhinein fiel mir auf, dass mir eine Option damals überhaupt nicht in den Sinn gekommen war: den Polizisten einfach anzusprechen. Zu lähmend war meine Angst gewesen, Priklopil könne jedem etwas antun, zu dem ich in Kontakt trat.

Ich war eine Sklavin, eine Untergebene. Weniger wert als ein Haustier. Ich hatte keine Stimme mehr.

* * *

Während meiner Gefangenschaft hatte ich immer wieder davon geträumt, im Winter einmal Skilaufen zu gehen. Blauer Himmel, die Sonne auf dem glitzernden Schnee, der die Landschaft in ein unberührtes, flockiges Gewand hüllt. Das Knirschen unter den Schuhen, die Kälte, die einem die Wangen ganz rot macht. Und hinterher ein warmer Kakao, wie früher, nach dem Eislaufen.

Priklopil war ein guter Skifahrer, der in den letzten Jahren meiner Gefangenschaft immer wieder Tagesausflüge in die Berge machte. Während ich seine Sachen packte und seine penibel zusammengestellten Listen durchging, war er schon ganz aufgeregt. Skiwachs. Handschuhe. Müsliriegel. Sonnencreme. Lippenbalsam. Mütze. Ich brannte jedes Mal vor Sehnsucht, wenn er mich in das Verlies sperrte und das Haus verließ, um in den Bergen in der Sonne über Schnee zu gleiten. Ich hätte mir nichts Schöneres vorstellen können.

Kurz vor meinem 18. Geburtstag sprach er häufiger davon, mich eines Tages zu einem solchen Skiausflug mitzunehmen. Das war für ihn der größte Schritt Richtung Normalität. Es mag sein, dass er mir damit auch einen Wunsch erfüllen wollte. Aber vor allem wollte er sich die Bestätigung holen, dass sein Verbrechen schlussendlich von Erfolg gekrönt war. Wenn ich ihm auch in den Bergen nicht von der Leine ging, hätte er in seinen Augen alles richtig gemacht.

Die Vorbereitungen nahmen einige Tage in Anspruch. Der Täter ging seine alten Skisachen durch und legte mir verschiedene Teile zum Anprobieren vor. Einer der Anoraks passte, ein flauschiges Ding aus den Siebzigerjahren. Doch eine Skihose fehlte. »Ich kauf dir eine«, versprach der Täter. »Wir gehen gemeinsam einkaufen.« Er klang aufgeregt und schien für einen Moment glücklich.

Am Tag, als wir ins Donauzentrum fuhren, lief mein Kreislauf auf Sparflamme. Ich war schwer unterernährt und konnte mich kaum auf den Beinen halten, als ich ins Auto stieg. Es war ein eigenartiges Gefühl, das Einkaufszentrum zu besuchen, durch das ich früher oft mit meinen Eltern geschlendert war. Es liegt heute nur zwei U-Bahn-Stationen vom Rennbahnweg entfernt, damals waren es ein paar Stationen mit dem Bus. Der Täter fühlte sich offenbar sehr, sehr sicher.

Das Donauzentrum ist ein typisches Vorstadt-Einkaufszentrum. Auf zwei Etagen reihen sich Geschäfte aneinander, es riecht nach Popcorn und Pommes frites, die Musik ist viel zu laut und übertönt doch kaum das Stimmengewirr der zahllosen Jugendlichen, die sich mangels anderer Treffpunkte vor den Geschäften sammeln. Selbst Menschen, die solche Massenaufläufe gewohnt sind, fühlen sich hier schnell überfordert und sehnen sich nach einem Moment der Ruhe und frischer Luft. Auf mich wirkten der Lärm, das Licht und die vielen Menschen wie eine Wand, wie ein undurchdringliches Dickicht, in dem ich mich nicht orientieren konnte. Mühsam versuchte ich, mich zu erinnern. War das nicht das Geschäft, in dem ich mit meiner Mutter …? Für einen flüchtigen Moment sah ich mich als kleines Mädchen eine Strumpfhose aussuchen. Doch die Bilder der Gegenwart schoben sich darüber. Überall waren Menschen: Jugendliche, Erwachsene mit großen, bunten Tüten, Mütter mit Kinderwagen, ein einziges Durcheinander. Der Täter dirigierte mich in ein großes Bekleidungsgeschäft. Ein Labyrinth, voll mit Kleiderständern, Wühltischen und Schaufensterpuppen, die mit ausdruckslosem Lächeln die Wintermode der Saison präsentierten.

Die Hosen in der Erwachsenenabteilung passten mir nicht. Während mir Priklopil eine nach der anderen in die Umkleide reichte, blickte mich aus dem großen Spiegel eine traurige Gestalt an. Ich war kreidebleich, die blonden Haare standen mir wirr vom Kopf, und ich war so abgemagert, dass selbst XS an mir herumschlotterte. Das ständige An- und Ausziehen war so eine Tortur für mich, dass ich mich weigerte, das Ganze in der Kinderabteilung zu wiederholen. Der Täter musste mir die Skihose vor den Körper halten, um die Größe zu überprüfen. Als er endlich zufrieden war, konnte ich kaum mehr stehen.

Ich war heilfroh, als ich wieder im Auto saß. Auf der Fahrt zurück nach Strasshof zersprang mir fast der Kopf. Ich war nach fast acht Jahren Isolation nicht mehr fähig, so viele Eindrücke zu verarbeiten.

Auch die weiteren Vorbereitungen für den Skiausflug dämpften meine Freude. Über allem hing eine Atmosphäre sirrender Anspannung. Der Täter war unruhig und gereizt, machte mir Vorhaltungen über die Kosten, die ich schon wieder verursachte. Mit der Landkarte ließ er mich die genaue Kilometerzahl bis zum Skigebiet ermitteln und ausrechnen, wie viel Benzin für die Strecke notwendig war. Dazu noch die Liftkarte, Leihgebühren, vielleicht etwas zu essen – in seinem krankhaften Geiz waren das Unsummen, die er verschleuderte. Und wofür das alles? Dafür, dass ich ihm womöglich auf der Nase herumtanzte, sein Vertrauen missbrauchte.

Als seine Faust neben mir auf die Tischplatte krachte, ließ ich vor Schreck den Stift fallen. »Du nutzt meine Gutmütigkeit nur aus! Du bist ein Nichts ohne mich, ein Nichts!«

Nichts darauf geben, wenn er sagt, du kannst ohne ihn nicht leben. Ich hob den Kopf und sah ihn an. Und war überrascht, auf seinem verzerrten Gesicht einen Anflug von Angst zu sehen. Dieser Skiausflug war ein enormes Risiko. Ein Risiko, das er nicht etwa einging, um mir einen langgehegten Wunsch zu erfüllen. Es war eine Inszenierung nur für ihn, die das Ausleben seiner Phantasien ermöglichen sollte. Wie er mit seiner »Partnerin« die Hänge hinabgleitet, wie sie ihn bewundert, weil er so gut Ski läuft. Die perfekte Fassade, ein Selbstbild, genährt von Erniedrigung und Unterdrückung, von der Zerstörung meines Ich.

Ich verlor jede Lust, in diesem absurden Theaterstück mitzuspielen. Auf dem Weg in die Garage eröffnete ich ihm, dass ich hierbleiben wolle. Ich sah, wie sich seine Augen verdunkelten, dann explodierte er. »Was fällt dir ein!«, brüllte er mich an, dann hob er den Arm. Er hielt die Eisenstange in der Hand, mit der er den Zugang zu meinem Verlies aufhebelte. Ich holte tief Luft, schloss die Augen und versuchte, mich innerlich zurückzuziehen. Die Eisenstange traf mich mit voller Wucht in den Oberschenkel. Die Haut platzte sofort auf.

* * *

Als wir am nächsten Tag auf die Autobahn fuhren, war er völlig aufgekratzt. Ich hingegen fühlte mich nur noch leer. Um mich zu disziplinieren, hatte er mich wieder hungern lassen und mir den Strom abgedreht. Mein Bein brannte. Aber nun war ich ja wieder gut, alles ist gut, wir fahren in die Berge. In meinem Kopf brüllten Stimmen durcheinander.

Du musst irgendwie an den Müsliriegel in der Skijacke kommen!

In seiner Tasche ist auch noch etwas zu essen!

Dazwischen, ganz leise, sagte eine kleine Stimme: Du musst fliehen. Diesmal musst du es schaffen.

Wir verließen die Autobahn bei Ybbs. Langsam tauchten vor uns die Berge aus dem Dunst auf. In Göstling hielten wir bei einem Skiverleih. Der Täter hatte vor diesem Schritt besonders große Angst. Immerhin musste er mit mir in ein Geschäft gehen, in dem ein Kontakt mit den Angestellten unvermeidbar war. Sie würden mich fragen, ob der Skischuh passt, und ich würde auf diese Frage antworten müssen.

Bevor wir ausstiegen, schärfte er mir mit besonderem Nachdruck ein, dass er jeden umbringen würde, den ich um Hilfe bitten würde – und mich dazu.

Als ich die Autotür öffnete, überfiel mich ein Gefühl der Fremdheit. Die Luft war kalt und würzig und roch nach Schnee. Die Häuser duckten sich am Fluss entlang und wirkten mit ihren Schneehauben auf den Dächern wie Kuchenstücke mit Schlagobers. Links und rechts stiegen Berge in die Höhe. Wäre der Himmel grün gewesen, es hätte mich kaum gewundert, so surreal wirkte die ganze Szenerie auf mich.

Als Priklopil mich durch die Tür zum Skiverleih schob, schlug mir die warme, feuchte Luft ins Gesicht. Schwitzende Menschen in Daunenjacken standen an der Kasse, erwartungsfrohe Gesichter, Gelächter, dazwischen das Klacken der Schnallen beim Anprobieren der Skischuhe. Ein Verkäufer kam auf uns zu. Braungebrannt und jovial, ein Skilehrertyp mit rauer, lauter Stimme, der seine Scherze routiniert abspulte. Er brachte mir ein Paar Skischuhe Größe 37 und ging vor mir in die Knie, um die Passform zu überprüfen. Priklopil ließ mich nicht aus den Augen, als ich dem Verkäufer bestätigte, dass nichts drückte. Ich hätte mir keinen unpassenderen Ort vorstellen können, um auf ein Verbrechen hinzuweisen, als dieses Geschäft. Alles locker, alles großartig, alles fröhliche Effizienz und Routine in Sachen Freizeitspaß. Ich sagte nichts.

»Wir können nicht mit dem Lift fahren, das ist zu gefährlich. Du könntest jemanden ansprechen«, sagte der Täter, als wir nach einer langen, kurvigen Straße auf dem Parkplatz des Skigebiets Hochkar eintrafen. »Wir fahren direkt ins Gelände.«

Wir parkten etwas abseits. Links und rechts stiegen die verschneiten Hänge stark an. Weiter vorne war ein Sessellift zu sehen. Leise hörte man die Musik der Bar an der Talstation. Das Hochkar ist eines der wenigen Skigebiete, die von Wien aus leicht erreichbar sind. Es ist klein, sechs Sessellifte und ein paar kurze Schlepplifte bringen die Skifahrer hinauf auf die drei Gipfel. Die Pisten sind schmal, gleich vier davon sind als »schwarz« gekennzeichnet, die schwierigste Kategorie.

Ich versuchte krampfhaft, mich zu entsinnen. Mit vier Jahren war ich schon einmal mit meiner Mutter und einer befreundeten Familie hier gewesen. Aber nichts erinnerte an das kleine Mädchen, das damals in einem dicken rosa Skianzug durch den Tiefschnee gestapft war.

Priklopil half mir, die Skischuhe anzuziehen und in die Bindung zu steigen. Unsicher rutschte ich auf den Brettern über den glatten Schnee. Er zog mich über die Schneehaufen am Straßenrand und schubste mich über die Kante direkt auf den Hang. Er kam mir mörderisch steil vor, und ich erschrak vor der Geschwindigkeit, mit der es abwärts ging. Skier und Schuhe wogen vermutlich mehr als meine Beine. Ich hatte nicht die nötigen Muskeln, um sie zu lenken, und wohl schon vergessen, wie man das überhaupt machte. Der einzige Skikurs, den ich in meinem Leben besucht hatte, war zu meiner Zeit im Hort gewesen. Eine Woche, die wir in einem Jugendhotel in Bad Aussee verbracht hatten. Ich war ängstlich gewesen, hatte gar nicht erst mitfahren wollen, so lebendig war die Erinnerung an meinen gebrochenen Arm. Aber die Skilehrerin war nett und freute sich mit mir über jeden gelungenen Schwung. Ich machte Fortschritte und fuhr am letzten Tag des Kurses sogar beim großen Rennen auf dem Übungshang mit. Im Ziel riss ich die Arme hoch und jubelte. Dann ließ ich mich rückwärts in den Schnee fallen. So frei und stolz auf mich selbst hatte ich mich lange nicht mehr gefühlt.

Stolz und frei – ein Leben, das Lichtjahre entfernt war.

Ich versuchte verzweifelt zu bremsen. Doch schon beim ersten Versuch verkantete ich und kippte in den Schnee. »Wie stellst du dich nur an«, schimpfte Priklopil, als er neben mir hielt und mir beim Aufstehen half. »Du musst Bogen fahren! So!«

Es dauerte eine ganze Weile, bis ich mich halbwegs auf den Skiern halten konnte und wir ein paar Meter vorankamen. Meine Hilflosigkeit und Schwäche schienen den Täter so zu beruhigen, dass er beschloss, doch eine Liftkarte für uns zu kaufen. Wir reihten uns ein in die lange Schlange lachender, drängelnder Skiläufer, die es gar nicht erwarten konnten, bis der Lift sie am nächsten Gipfel wieder ausspuckte. Ich fühlte mich inmitten all dieser Menschen in ihren bunten Skianzügen wie ein Wesen von einem anderen Stern. Ich zuckte zurück, wenn sie sich ganz nah an mir vorbeischoben und mich dabei berührten. Ich zuckte zurück, wenn sich Stöcke und Skier verhakten, ich plötzlich eingekeilt war zwischen lauter Fremden, die mich vermutlich gar nicht wahrnahmen, deren Blicke ich aber zu spüren glaubte. Du gehörst nicht hierher. Das ist nicht dein Platz. Priklopil schob mich von hinten an. »Schlaf nicht ein, weiter, weiter.«

Nach einer gefühlten Ewigkeit saßen wir endlich im Lift. Ich schwebte durch die winterliche Berglandschaft – ein Moment der Ruhe und Stille, den ich zu genießen versuchte. Aber mein ganzer Körper rebellierte gegen die ungewohnte Anstrengung. Meine Beine zitterten, und ich fror erbärmlich. Als der Sessellift in die Bergstation einfuhr, verfiel ich in Panik. Ich wusste nicht, wie man absprang, und verhakte mich vor lauter Aufregung mit meinen Stöcken. Priklopil schimpfte, packte mich im letzten Augenblick am Arm und zog mich aus dem Lift.

Nach einigen Abfahrten kehrte langsam ein Rest von Selbstsicherheit zurück. Ich konnte mich nun so lange aufrecht halten, dass ich die kurzen Fahrten genießen konnte, bevor ich wieder in den Schnee fiel. Ich fühlte, wie meine Lebensgeister zurückkehrten und ich das erste Mal seit langem so etwas wie Glück verspürte. Sooft es ging, blieb ich stehen, um mir das Panorama anzusehen. Wolfgang Priklopil, der stolz auf seine Ortskenntnis war, erklärte mir die Berge rundum. Vom Hochkar-Gipfel konnte man auf den massiven Ötscher hinübersehen, dahinter verschwand Bergkette um Bergkette im Dunst. »Das ist schon die Steiermark«, dozierte er. »Und dort, auf der anderen Seite, kann man fast bis nach Tschechien sehen.« Der Schnee glitzerte in der Sonne, der Himmel war tiefblau. Ich atmete tief ein und wollte am liebsten die Zeit anhalten. Doch der Täter drängte zur Eile: »Dieser Tag hat mich ein Heidengeld gekostet, jetzt müssen wir das auch ausnützen!«

* * *

»Ich muss aufs Klo!« Priklopil blickte mich verärgert an. »Ich muss wirklich!« Es blieb ihm nichts anderes übrig, als mit mir zur nächsten Hütte zu fahren. Er entschied sich für die Talstation, weil dort die Toiletten in einem separaten Anbau untergebracht waren und wir so nicht durch eine Gaststube mussten. Wir schnallten die Skier ab, der Täter führte mich bis vor die Toiletten und zischte mir zu, ich solle mich beeilen. Er würde warten und dabei ganz genau auf die Uhr sehen. Im ersten Moment wunderte ich mich, dass er mir nicht folgte. Er hätte ja immer noch sagen können, er habe sich in der Tür geirrt. Aber er blieb draußen.

Die Toilette war leer, als ich sie betrat. Doch als ich in der Kabine war, hörte ich, wie sich eine Tür öffnete. Ich erschrak – ich war sicher, dass ich zu lange gebraucht hatte und der Täter in die Damentoilette gekommen war, um mich zu holen. Aber als ich hastig zurück in den kleinen Vorraum trat, stand dort eine blonde Frau vor dem Spiegel. Ich war zum ersten Mal seit Beginn meiner Gefangenschaft mit einem anderen Menschen allein.

Ich weiß nicht mehr genau, was ich gesagt habe. Ich weiß nur noch, dass ich all meinen Mut zusammennahm und sie ansprach. Aber alles, was aus meinem Mund herauskam, war ein leises Piepsen.

Die blonde Frau lächelte mich freundlich an, drehte sich

um – und ging. Sie hatte mich nicht verstanden. Zum ersten Mal hatte ich jemanden angesprochen, und es war wie in meinen schlimmsten Alpträumen: Man hörte mich nicht. Ich war unsichtbar. Ich durfte nicht auf Hilfe hoffen.

Erst nach meiner Befreiung habe ich erfahren, dass die Frau eine Touristin aus Holland war und schlicht nicht verstanden hatte, was ich von ihr wollte. Damals aber traf mich ihre Reaktion wie ein Schlag.

Der Rest des Skiausflugs verschwimmt in meiner Erinnerung. Ich hatte wieder eine Chance verpasst. Als ich am Abend in mein Verlies gesperrt wurde, war ich verzweifelt wie lange nicht mehr.

* * *

Wenig später nahte der entscheidende Tag: mein 18. Geburtstag. Es war das Datum, auf das ich schon seit zehn Jahren hinfieberte, und ich war fest entschlossen, diesen Tag gebührend zu feiern – auch wenn es in Gefangenschaft geschehen musste.

In den Jahren davor hatte mir der Täter erlaubt, einen Kuchen zu backen. Diesmal aber wollte ich etwas Besonderes. Ich wusste, dass Priklopils Geschäftspartner in einer einsam gelegenen Lagerhalle Feste ausrichtete. Der Täter hatte mir Videos gezeigt, auf denen türkische und serbische Hochzeiten zu sehen waren. Er wollte daraus einen Werbefilm schneiden, um den Veranstaltungsort zu promoten. Ich hatte die Bilder der feiernden Menschen, die in seltsamen Tänzen Hand in Hand im Kreis hüpften, gierig aufgesogen. Bei einem Fest lag ein ganzer Haifisch auf dem Buffet, bei anderen reihte sich Schüssel an Schüssel voll unbekannter Speisen. Am meisten hatten mich aber die Torten fasziniert. Mehrstöckige Kunstwerke mit Blumen aus Marzipan oder ein nachgebildetes Auto aus Biskuit und Creme. So eine Torte wollte ich haben – in Form einer 18, dem Symbol meiner Volljährigkeit.

Als ich am Morgen des 17. Februar 2006 nach oben ins Haus kam, stand sie tatsächlich auf dem Küchentisch: eine Eins und eine Acht aus luftigem Biskuitteig, überzogen mit einem zuckrigen, rosa Schaum und dekoriert mit Kerzen. Ich weiß nicht mehr, welche Geschenke ich damals noch bekam, es gab sicher noch einige, denn Priklopil liebte es, solche Feste zu zelebrieren. Für mich aber stand diese 18 im Zentrum meiner kleinen Feier. Sie war das Zeichen der Freiheit. Sie war das Symbol, das Zeichen dafür, dass es an der Zeit war, mein Versprechen einzulösen.

Für einen bleibt nur der Tod
Meine Flucht in die Freiheit

Ich hatte eine Bombe gezündet. Die Zündschnur
brannte, und es gab keine Möglichkeit, sie zu
löschen. Ich hatte das Leben gewählt. Für den
Täter blieb nur der Tod.

DER TAG BEGANN wie jeder andere – auf Befehl der Zeitschaltuhr. Ich lag auf meinem Hochbett, als das Licht in meinem
Verlies anging und mich aus einem wirren Traum weckte. Ich
blieb noch einige Zeit liegen und versuchte, einen Sinn in den
Traumfetzen zu erkennen, doch sie entglitten mir, je intensiver ich versuchte, sie festzuhalten. Nur ein vages Gefühl blieb
haften, dem ich erstaunt nachsann. Tiefe Entschlossenheit. Ich
hatte das lange nicht mehr gespürt.

Nach einer Weile trieb mich der Hunger aus dem Bett.
Das Abendessen war ausgefallen, und mein Magen knurrte.
Getrieben von dem Gedanken an etwas zu essen kletterte ich
die Leiter hinunter. Doch noch bevor ich unten angekommen
war, fiel mir ein, dass ich gar nichts mehr hatte: Der Täter
hatte mir am Vorabend ein winziges Stück Kuchen für das
Frühstück ins Verlies mitgegeben, das ich noch am Abend hin-
untergeschlungen hatte. Frustriert putzte ich mir die Zähne,
um den leicht säuerlichen Geschmack nach leerem Magen aus
dem Mund zu vertreiben. Dann blickte ich mich unschlüssig
um. Mein Verlies war an diesem Morgen sehr unordentlich,

Kleidungsstücke lagen verstreut herum, auf meinem Schreibtisch stapelte sich Papier. An anderen Tagen hätte ich sofort begonnen, aufzuräumen und mein winziges Zimmer so gemütlich und ordentlich wie möglich zu gestalten. Aber an diesem Morgen hatte ich keine Lust dazu. Ich fühlte einen seltsamen Abstand zu diesen vier Wänden, die doch mein Zuhause geworden waren.

In einem kurzen orangefarbenen Kleid, auf das ich sehr stolz war, wartete ich darauf, dass der Täter die Tür öffnete. Ich hatte ja sonst nur Leggings und T-Shirts mit Farbflecken, einen Rollkragenpullover des Täters für kalte Tage und ein paar saubere, einfache Sachen für die wenigen Ausflüge nach draußen, auf die er mich während der vergangenen Monate mitgenommen hatte. In diesem Kleid konnte ich mich wie ein normales Mädchen fühlen. Der Täter hatte es mir als Belohnung für die Gartenarbeit gekauft. Im Frühjahr nach meinem 18. Geburtstag hatte er mich immer wieder unter seiner Aufsicht im Freien arbeiten lassen. Er war unvorsichtiger geworden, ständig lauerte die Gefahr, dass mich die Nachbarn sehen könnten. Schon zweimal hatte sein Verwandter von nebenan über den Zaun gegrüßt, während ich Unkraut jätete. »Eine Aushilfe«, sagte der Täter einmal lapidar, als der Nachbar mir zuwinkte. Er gab sich mit dieser Auskunft zufrieden, und ich war ohnehin unfähig, etwas zu sagen.

Als endlich die Tür zu meinem Verlies aufging, sah ich Priklopil von unten, wie er auf der 40 cm hohen Stufe stand. Ein Anblick, der mir selbst nach dieser langen Zeit noch Angst machte. Priklopil wirkte immer so groß, ein übermächtiger Schatten, verzerrt von der Glühbirne im Vorraum – wie ein Kerkermeister in einem Horrorfilm. Doch an diesem Tag kam er mir nicht bedrohlich vor. Ich fühlte mich stark und selbstbewusst. »Darf ich eine Unterhose anziehen?«, fragte ich, noch bevor ich ihn grüßte.

Der Täter sah mich erstaunt an. »Kommt nicht in Frage«, antwortete er.

Im Haus musste ich ja immer halbnackt arbeiten und im Garten durfte ich grundsätzlich keine Unterwäsche tragen. Es war eine seiner Methoden, mich kleinzuhalten. »Bitte, es ist viel bequemer«, schob ich nach.

Er schüttelte energisch den Kopf. »Auf keinen Fall. Wie kommst du denn überhaupt auf so was? Komm jetzt!«

Ich folgte ihm in den Vorraum und wartete, bis er durch den Durchlass gekrochen war. Die bauchige, schwere Betontüre, die zu einem festen Bestandteil meiner Lebenskulisse geworden war, stand offen. Wenn ich diesen Koloss aus Stahlbeton vor mir sah, stieg mir jedes Mal ein Kloß in den Hals. Ich hatte in den vergangenen Jahren verdammtes Glück gehabt. Ein Unfall des Täters wäre mein Todesurteil gewesen. Die Tür war von innen nicht zu öffnen und von außen nicht zu finden. Die Szene stand mir lebhaft vor Augen: Wie ich nach ein paar Tagen begreifen würde, dass der Täter verschwunden war. Wie ich in meinem Zimmer Amok laufen und wie mich Todesangst packen würde. Wie es mir mit letzter Kraft vielleicht noch gelingen würde, die beiden Holztüren einzutreten. Aber diese Betontüre würde über Leben und Tod entscheiden. Vor ihr liegend würde ich verhungern und verdursten. Es war jedes Mal eine Erleichterung, wenn ich hinter dem Täter durch den engen Durchlass schlüpfte. Wieder war ein Morgen angebrochen, an dem er diese Tür geöffnet, an dem er mich nicht im Stich gelassen hatte. Wieder war ich für einen Tag meinem unterirdischen Grab entkommen. Als ich die Stufen in die Garage hinaufging, sog ich die Luft tief in meine Lungen. Ich war oben.

Der Täter befahl mir, in der Küche zwei Marmeladenbrote für ihn zu schmieren. Ich sah mit knurrendem Magen zu, wie er genüsslich hineinbiss. Seine Zähne hinterließen kleine Ab-

drücke. Köstliches, knuspriges Brot mit Butter und Marillen-
marmelade. Ich bekam nichts davon – ich hatte ja schließlich
meinen Kuchen gehabt. Ich hätte mich niemals getraut, ihm
zu sagen, dass ich das dürre Stück schon am Abend zuvor gegessen hatte.

Nach Priklopils Frühstück erledigte ich den Abwasch und
ging zum Abrisskalender in der Küche. Wie jeden Morgen
trennte ich den Zettel mit den fettgedruckten Ziffern ab und
faltete ihn klein zusammen. Ich starrte lange auf das neue
Datum: 23. August 2006. Es war der 3096. Tag meiner Gefangenschaft.

* * *

Wolfgang Priklopil war an diesem Tag guter Laune. Es sollte der Beginn einer neuen Ära werden, der Anbruch einer
leichteren Zeit ohne Geldsorgen. An diesem Vormittag sollten
dazu zwei entscheidende Schritte folgen. Erstens wollte er den
alten Lieferwagen, in dem er mich achteinhalb Jahre zuvor
entführt hatte, loswerden. Und zweitens hatte er im Internet
eine Anzeige für die Wohnung geschaltet, die wir in den letzten Monaten renoviert hatten. Er hatte sie ein halbes Jahr zuvor gekauft, in der Hoffnung, die Mieteinnahmen würden den
dauerhaften finanziellen Druck mindern, den sein Verbrechen
für ihn bedeutete. Das Geld dafür, so erzählte er mir, stamme
aus seiner Firmentätigkeit mit Holzapfel.

Es war kurz nach meinem 18. Geburtstag gewesen, als er
mir eines Morgens aufgeregt eröffnete: »Es gibt eine neue
Baustelle. Wir fahren gleich in die Hollergasse.« Seine Freude
war ansteckend, und ich hatte Abwechslung dringend nötig.
Der magische Tag meines Erwachsenwerdens war verstrichen,
und es hatte sich kaum etwas geändert. Ich war genauso unterdrückt und kontrolliert wie all die Jahre zuvor. Nur in mir

hatte sich ein Schalter umgelegt. Meine Unsicherheit, ob der Täter nicht doch recht hatte und ich in seiner Obhut besser aufgehoben war als draußen, verschwand langsam. Ich war nun erwachsen, mein zweites Ich hielt mich fest an der Hand, und ich wusste genau: So wollte ich nicht weiterleben. Ich hatte die Zeit meiner Jugend als Sklavin, Punchingball, Putzfrau und Gefährtin des Entführers überlebt und mich in dieser Welt eingerichtet, solange es nicht anders ging. Aber nun war diese Zeit vorüber. Wenn ich in meinem Verlies war, rief ich mir immer wieder all die Pläne ins Gedächtnis, die ich als Kind für diese Zeit geschmiedet hatte. Ich wollte selbständig sein. Schauspielerin werden, Bücher schreiben, Musik machen, andere Menschen erleben, frei sein. Ich wollte nicht mehr länger akzeptieren, dass ich auf ewig eine Gefangene seiner Phantasie sein sollte. Ich musste nur noch auf die richtige Gelegenheit warten. Vielleicht würde die neue Baustelle sie bringen. Nach den vielen Jahren, die ich ans Haus gekettet war, durfte ich erstmals an einem anderen Ort arbeiten. Unter strenger Aufsicht des Täters zwar, aber immerhin.

Ich erinnere mich noch genau an unsere erste Fahrt in die Hollergasse. Der Täter nahm nicht den schnellsten Weg über die Stadtautobahn – er war zu geizig, um die Gebühr dafür zu bezahlen. Stattdessen reihte er sich mitten in den Stau des Wiener Gürtels ein. Es war früher Vormittag, zu beiden Seiten des weißen Lieferwagens drängten sich die letzten Eiligen des morgendlichen Verkehrs vorbei. Ich beobachtete die Menschen hinter den Lenkrädern. Aus einem Kleinbus neben uns blickten mich Männer mit müden Augen an. Dichtgedrängt saßen sie in dem Transporter, offenbar osteuropäische Arbeiter, die einheimische Bauunternehmer morgens vom »Arbeiterstrich« an den Ausfallstraßen abholten und dort am Abend wieder ausspuckten. Ich fühlte mich mit einem Mal wie diese Tagelöhner: keine Papiere, keine Arbeitserlaubnis, total ausbeutbar. Das war die Realität, die ich an diesem Morgen nicht ertrug. Ich ließ mich tief in den Sitz sinken und gab mich einem Tagtraum hin. Ich bin mit meinem Chef auf dem Weg zu einer normalen, geregelten Arbeit – wie alle anderen Pendler in ihren Autos neben uns. Ich bin eine Expertin auf meinem Gebiet, und mein Vorgesetzter legt großen Wert auf meinen Rat. Ich lebe in einer erwachsenen Welt, in der ich eine Stimme habe, die gehört wird.

✳ ✳ ✳

Wir hatten fast die ganze Stadt durchquert, als Priklopil beim Westbahnhof stadtauswärts die Mariahilferstraße nahm, dann an einem kleinen Markt entlangrollte, auf dem nur die Hälfte der Stände besetzt war, und schließlich in eine enge Gasse einbog. Dort parkte er den Wagen.

Die Wohnung lag im ersten Stock eines heruntergekommenen Hauses. Der Täter wartete lange, bis er mich aussteigen ließ. Er fürchtete, dass uns jemand sehen könnte, und wollte mich nur über den Gehsteig huschen lassen, wenn die Straße menschenleer war. Ich ließ meinen Blick durch die Gasse streifen: Kleine Autowerkstätten, türkische Gemüseläden, Kebab-Buden und zwielichtige, winzige Bars unterbrachen das Bild der grauen Altbauten aus der Gründerzeit, die schon im 19. Jahrhundert als Mietskasernen für die Massen der armen Arbeiter aus den Kronländern dienten. Auch jetzt war das Viertel vor allem von Migranten bewohnt. Viele der Wohnungen hatten immer noch kein Badezimmer, die Toiletten befanden sich auf dem Gang und mussten mit den Nachbarn geteilt werden. Eine dieser Wohnungen hatte der Täter gekauft.

Er wartete, bis die Straße frei war, dann scheuchte er mich ins Stiegenhaus. Die Farbe blätterte von den Wänden, die meisten Briefkästen waren aufgebogen. Als er die Holztür zur Wohnung aufsperrte und mich hineinschubste, konnte ich kaum glauben, wie winzig sie war. 19 Quadratmeter – gerade vier Mal so groß wie mein Verlies: ein Zimmer mit einem Fenster, das hinten auf den Hof hinausging. Die Luft roch abgestanden, nach menschlichen Ausdünstungen, Moder und altem Fett. Der Teppichboden, der wohl einmal dunkelgrün gewesen war, hatte eine undefinierbare graubraune Farbe angenommen. An einer Wand war ein großer, feuchter Fleck, auf dem sich Maden tummelten. Ich atmete tief durch. Hier wartete schwere Arbeit.

Von diesem Tag an nahm er mich mehrmals die Woche in die Hollergasse mit. Nur wenn er größere Besorgungen zu erledigen hatte, ließ er mich den Tag über im Verlies eingesperrt. Wir schleppten als Erstes die alten, zerschlissenen Möbel aus der Wohnung und stellten sie auf die Straße. Als wir eine Stunde später aus dem Haus traten, waren sie weg: mitgenommen von Nachbarn, die so wenig hatten, dass ihnen selbst diese Möbel noch gut genug waren. Dann begannen wir mit der Renovierung. Zwei Tage brauchte ich allein dafür, den alten Teppich herauszureißen. Unter einer dicken Schmutzschicht kam unter dem ersten ein zweiter zum Vorschein, dessen Kleber sich im Laufe der Jahre so fest mit dem Untergrund verbunden hatte, dass ich ihn zentimeterweise abschaben musste. Anschließend trugen wir neuen Estrich auf, darauf kam ein Laminatboden – der gleiche wie in meinem Verlies. Wir rissen die alten Tapeten von den Wänden, glätteten die Fugen und Löcher und klebten neue Bahnen auf, die weiß gestrichen wurden. In den kleinen Raum bauten wir einen Miniatur-Küchenblock und ein winziges Bad ein, kaum größer als die Duschwanne und die neue Matte davor.

Ich schuftete wie ein Schwerarbeiter. Stemmen, tragen, schleifen, spachteln, Fliesen schleppen. Auf einem schmalen Brett, das zwischen zwei Leitern schwankte, stehend die Decke tapezieren. Möbel wuchten. Die Arbeit, der Hunger und der ständige Kampf mit meiner Kreislaufschwäche nahmen mich so in Anspruch, dass jeder Fluchtgedanke in weite Ferne rückte. Am Anfang hatte ich noch auf einen Moment gehofft, in dem mich der Täter allein lassen würde. Doch es gab keinen. Ich stand unter ständiger Beobachtung. Ich staunte fast, welchen Aufwand er betrieb, um mich an einer Flucht zu hindern. Wenn er zur Toilette ins Treppenhaus ging, schob er schwere Bretter und Balken vor das Fenster, damit ich es nicht schnell öffnen und schreien könnte. Wenn er wusste, dass er mehr als fünf Minuten draußen sein würde, verschraubte er die Bretter sogar. Selbst hier baute er mir ein Gefängnis. Wenn sich der Schlüssel im Schloss drehte, wurde ich innerlich sofort zurück ins Verlies versetzt. Die Angst, dass ihm etwas zustoßen könnte und ich in dieser Wohnung sterben müsste, packte mich auch hier. Ich atmete jedes Mal erleichtert auf, wenn er zurückkam.

Heute kommt mir diese Angst seltsam vor. Ich befand mich ja in einem Wohnhaus und hätte schreien oder an die Wände klopfen können. Anders als im Keller des Täters hätte man mich hier sicher schnell gefunden. Meine Angst war rational nicht wirklich zu begründen, sie kroch aus meinem Inneren nach oben, direkt aus dem Verlies in mir.

* * *

Eines Tages stand plötzlich ein fremder Mann in der Wohnung.

Wir hatten gerade das Laminat für den Boden in den ersten Stock geschleppt, die Tür war nur angelehnt, als ein älterer Mann mit graumelierten Haaren in den Vorraum trat und lautstark grüßte. Sein Deutsch war so schlecht, dass ich ihn kaum verstehen konnte. Er hieß uns im Haus willkommen und wollte offenbar ein nachbarschaftliches Gespräch über das Wetter und die Renovierungsarbeiten beginnen. Priklopil schob mich hinter sich und wimmelte ihn mit dürren Worten ab. Ich spürte die Panik, die in ihm hochstieg, und ließ mich davon anstecken. Obwohl dieser Mann meine Rettung hätte sein können, fühlte ich mich von seiner Anwesenheit fast belästigt, so sehr hatte ich die Perspektive des Täters schon internalisiert.

Am Abend lag ich in meinem Verlies auf dem Hochbett und ließ die Szene immer wieder in meinem Kopf abspulen. Hatte ich falsch gehandelt? Hätte ich schreien sollen? Hatte ich wieder die entscheidende Chance verpasst? Ich musste versuchen, mich selbst darauf zu trimmen, das nächste Mal entschlossen zu handeln. In meinen Gedanken stellte ich mir den Weg von meinem Platz hinter dem Täter bis zu dem fremden Nachbarn wie einen Sprung über einen gähnenden Abgrund vor. Ich konnte genau vor mir sehen, wie ich Anlauf nahm, auf den Rand des Abgrunds zurannte und lossprang. Aber sosehr ich mich bemühte, ein Bild konnte ich nicht entstehen lassen. Ich sah mich nie auf der anderen Seite landen. Selbst in meiner Phantasie erwischte mich der Täter wieder und wieder an meinem T-Shirt und riss mich zurück. Die wenigen Male, in denen sein Griff mich verfehlte, blieb ich sekundenlang über dem Abgrund in der Luft stehen, bevor ich ins Bodenlose stürzte. Es war ein Bild, das mich die ganze Nacht quälte. Ein Symbol dafür, dass ich ganz dicht davorstand, aber im entscheidenden Moment doch wieder versagen würde.

Es dauerte nur ein paar Tage, bis uns der Nachbar wieder ansprach. Diesmal hatte er einen Stapel Fotos in der Hand. Der Täter schob mich sofort unauffällig zur Seite, aber ich konnte einen kurzen Blick erhaschen. Es waren Familienfotos, die ihn in seiner alten Heimat Jugoslawien zeigten, und ein

Gruppenbild mit einer Fußballmannschaft. Während er Priklopil die Bilder unter die Nase hielt, redete der Nachbar unablässig. Wieder verstand ich nur einzelne Wortfetzen. Nein, es war unmöglich, über den Abgrund zu springen. Wie sollte ich mich diesem freundlichen Mann nur verständlich machen? Würde er verstehen, was ich ihm in einem unbeobachteten Moment zuflüsterte, den es wahrscheinlich ohnehin nicht geben würde? Natascha wer? Wer ist entführt? Selbst wenn er mich verstehen würde, was käme dann? Würde er die Polizei rufen? Hatte er überhaupt ein Telefon? Und dann? Die Polizei würde ihm wohl kaum glauben. Selbst wenn sich ein Streifenwagen auf den Weg in die Hollergasse machte, dem Täter wäre bei weitem genug Zeit geblieben, mich zu packen und unauffällig ins Auto zu verfrachten. Was danach kommen würde, mochte ich mir gar nicht vorstellen.

Nein, dieses Haus würde mir keine Chance zur Flucht bieten. Aber sie würde kommen, davon war ich überzeugt wie nie zuvor. Ich musste sie nur rechtzeitig erkennen.

* * *

Der Täter spürte in diesem Frühling des Jahres 2006, dass ich versuchte, mich ihm zu entziehen. Er war unbeherrscht und cholerisch, seine chronische Nebenhöhlenentzündung quälte ihn vor allem nachts. Tagsüber verstärkte er seine Bemühungen, mich zu unterdrücken. Sie wurden immer absurder. »Red nicht zurück!«, fauchte er, sobald ich den Mund aufmachte, selbst wenn er mich etwas gefragt hatte. Er verlangte absoluten Gehorsam. »Was ist das für eine Farbe?«, herrschte er mich einmal an und deutete auf einen schwarzen Farbeimer. »Schwarz«, antwortete ich. »Nein, das ist rot. Es ist rot, weil ich es sage. Sag, dass es rot ist!« Wenn ich mich weigerte, überwältigte ihn eine Wut, die nicht mehr zu bändigen war und länger anhielt als je zuvor. Die Schläge kamen schnell hintereinander, er drosch manchmal so lange auf mich ein, dass es mir vorkam wie Stunden. Mehr als einmal verlor ich fast das Bewusstsein, bevor er mich wieder über die Stufen in den Keller schleifte, mich einsperrte und in Dunkelhaft nahm.

Ich merkte, wie schwer es mir wieder fiel, einem fatalen Reflex zu widerstehen. Nämlich die Misshandlungen schneller zu verdrängen, als meine Verletzungen heilten. Es wäre so viel einfacher gewesen, dem nachzugeben. Es war wie ein Sog, der mich, wenn er mich einmal erfasste, unablässig in die Tiefe zog, während ich meine eigene Stimme flüstern hörte: »Heile Welt, heile Welt. Ist doch alles gut. Ist doch nichts passiert.«

Ich musste mich mit aller Macht gegen diesen Sog stemmen und kleine Rettungsinseln auslegen. Meine Zettel, auf denen ich nun wieder jede einzelne Misshandlung festhielt. Wenn ich heute den linierten Schülerblock in der Hand halte, auf dem ich in ordentlicher Schrift und versehen mit akkuraten Zeichnungen meiner Verletzungen all die Brutalitäten eingetragen habe, wird mir schwindlig. Damals notierte ich sie mit großem Abstand zu mir selbst, als handle es sich um eine Schularbeit:

15. April 2006

Einmal schlug er auf meine rechte Hand, so lange und so fest, bis ich innerlich förmlich das Blut rinnen spürte. Mein gesamter Handrücken war blau und rötlich, der Bluterguss ging bis in die Handinnenfläche durch und reichte über die gesamte Handfläche. Ferner schlug er mir ein blaues Auge (auch rechts), das sich zuerst im äußeren Winkel befand und rötlich, bläulich und grün changierte, dann über das obere Lid nach oben wanderte.

Weitere Misshandlungen der letzten Zeit, sofern ich sie noch in Erinnerung und nicht verdrängt habe: Im Garten, weil ich mich nicht auf die Leiter getraut hatte, attackierte er mich mit einer Gartenschere. Ich hatte ein grünlich verfärbtes Cut oberhalb des rechten Fußknöchels, die Haut ging leicht ab. Dann warf er mir einmal einen schweren Erd-kübel gegen mein Becken, so dass ich einen hässlichen rötlich-braunen Fleck davontrug. Einmal weigerte ich mich aus Angst, mit ihm rauf-zukommen. Da riss er die Steckdosen aus der Wand, bewarf mich mit der Zeitschaltuhr und mit allem, was er an der einen Wand kriegen konnte. Ich trug eine tiefe rote blutige Schramme an der rechten äuße-ren Kniebeuge und auf der Wade davon. Ferner habe ich einen etwa acht Zentimeter großen schwärzlich violetten Bluterguss am linken Oberarm, ich weiß nicht mehr wovon. Mehrmals trat und prügelte er auf mich ein, auch am Kopf. Er schlug mir zweimal die Lippe blutig, davon einmal so, dass ich eine erbsengroße Schwellung (leicht bläulich) auf der Unterlippe davontrug. Einmal schlug er mir eine faltenartige Geschwulst rechts unter dem Mund. Dann habe ich auch eine Schnittwunde (ich weiß nicht mehr wovon) auf meiner rechten Wange. Einmal warf er mir einen Werkzeugkoffer auf die Füße, die Folge waren pastellgrüne, flächige Blutergüsse. Er schlug mir oft mit dem Gabelschlüssel oder Ähnlichem auf den Handrücken. Ich habe zwei schwärzliche symmetrische Blutergüsse unterhalb beider Schul-terblätter und am Rückgrat entlang.

Heute schlug er mir mit der Faust aufs rechte Auge, dass es blitz-te, sowie auf mein rechtes Ohr, da war ein stechender Schmerz, ein Klingen und Knacksen zu spüren. Dann schlug er weiter auf meinen Kopf ein.

* * *

An besseren Tagen malte er sich wieder unsere gemeinsame Zukunft aus. »Wenn ich dir nur vertrauen könnte, dass du nicht fliehst…«, seufzte er eines Abends am Küchentisch. »Ich könnte dich überallhin mitnehmen. Ich würde mit dir an den Neusiedlersee fahren oder an den Wolfgangsee und dir ein

Sommerkleid kaufen. Wir könnten schwimmen gehen und im Winter Skilaufen. Aber dazu muss ich mich hundertprozentig auf dich verlassen können – du läufst ja doch weg.« Mir tat dieser Mann, der mich über acht Jahre lang gequält hatte, in diesen Momenten unendlich leid. Ich wollte ihn nicht verletzen und gönnte ihm die rosige Zukunft, die er sich so sehr wünschte: Er wirkte dann so verzweifelt und allein mit sich und seinem Verbrechen, dass ich manchmal fast vergaß, dass ich sein Opfer war – und nicht zuständig für sein Glück. Doch ich ließ mich nie ganz in die Illusion fallen, dass alles gut werden würde, wenn ich nur kooperierte. Man kann niemanden zu ewigem Gehorsam und schon gar nicht zu Liebe zwingen.

Trotzdem schwor ich ihm in solchen Momenten, dass ich immer bei ihm bleiben würde, und tröstete ihn: »Ich laufe nicht weg, das verspreche ich dir. Ich bleibe immer bei dir.« Er glaubte mir natürlich nicht, und mir schnitt es ins Herz, dass ich ihn anlog. Wir wechselten beide zwischen Sein und Schein.

Ich war körperlich anwesend, in meiner Vorstellung befand ich mich längst auf der Flucht. Aber ich schaffte es noch immer nicht, mir die Landung auf der anderen Seite vorzustellen. Das Bild, plötzlich wieder in der realen Welt draußen aufzutauchen, machte mir unsägliche Angst. Manchmal verstieg ich mich sogar zu dem Gedanken, dass ich mich sofort umbringen würde, sobald ich den Täter verlassen hatte. Ich ertrug den Gedanken nicht, dass meine Freiheit ihn für lange Jahre hinter Gitter bringen würde. Natürlich wollte ich, dass andere vor diesem Mann, der zu allem fähig war, geschützt wurden. Noch sorgte ich für diesen Schutz, indem ich seine gewalttätige Energie auf mich nahm. Später müssten es die Polizei und die Justiz sein, die ihn davon abhielten, weitere Verbrechen zu begehen. Trotzdem verschaffte mir dieser Gedanke keinerlei Befriedigung. Ich konnte kein Gefühl der Rache in mir finden – im Gegenteil: Es schien mir, als würde ich das Verbrechen, das er an mir begangen hatte, nur umdrehen, wenn ich ihn an die Polizei auslieferte. Erst hatte er mich eingesperrt, dann würde ich dafür sorgen, dass er eingesperrt würde. In meiner verschobenen Weltsicht wäre die Tat damit nicht aufgehoben, sondern noch gesteigert. Das Böse in der Welt würde nicht weniger, sondern vervielfältigt.

All diese Überlegungen setzten in gewisser Weise den logischen Schlusspunkt für den emotionalen Wahnsinn, dem ich jahrelang ausgesetzt war. Durch die zwei Gesichter des Täters, durch den raschen Wechsel von Gewalt und Pseudo-Normalität, durch meine Überlebensstrategie, das auszublenden, was mich umzubringen drohte. Bis schwarz nicht mehr schwarz und weiß nicht mehr weiß ist, sondern alles nur noch ein grauer Nebel, in dem man die Orientierung verliert. Ich hatte all das so sehr verinnerlicht, dass in manchen Momenten der Verrat am Täter schwerer wog als der Verrat an meinem eigenen Leben. Vielleicht sollte ich mich einfach in mein Schicksal fügen, dachte ich nicht nur einmal, wenn ich drohte, in die Tiefe zu sinken, und meine Rettungsinseln aus den Augen verlor.

An anderen Tagen zerbrach ich mir den Kopf darüber, wie man mich wohl nach all den Jahren draußen aufnehmen würde. Die Bilder vom Gerichtsverfahren Dutroux waren mir noch immer präsent. So wie die Opfer dieses Falles, das wusste ich, wollte ich nie vorgeführt werden. Ich war seit acht Jahren Opfer, den Rest meines Lebens wollte ich nicht als Opfer verbringen. Ich malte mir ganz genau aus, wie ich mit den Medien umgehen wollte. Am liebsten sollte man mich natürlich in Ruhe lassen. Aber wenn man schon über mich berichten würde, dann niemals nur mit meinem Vornamen. Ich wollte als erwachsene Frau ins Leben treten.

Und ich wollte mir selbst aussuchen, mit welchen Medien ich sprechen würde.

* * *

Es war an einem Abend Anfang August, als ich mit dem Täter am Küchentisch saß und zu Abend aß. Seine Mutter hatte am Wochenende einen Wurstsalat in den Kühlschrank gestellt. Er gab mir das Gemüse, Wurst und Käse häufte er auf seinen eigenen Teller. Ich kaute langsam auf einem Stück Paprika herum, in der Hoffnung, noch den letzten Rest Energie aus jeder einzelnen roten Faser herausziehen zu können. Ich hatte zwar ein bisschen zugenommen und wog nun 42 Kilo, aber die Arbeit in der Hollergasse hatte mich geschlaucht, und ich fühlte mich körperlich völlig ausgelaugt. Im Kopf war ich hellwach. Mit dem Ende der Renovierungsarbeiten war ein weiterer Abschnitt meiner Gefangenschaft vorüber. Was sollte als Nächstes kommen? Der ganz normale Wahnsinn des Alltags? Die Sommerfrische am Wolfgangsee, eingeleitet durch schwere Misshandlungen, begleitet von Demütigungen, und als Zuckerl ein Kleid? Nein, ich wollte dieses Leben nicht länger führen.

Am nächsten Tag arbeiteten wir in der Montagegrube. Aus der Ferne hörte man eine Mutter lautstark nach ihren Kindern rufen. Ab und zu trug ein kurzer Luftstoß eine Ahnung von Sommer und frisch gemähtem Gras in die Garage, während wir den Unterbodenschutz des alten, weißen Lieferwagens erneuerten. Ich hatte zwiespältige Gefühle, als ich mit dem Pinsel die wachsartige Schicht auftrug. Es war das Auto, in dem er mich entführt hatte und das er nun verkaufen wollte. Nicht nur die Welt meiner Kindheit war in unerreichbare Ferne gerückt – nun verschwanden auch die Versatzstücke aus der ersten Zeit meiner Gefangenschaft. Dieses Auto war die Verbindung zum Tag meiner Entführung. Nun arbeitete ich selbst daran, dass es verschwand. Es schien mir mit jedem Pinselstrich, als würde ich meine Zukunft im Keller zementieren.

»Du hast uns in eine Situation gebracht, in der nur einer von uns beiden überleben kann«, sagte ich plötzlich. Der Täter blickte mich überrascht an. Ich ließ mich nicht beirren. »Ich bin dir wirklich dankbar dafür, dass du mich nicht getötet hast und dass du mich so gut versorgst. Das ist wirklich nett von dir. Aber du kannst mich nicht zwingen, bei dir zu leben. Ich bin ein eigener Mensch, mit meinen eigenen Bedürfnissen. Diese Situation muss ein Ende haben.«

Wolfgang Priklopil nahm mir als Antwort stumm den Pinsel aus der Hand. Ich sah in seinem Gesicht, dass er zutiefst erschrocken war. Die ganzen Jahre über muss er sich vor diesem einen Augenblick gefürchtet haben. Dem Augenblick, in dem klarwurde, dass all seine Unterdrückung nicht gefruchtet hatte. Dass er mich nicht in letzter Konsequenz hatte brechen können. Ich redete weiter. »Es ist nur natürlich, dass ich wegmuss. Du hättest dir das von Anfang an ausrechnen können. Einer von uns muss sterben, es gibt keinen anderen Ausweg mehr. Entweder du bringst mich um, oder du lässt mich frei.«

Priklopil schüttelte langsam den Kopf. »Das werde ich niemals tun, das weißt du genau«, sagte er leise.

Ich wartete darauf, dass in irgendeinem Teil meines Körpers gleich Schmerzen explodierten, und bereitete mich innerlich darauf vor. Niemals aufgeben. Niemals aufgeben. Ich werde mich nicht aufgeben. Als nichts passierte, er nur reglos vor mir stand, holte ich tief Luft und sagte den Satz, der alles veränderte: »Jetzt habe ich so viele Male versucht, mich selbst zu töten – dabei bin ich hier das Opfer. Es wäre eigentlich viel besser, du würdest dich töten. Du findest ohnehin keinen anderen Ausweg mehr. Wenn du dich umbringst, wären die ganzen Probleme auf einmal weg.«

In diesem Moment schien etwas in ihm kaputtzugehen. Ich sah die Verzweiflung in seinen Augen, als er sich stumm abwandte, und konnte sie kaum ertragen. Dieser Mann war ein Verbrecher – aber er war auch die einzige Person, die ich auf dieser Welt hatte. Wie im Zeitraffer sah ich einzelne Stationen der vergangenen Jahre an mir vorüberziehen. Ich schwankte und hörte mich sagen: »Mach dir keine Sorgen. Wenn ich weglaufe, werfe ich mich sofort vor einen Zug. Ich werde dich nie in Gefahr bringen.« Selbstmord erschien mir als die höchste Form der Freiheit, die Loslösung von allem, von einem Leben, das ohnehin längst zerstört war.

Ich hätte in diesem Moment tatsächlich gerne zurückgenommen, was ich gesagt hatte. Aber nun war es ausgesprochen: Ich würde bei erster Gelegenheit fliehen. Und einer von uns beiden würde das nicht überleben.

* * *

Drei Wochen später stand ich in der Küche und starrte auf den Kalender. Ich warf das abgerissene Blatt in den Müllkübel und wandte mich ab. Ich konnte es mir nicht leisten, lange zu sinnieren: Der Täter rief zur Arbeit. Am Vortag hatte ich ihm dabei helfen müssen, die Anzeigen für die Wohnung in der Hollergasse fertigzustellen. Priklopil hatte mir einen Stadtplan von Wien und ein Lineal gebracht. Ich vermaß den Weg von der Wohnung in der Hollergasse bis zur nächsten U-Bahn-Station, überprüfte den Maßstab und rechnete aus, wie viele Meter zu gehen waren. Danach rief er mich auf den Gang und befahl mir, zügig von einem Ende zum anderen zu gehen. Er stoppte die Zeit mit seiner Armbanduhr. Dann rechnete ich aus, wie lange man zu Fuß von der Wohnung zur U-Bahn und zur nächsten Busstation brauchen würde. Der Täter wollte in seiner Pedanterie auf die Sekunde genau angeben, wie weit die Wohnung von öffentlichen Verkehrsmitteln entfernt war. Als die Anzeige fertig war, rief er seinen Freund an, der sie ins Internet stellte. Er atmete tief durch und lächelte. »Jetzt wird alles leichter.« Unser Gespräch über Flucht und Tod schien er völlig vergessen zu haben.

Am späten Vormittag des 23. August 2006 gingen wir in den Garten. Die Nachbarn waren nicht da, und ich pflückte die letzten Erdbeeren im Beet vor der Ligusterhecke und sammelte die letzten Marillen auf, die um den Baum lagen. Anschließend putzte ich die Früchte in der Küche und stellte sie in den Kühlschrank. Der Täter begleitete mich auf Schritt und Tritt und ließ mich keinen Augenblick aus den Augen.

Gegen Mittag brachte er mich zum Gartenhäuschen im linken hinteren Bereich des Grundstücks, das durch einen Zaun von einem kleinen Weg abgetrennt war. Priklopil achtete penibel darauf, dass das Gartentor immer verschlossen war. Auch wenn er nur für einen kurzen Moment das Grundstück verließ, um draußen etwa die Fußmatten seines roten BMW auszuklopfen, schloss er ab. Zwischen dem Häuschen und dem Gartentor parkte der weiße Lieferwagen, der in den nächsten Tagen abgeholt werden sollte. Priklopil holte den Staubsauger, schloss ihn an und befahl mir, den Innenraum, die Sitzflächen und die Bodenmatten sorgfältig zu saugen. Ich war gerade mitten in der Arbeit, als sein Handy klingelte. Er machte einige Schritte vom Auto weg, schirmte sein Ohr mit der Hand ab und fragte zwei Mal: »Wie bitte?« Aus den kurzen Satzfetzen, die ich durch den Lärm des Staubsaugers hörte, schloss ich, dass ein Interessent für die Wohnung in der Leitung sein musste. Priklopil wirkte hocherfreut. Ins Gespräch vertieft, drehte er sich um und entfernte sich einige Meter Richtung Pool.

Ich war allein. Zum ersten Mal seit Beginn meiner Gefangenschaft hatte mich der Täter aus den Augen gelassen. Einen kurzen Moment lang stand ich erstarrt vor dem Auto, den Staubsauger in der Hand, und merkte, wie ein Gefühl der Lähmung meine Beine und Arme erfasste. Mein Brustkorb war wie von einem Eisenkorsett umschlossen. Ich konnte kaum atmen. Langsam sank meine Hand mit dem Staubsauger nach unten. Ungeordnete, wirre Bilder rasten durch meinen Kopf: Priklopil, wie er zurückkehrte und mich nicht vorfand. Wie er mich suchen und Amok laufen würde. Ein Zug, der heranschoss. Mein lebloser Körper. Sein lebloser Körper. Polizeiautos. Meine Mutter. Das Lächeln meiner Mutter.

Dann ging alles sehr schnell. In einem übermenschlichen Gewaltakt riss ich mich aus dem lähmenden Treibsand, der meine Beine immer fester umschloss. Die Stimme meines zweiten Ich hämmerte in meinem Kopf: Wenn du erst gestern entführt worden wärst, würdest du jetzt rennen. Du musst dich jetzt so benehmen, als würdest du den Täter nicht kennen. Er ist ein Fremder. Lauf. Lauf. Verdammt noch mal, lauf!

Ich ließ den Staubsauger fallen und stürzte zum Gartentor. Es war offen.

* * *

Ich zögerte einen Moment. Sollte ich nach links oder nach rechts? Wo waren Menschen? Wo war die Bahnlinie? Ich durfte jetzt nicht den Kopf verlieren, keine Angst haben, nicht umdrehen, einfach nur weg. Ich hastete den kleinen Weg entlang, bog in die Blaselgasse ein und lief auf die Siedlung zu, die sich durch die Parallelstraße zog – Schrebergärten, dazwischen kleine Häuschen, die auf den einstigen Parzellen errichtet worden waren. In meinen Ohren war ein einziges Rauschen, meine Lungen taten weh. Und ich war sicher, dass der Täter mit jeder Sekunde näher kam. Ich glaubte, seine Schritte zu hören, und fühlte seinen Blick auf meinem Rücken. Kurz bildete ich mir ein, seinen Atem in meinem Genick zu spüren. Aber ich drehte mich nicht um. Ich würde es früh genug merken, wenn er mich von hinten zu Boden riss, zurück zum Haus zerrte und umbrachte. Alles besser als zurück ins Verlies. Den Tod hatte ich ohnehin gewählt. Entweder durch den Zug oder durch ihn. Die Freiheit zu wählen, die Freiheit zu sterben. Es war wirres Zeug, das mir durch den Kopf schoss, während ich immer weiter hetzte. Erst als mir auf der Straße drei Menschen entgegenkamen, wusste ich, dass ich leben wollte. Und dass ich auch leben würde.

Ich stürzte auf sie zu und sprach sie japsend an: »Sie müssen mir helfen! Ich brauche ein Handy, um die Polizei zu rufen! Bitte!« Die drei starrten mich erstaunt an; ein alter Mann, ein Kind, vielleicht zwölf Jahre alt, und ein Dritter, vielleicht der Vater des Jungen. »Das geht nicht«, sagte er. Dann schlugen die drei einen Bogen um mich herum und gingen weiter. Der Ältere drehte sich noch einmal um: »Tut mir leid, ich habe mein Handy nicht dabei.« Tränen schossen mir in die Augen. Was war ich denn für die Welt da draußen noch? Ich hatte in ihr kein Leben, ich war eine Illegale, eine Person ohne Namen und ohne Geschichte. Was, wenn man mir meine Geschichte nicht glauben würde?

Ich stand zitternd auf dem Gehsteig, die Hand an einen Zaun gekrallt. Wohin? Ich musste von dieser Straße herunter. Priklopil hatte sicher schon bemerkt, dass ich weg war. Ich ging ein paar Schritte zurück, zog mich über einen niedrigen Zaun in einen der Gärten und klingelte am Haus. Aber nichts rührte sich, kein Mensch war zu sehen. Ich rannte weiter, stieg über Hecken und Beete von einem Garten zum anderen. Endlich sah ich durch ein offenes Fenster in einem der Siedlungshäuser eine ältere Frau. Ich klopfte gegen den Fensterrahmen und rief leise: »Bitte helfen Sie mir! Rufen Sie die Polizei! Ich bin ein Entführungsopfer, rufen Sie die Polizei!«

»Was machen Sie denn in meinem Garten? Was wollen Sie

hier?«, herrschte mich eine Stimme durch die Scheibe an. Sie musterte mich misstrauisch. »Bitte rufen Sie die Polizei für mich! Schnell!«, wiederholte ich atemlos. »Ich bin ein Entführungsopfer. Mein Name ist Natascha Kampusch … Bitte verlangen Sie die Wiener Polizei. Sagen Sie ihnen, es geht um einen Entführungsfall. Sie sollen bitte ohne Streifenwagen kommen. Ich bin Natascha Kampusch.«

»Warum kommen Sie damit ausgerechnet zu mir?«

Ich zuckte zusammen. Doch dann sah ich, dass sie einen Moment zögerte. »Warten Sie an der Hecke. Und treten Sie nicht auf meinen Rasen!«

Ich nickte stumm, als sie sich umwandte und aus meinem Blickfeld verschwand. Zum ersten Mal seit sieben Jahren hatte ich meinen Namen ausgesprochen. Ich war zurück.

* * *

Ich blieb an der Hecke stehen und wartete. Sekunde um Sekunde verging. Mein Herz schlug bis zum Hals. Ich wusste, dass Wolfgang Priklopil mich suchen würde, und hatte panische Angst davor, dass er völlig durchdrehen würde. Nach einer Weile sah ich hinter den Zäunen der Schrebergartensiedlung zwei Streifenwagen mit Blaulicht kommen. Entweder hatte die Dame meine Bitte um ein Zivilfahrzeug nicht weitergegeben oder die Polizei hatte sich nicht daran gehalten. Zwei junge Polizisten stiegen aus und betraten den kleinen Garten. »Bleiben Sie, wo Sie sind, und heben Sie die Arme!«, blaffte mich einer von ihnen an. So hatte ich mir meine erste Begegnung mit der neuen Freiheit nicht vorgestellt. Mit erhobenen Armen wie eine Verbrecherin an der Hecke stehend, erklärte ich der Polizei, wer ich war. »Mein Name ist Natascha Kampusch. Sie müssen von meinem Fall gehört haben. Ich wurde 1998 entführt.«

»Kampusch?«, antwortete einer der beiden Polizisten.

Ich hörte die Stimme des Täters: Niemand wird dich vermissen. Sie sind alle froh, dass du weg bist.

»Geburtsdatum? Meldeadresse?«

»17. Februar 1988, wohnhaft im Rennbahnweg 27, Stiege 38, 7. Stock, Tür 18.«

»Wann und von wem entführt?«

»1998. Ich wurde in einem Haus in der Heinestraße 60 festgehalten. Der Täter heißt Wolfgang Priklopil.«

Es hätte keinen größeren Kontrast geben können zwischen der nüchternen Faktenaufnahme und der Mischung aus Euphorie und Panik, die mich regelrecht schüttelte.

Die Stimme des Polizisten, der über Funk meine Aussagen überprüfen ließ, drang nur langsam in mein Ohr. Die Spannung zerriss mich innerlich fast. Ich war nur wenige Hundert Meter weit geflohen, das Haus des Täters war einen Katzensprung entfernt. Ich versuchte, gleichmäßig aus- und einzuatmen, um meine Angst in den Griff zu bekommen. Ich zweifelte keine Sekunde daran, dass es ein Leichtes für ihn sein würde, diese beiden jungen Polizisten aus dem Weg zu räumen. Ich stand wie festgefroren an der Hecke und lauschte angestrengt. Vogelgezwitscher, ein Auto in der Ferne. Doch mir kam es vor wie die Ruhe vor einem Sturm. Gleich würden die Schüsse fallen. Ich spannte meine Muskeln an. Ich war endlich gesprungen. Und endlich auf der anderen Seite angekommen. Ich war bereit, für meine neue Freiheit zu kämpfen.

* * *

** *E I L T*
Fall Natascha Kampusch: Frau behauptet, Vermisste zu sein
Polizei versucht, Identität zu klären

Wien (APA) – Eine überraschende Entwicklung gibt es im mehr als acht Jahre alten Fall der verschwundenen Natascha Kampusch: Eine junge Frau behauptet, sie sei das seit 2. März 1998 aus Wien vermisste Mädchen. Das Bundeskriminalamt hat Ermittlungen aufgenommen, um die Identität der Frau zu klären. »Wir wissen nicht, ob es sich um die Vermisste oder um eine verwirrte Frau handelt«, sagte Erich Zwettler vom Bundeskriminalamt der APA. Die Frau befand sich am Nachmittag auf der Polizeiinspektion Deutsch-Wagram in Niederösterreich.

(Forts.) 23. August 2006

Ich war keine verwirrte junge Frau. Für mich war es schmerzhaft, dass so etwas überhaupt in Erwägung gezogen wurde. Aber für die Polizei, die die Fahndungsfotos von einst, die ein kleines, pummeliges Schulkind zeigten, mit der abgemagerten jungen Frau, die vor ihnen stand, abgleichen musste, war es wohl eine naheliegende Möglichkeit.

Bevor wir zum Auto gingen, bat ich um eine Decke. Ich wollte nicht, dass mich der Täter sieht, den ich immer noch in der Nähe vermutete, oder dass irgendjemand die Szene filmte. Eine Decke gab es nicht, aber die Polizisten gewährten mir Sichtschutz.

Beim Auto angekommen, duckte ich mich tief in den Sitz. Als der Polizist den Motor anließ und sich der Wagen in Bewegung setzte, durchflutete mich eine Welle der Erleichterung. Ich hatte es geschafft. Ich war geflohen.

Auf der Polizeiinspektion in Deutsch-Wagram wurde ich empfangen wie ein verlorenes Kind. »Ich kann es nicht glauben, dass du hier bist! Dass du lebst!« Die Polizisten, die sich mit meinem Fall beschäftigt hatten, drängten sich um mich. Die meisten waren von meiner Identität überzeugt, nur ein oder zwei wollten einen DNA-Test abwarten. Sie erzählten mir, wie lange sie nach mir gesucht hatten. Dass Sonderkommissionen gebildet und von anderen wieder abgelöst worden waren. Ihre Worte rauschten links und rechts an mir vorbei. Ich war zwar hochkonzentriert, aber ich hatte so lange mit niemandem gesprochen, dass mich die vielen Menschen überforderten. Ich stand hilflos in ihrer Mitte, fühlte mich unendlich schwach und begann, in meinem dünnen Kleid zu zittern. Eine Polizeibeamtin gab mir eine Jacke. »Dir ist ja kalt, zieh das an«, sagte sie fürsorglich. Ich schloss sie sofort ins Herz.

Rückblickend wundert es mich, dass man mich damals nicht direkt an einen ruhigen Ort brachte und mit den Vernehmungen zumindest einen Tag wartete. Ich befand mich ja in einem völligen Ausnahmezustand. Achteinhalb Jahre lang hatte ich dem Täter geglaubt, dass Menschen sterben würden, wenn ich floh. Nun hatte ich genau das getan, nichts dergleichen war geschehen, trotzdem saß mir die Angst noch so im Nacken, dass ich mich selbst auf der Polizeistation nicht sicher und frei fühlte. Ich wusste auch nicht, wie ich mit dem ganzen Ansturm an Fragen und Anteilnahme umgehen sollte. Ich fühlte mich schutzlos. Heute denke ich, man hätte mich wohl unter behutsamer Betreuung ein bisschen ausruhen lassen sollen.

Damals hinterfragte ich den Rummel nicht, ohne Atempause, ohne einen Moment der Ruhe wurde ich nach der Feststellung meiner Personalien in ein Nebenzimmer geführt. Die freundliche Polizistin, die mir die Jacke zum Überziehen gegeben hatte, wurde mit meiner Vernehmung betraut. »Setz dich und erzähl in Ruhe«, sagte sie. Ich blickte mich unsicher in der Amtsstube um. Ein Raum mit vielen Akten und leicht abgestandener Luft, der geschäftige Effizienz ausstrahlte. Der erste Raum, in dem ich mich nach meiner Gefangenschaft länger aufhielt. Ich hatte mich auf diesen Moment so lange vorbereitet, trotzdem kam mir die ganze Situation unwirklich vor.

Die Polizistin fragte mich als Erstes, ob es in Ordnung sei, wenn sie mich duzte. Es wäre vielleicht einfacher, auch für mich. Aber ich wollte das nicht. Ich wollte nicht »die Natascha« sein, die man als Kind behandeln und herumschubsen konnte. Ich war geflohen, ich war erwachsen, und ich würde um eine angemessene Behandlung kämpfen.

Die Polizistin nickte, fragte zunächst kleine Belanglosigkeiten ab und ließ mir dann Brötchen kommen. »Essen Sie doch etwas, Sie sind ja ganz vom Fleisch gefallen«, redete sie mir zu. Ich hielt das Brötchen, das sie mir gereicht hatte, in der Hand und wusste nicht, wie ich mich verhalten sollte. Ich war so durcheinander, dass mir die Fürsorge, das gute Zureden, wie ein Befehl erschien, den ich nicht befolgen konnte. Ich war viel zu aufgeregt, um zu essen, und hatte viel zu lange gehungert. Ich wusste, dass ich schlimme Magenkrämpfe bekommen würde, wenn ich jetzt ein ganzes Brötchen verschlang. »Ich kann nichts essen«, flüsterte ich. Aber der Mechanismus, einer Aufforderung nachzukommen, griff. Wie ein Mäuschen knabberte ich an der Rinde des Brötchens herum. Es dauerte, bis meine Spannung etwas nachließ und ich mich auf das Gespräch konzentrieren konnte.

Die Polizistin weckte sofort Vertrauen in mir. Während mich die Männer in der Inspektion einschüchterten und ich ihnen mit größter Wachsamkeit begegnete, fühlte ich, dass ich mich bei einer Frau ein bisschen fallen lassen könnte. Ich hatte schon so lange keine Frau mehr gesehen, dass ich sie fasziniert musterte. Ihre dunklen Haare waren seitlich gescheitelt, eine helle Strähne lockerte sie auf. An ihrer Halskette baumelte ein herzförmiger Anhänger aus Gold, in ihren Ohren funkelten Ohrringe. Ich fühlte mich gut aufgehoben bei ihr.

Dann begann ich zu erzählen. Von Anfang an. Die Worte strömten geradezu aus mir heraus. Mit jedem Satz, den ich über meine Gefangenschaft äußerte, fiel etwas Gewicht von mir ab. Als würde es dem Grauen seinen Schrecken nehmen, wenn ich es in dieser nüchternen Amtsstube in Worte fasste und in ein Protokoll diktierte. Ich erzählte ihr, wie sehr ich mich nun auf ein selbstbestimmtes, erwachsenes Leben freute; dass ich eine eigene Wohnung wollte, einen Job, später eine eigene Familie. Schließlich hatte ich fast das Gefühl, eine Freundin gewonnen zu haben. Am Ende der Vernehmung schenkte mir die Polizistin ihre Uhr. Für mich war das ein Gefühl, als sei ich nun tatsächlich wieder Herrin über meine Zeit. Nicht länger fremdbestimmt, nicht länger abhängig von einer Zeitschaltuhr, die mir diktierte, wann es hell, wann es dunkel war.

»Bitte geben Sie keine Interviews«, bat ich sie, als sie sich verabschiedete, »aber wenn Sie doch mit den Medien über mich sprechen, sagen Sie doch bitte etwas Nettes über mich.«

Sie lachte: »Ich verspreche Ihnen, dass ich keine Interviews gebe – wer sollte mich schon fragen!«

Die junge Polizistin, der ich mein Leben anvertraut hatte, hielt ihr Wort nur wenige Stunden lang. Schon am nächsten Tag war sie dem Druck der Medien nicht mehr gewachsen und plauderte im Fernsehen Details meiner Vernehmung aus. Später entschuldigte sie sich dafür bei mir. Es tat ihr furchtbar leid, aber wie alle war sie mit der Situation überfordert.

Auch ihre Polizeikollegen in Deutsch-Wagram gingen mit einer bemerkenswerten Naivität an die Sache heran. Niemand war auf den Rummel vorbereitet, den das Durchsickern der Nachricht meiner Selbstbefreiung auslöste. Während ich nach der ersten Vernehmung den Plan abarbeitete, den ich seit Monaten für diesen Tag geschmiedet hatte, gab es in der Polizeistation kein Konzept, das man aus der Schublade hätte holen können. »Bitte informieren Sie nicht die Presse«, wiederholte ich immer wieder. Aber sie lachten nur: »Hier kommt doch keine Presse her.« Doch sie täuschten sich gewaltig. Als ich am Nachmittag in die Polizeidirektion nach Wien gebracht werden sollte, war das Haus schon umstellt. Ich war zum Glück geistesgegenwärtig genug, um eine Decke zu bitten und sie mir über den Kopf zu legen, bevor ich aus der Polizeiinspektion trat. Aber selbst darunter konnte ich das Blitzlichtgewitter erahnen. »Natascha! Natascha!«, hörte ich von allen Seiten rufen. Von zwei Polizisten gestützt, stolperte ich, so schnell es ging, auf das Auto zu. Das Foto meiner weißen, fleckigen Beine unter der blauen Decke, die nur einen Streifen meines orangen Kleides freigab, ging um die ganze Welt.

Auf der Fahrt nach Wien erfuhr ich, dass die Fahndung nach Wolfgang Priklopil auf Hochtouren lief. Man hatte das Haus durchsucht, aber niemanden vorgefunden. »Es ist eine Großfahndung eingeleitet«, erklärte mir einer der Polizisten. »Wir haben ihn noch nicht, aber jeder Beamte, der Beine hat, ist mit diesem Auftrag beschäftigt. Der Täter kann sich nirgendwohin absetzen, schon gar nicht ins Ausland. Wir werden ihn fassen.« Von diesem Moment an wartete ich auf die Nachricht, dass Wolfgang Priklopil sich umgebracht hatte. Ich hatte eine Bombe gezündet. Die Zündschnur brannte, und es gab keine Möglichkeit, sie zu löschen. Ich hatte das Leben gewählt. Für den Täter blieb nur der Tod.

* * *

Ich erkannte meine Mutter sofort, als sie die Polizeidirektion Wien betrat. 3096 Tage waren seit dem Morgen vergangen, an dem ich grußlos die Wohnung am Rennbahnweg verlassen hatte. Achteinhalb Jahre, in denen es mir das Herz zerrissen hatte, dass ich mich nie entschuldigen konnte. Eine ganze Jugend ohne Familie. Acht Weihnachten, alle Geburtstage vom elften bis zum achtzehnten, unzählige Abende, an denen ich mir ein Wort von ihr, eine Berührung gewünscht hatte. Jetzt stand sie vor mir, fast unverändert, wie ein Traum, der sich ganz plötzlich in der Realität materialisiert. Sie schluchzte laut auf und lachte und weinte zugleich, als sie durch das Zimmer auf mich zulief und mich umarmte. »Mein Kind! Mein Kind, dass du wieder da bist! Ich habe immer gewusst, dass du wiederkommst!« Ich atmete tief ihren Duft ein. »Dass du wieder da bist«, flüsterte meine Mutter, immer wieder. »Natascha – du bist wieder da.« Wir umarmten uns, hielten uns lange fest. Der enge Körperkontakt war so ungewohnt, dass mir schwindlig wurde von so viel Nähe.

Meine beiden Schwestern hatten gleich hinter ihr die Inspektion betreten, auch sie brachen in Tränen aus, als wir uns in die Arme fielen. Wenig später kam auch mein Vater. Er stürzte auf mich zu, starrte mich ungläubig an und suchte als Erstes die Narbe, die ich mir nach einer Verletzung als Kind zugezogen hatte. Dann nahm er mich in die Arme, hob mich hoch und schluchzte auf: »Natascha! Du bist es wirklich!« Der große, starke Ludwig Koch weinte wie ein kleines Kind, und ich weinte mit.

»Ich hab dich lieb«, flüsterte ich, als er viel zu schnell gehen musste – wie die vielen Male, wenn er mich nach einem Wochenende wieder zu Hause absetzte.

Es ist eigenartig, wie belanglos die Fragen sind, die man nach so langer Zeit hat: »Leben die Katzen noch? Bis du noch mit deinem Freund zusammen? Wie jung du aussiehst! Wie erwachsen du bist!« Als müsste man sich erst langsam wieder an den anderen herantasten. Als würde man ein Gespräch mit einem Fremden führen, dem man – aus Höflichkeit oder weil man keine anderen Themen hat – nicht zu nahe treten möchte. Für mich selbst war das eine ungeheuer schwierige Situation. Ich hatte die letzten Jahre nur überstanden, weil ich mich in mich selbst zurückgezogen habe. Ich konnte den Schalter nicht so schnell umlegen und fühlte bei aller physischen Nähe eine unsichtbare Wand zwischen mir und meiner Familie. Wie unter einem Glassturz sah ich sie lachen und weinen, während meine Tränen versiegten. Ich hatte zu lange in einem Alptraum gelebt, mein psychisches Gefängnis war noch da und stand zwischen mir und meiner Familie. In meiner Wahrnehmung sahen alle genauso aus wie vor acht Jahren, während ich vom Schulkind zu einer erwachsenen Frau geworden war. Ich fühlte mich, als wären wir Gefangene unterschiedlicher Zeitblasen, die sich kurz berührt hatten und nun mit rasender Geschwindigkeit auseinanderdrifteten. Ich wusste nicht, wie sie die letzten Jahre verbracht hatten, was in ihrer Welt passiert war. Aber ich wusste, dass es für das, was ich erlebt hatte, keine Worte gab – und dass ich die Gefühle, die mich innerlich überrollten, nicht zeigen konnte. Ich hatte sie so lange weggesperrt, dass ich die Tür zu diesem, meinem eigenen emotionalen Verlies nicht so einfach aufreißen konnte.

Die Welt, in die ich zurückkehrte, war nicht mehr die, die ich verlassen hatte. Und auch ich war nicht mehr die Gleiche. Es würde nichts mehr sein wie vorher – niemals. Das wurde mir spätestens klar, als ich meiner Mutter eine Frage stellte: »Wie geht es Großmutter?« Meine Mutter blickte betreten zu Boden: »Sie ist vor zwei Jahren gestorben. Es tut mir sehr leid.« Ich schluckte und verstaute die traurige Nachricht sofort weit unter dem dicken Panzer, den ich mir in der Gefangenschaft zugelegt hatte. Meine Großmutter. Erinnerungsfetzen wirbelten durch meinen Kopf. Der Geruch nach Franzbranntwein und Christbaumkerzen. Ihre Schürze, das Gefühl von Nähe, das Wissen, dass der Gedanke an sie mich durch so viele Nächte im Verlies gebracht hatte.

* * *

Nachdem meine Eltern ihre »Aufgabe« erfüllt und mich identifiziert hatten, wurden sie hinausgeleitet. Meine Aufgabe war es nun, dem Apparat zur Verfügung zu stehen. Es gab noch immer keinen Moment der Ruhe für mich.

Die Polizei organisierte eine Psychologin, die mich in den nächsten Tagen unterstützen sollte. Ich wurde wieder und wieder befragt, wie man den Täter dazu bringen könnte, sich zu stellen. Ich wusste keine Antwort. Ich war sicher, dass er sich umbringen würde, doch ich hatte keine Ahnung, wie und wo. In Strasshof, hörte ich nebenbei, wurde das Haus gerade auf Sprengstoff überprüft. Am späten Nachmittag entdeckte die Polizei mein Verlies. Während ich in der Amtsstube saß, durchwühlten Spezialisten in weißen Anzügen den Raum, der acht Jahre lang mein Gefängnis und mein Rückzugsraum gewesen war. Noch vor wenigen Stunden war ich dort aufgewacht.

Am Abend wurde ich mit einem Zivilfahrzeug in ein Hotel ins Burgenland gebracht. Nachdem die Fahndung der Wiener Polizei nach mir ins Leere gelaufen war, hatte später eine burgenländische Sonderkommission meinen Fall übernommen. In ihre Obhut wurde ich nun überstellt. Es war längst Nacht, als wir im Hotel ankamen. Begleitet von der Polizeipsychologin führten mich die Beamten in ein Zimmer mit einem Doppelbett und einem Badezimmer. Das ganze Stockwerk war geräumt worden und wurde nun von bewaffneten Beamten überwacht. Man fürchtete die Rache des Täters, der immer noch verschwunden war.

Die erste Nacht in Freiheit verbrachte ich mit einer unablässig redenden Polizeipsychologin, deren Sätze in einem ständigen Strom über mich hinwegplätscherten. Wieder war ich von der Außenwelt abgeschnitten – zu meinem Schutz, wie die Polizei beteuerte. Sie wird damit recht gehabt haben, doch ich selbst drehte in diesem Zimmer fast durch. Ich fühlte mich eingesperrt und hatte nur einen einzigen Wunsch: Radio hören. Erfahren, was mit Wolfgang Priklopil geschehen war. »Glauben Sie mir, das ist nicht gut für Sie«, wimmelte mich die Psychologin wieder und wieder ab. Ich rotierte innerlich, aber ich fügte mich ihrer Anweisung. Spätnachts nahm ich ein Wannenbad. Ich sank ins Wasser und versuchte mich zu entspannen. Ich konnte an zwei Händen abzählen, wie oft ich in den Jahren meiner Gefangenschaft ein Bad nehmen durfte. Nun konnte ich es mir selbst einlassen und so viel Badezusatz hineingießen, wie ich wollte. Doch genießen konnte ich es nicht. Irgendwo da draußen war der Mann, der achteinhalb Jahre lang der einzige Mensch in meinem Leben gewesen war, auf der Suche nach einer Möglichkeit, sich umzubringen.

Ich erfuhr die Nachricht am nächsten Tag im Polizeiauto, das mich nach Wien zurückbrachte. »Gibt es Neuigkeiten über den Täter?«, war meine erste Frage, als ich ins Auto stieg.

»Ja«, sagte der Polizist vorsichtig. »Der Täter lebt nicht mehr. Er hat sich selbst gerichtet und um 20.59 Uhr beim Nordbahnhof in Wien vor einen Zug geworfen.«

Ich hob den Kopf und sah zum Fenster hinaus. Draußen zog die flache, sommerliche Landschaft des Burgenlands an der Autobahn vorbei. Ein Schwarm Vögel stieg aus einem Feld auf. Die Sonne stand schräg am Himmel und tauchte die spätsommerlichen Wiesen in warmes Licht. Ich atmete tief ein und streckte die Arme aus. Ein Gefühl der Wärme und Sicherheit durchflutete meinen Körper, ausgehend vom Bauch bis in die Zehen- und Fingerspitzen. Mein Kopf wurde leicht. Wolfgang Přiklopil war nicht mehr. Es war vorbei.

Ich war frei.

Epilog

You don't own me
I'm not just one of your many toys
You don't own me

(aus dem Lied *You Don't Own Me,*
geschrieben von John Mandara and David White,
gesungen von Lesley Gore)

DIE ERSTEN TAGE meines neuen Lebens in Freiheit verbrachte
ich im Allgemeinen Krankenhaus Wien auf der kinder- und ju-
gendpsychiatrischen Station. Es war ein langsamer, behutsamer
Einstieg in das normale Leben – und auch ein Vorgeschmack
auf das, was mich erwartete. Ich war bestens betreut, aber auf
einer geschlossenen Station untergebracht, die ich nicht verlassen durfte. Von der Außenwelt abgeschnitten, in die ich mich
gerade erst gerettet hatte, unterhielt ich mich im Aufenthalts-
raum mit magersüchtigen jungen Mädchen und Kindern, die
sich selbst verletzten. Draußen, vor den schützenden Mauern,
tobte ein Mediensturm. Fotografen kletterten in die Bäume,
um das erste Bild von mir zu erhaschen. Reporter versuchten,
sich als Krankenpfleger verkleidet ins Spital einzuschleusen.

Meine Eltern wurden mit Interviewanfragen überhäuft. Mein Fall war der erste, sagen Medienwissenschaftler, bei dem die sonst eher zurückhaltenden österreichischen und deutschen Medien alle Schranken fallen ließen. In den Zeitungen erschienen Fotos meines Verlieses. Die Betontüre stand weit offen. Meine kostbaren, wenigen Besitztümer, meine Tagebücher und die paar Kleider – lieblos durcheinandergeworfen von Männern in weißen Schutzanzügen. Gelbe Schilder mit Nummern prangten auf meinem Schreibtisch und an meinem Bett. Ich musste zusehen, wie mein kleines, so lange eingeschlossenes Privatleben auf den Titelseiten landete. Alles, was ich selbst vor dem Täter noch verbergen hatte können, wurde nun in die Öffentlichkeit gezerrt, die sich ihre eigene Wahrheit zurechtlegte.

Zwei Wochen nach meiner Selbstbefreiung entschloss ich mich, den Spekulationen ein Ende zu setzen und meine Geschichte selbst zu erzählen. Ich gab drei Interviews: dem Österreichischen Fernsehen, der größten Tageszeitung des Landes, der *Kronenzeitung*, und dem Magazin *News*.

Vor diesem Schritt an die Öffentlichkeit hatte ich von vielen Seiten den Rat bekommen, meinen Namen zu wechseln und unterzutauchen. Man sagte mir, dass ich sonst niemals eine Chance auf ein normales Leben haben würde. Aber was ist das für ein Leben, in dem man sein Gesicht nicht zeigen kann, seine Familie nicht sehen darf und seinen Namen verleugnen muss? Was wäre das für ein Leben, gerade für jemanden wie mich, der all die Zeit in der Gefangenschaft darum gekämpft hat, sich nicht zu verlieren? Trotz all der Gewalt, der Isolation, der Dunkelhaft und all der anderen Qualen war ich Natascha Kampusch geblieben. Niemals würde ich jetzt, nach meiner Befreiung, dieses wichtigste Gut aufgeben: meine Identität. Ich trat mit meinem vollen Namen und mit unverhülltem Gesicht vor die Kameras und gab auch Einblicke in die Zeit der Gefangenschaft. Aber trotz meiner Offenheit ließen die Medien nicht locker, eine Schlagzeile jagte die nächste, immer abenteuerlichere Mutmaßungen bestimmten die Berichterstattung. Es schien, als würde die grausame Wahrheit allein noch nicht grausam genug sein, als müsse man sie über ein erträgliches Maß hinaus ausschmücken und mir damit die Deutungshoheit über das Erlebte entziehen. Das Haus, in dem ich so viele Jahre meines Lebens zwangsverbringen musste, wurde von Schaulustigen umlagert, jeder wollte den Schauer des Grauens spüren. Für mich war es eine absolute Horrorvorstellung, dass ein perverser Bewunderer des Verbrechers dieses Haus kaufen könnte. Eine Wallfahrtsstätte für jene, die ihre dunkelsten Phantasien darin verwirklicht sahen. Deshalb sorgte ich dafür, dass es nicht verkauft wurde, sondern mir als »Schadenersatz« zugesprochen wurde. Damit hatte ich einen Teil meiner Geschichte zurückerobert und unter Kontrolle.

Die Welle der Anteilnahme war in diesen ersten Wochen überwältigend. Ich bekam Tausende Briefe von wildfremden Menschen, die sich mit mir über meine Befreiung freuten. Nach ein paar Wochen zog ich in ein Schwesternheim beim Krankenhaus, nach wenigen Monaten in meine eigene Wohnung. Man fragte mich, warum ich nicht wieder bei meiner Mutter wohnte. Doch schon die Frage erschien mir so seltsam, dass mir gar keine Antwort darauf einfiel. Es war ja mein Plan gewesen, mit 18 Jahren selbständig zu sein, der mich all diese Jahre aufrecht gehalten hatte. Nun wollte ich das auch umsetzen, auf eigenen Füßen stehen und endlich mein Leben in Angriff nehmen. Ich hatte das Gefühl, dass mir die ganze Welt offenstand: Ich war frei und ich konnte alles tun. Alles. Eis essen gehen an einem sonnigen Nachmittag, tanzen, meine Schulausbildung wieder aufnehmen. Ich spazierte staunend durch diese große, bunte, laute Welt, die mich einschüchterte und euphorisierte, und sog gierig jedes kleinste Detail auf. Es gab vieles, was ich nach der langen Isolation noch nicht verstand. Ich musste erst lernen, wie die Welt funktioniert, wie Jugendliche miteinander umgehen, welche Codes sie verwenden, welche Gesten und was sie mit ihrer Kleidung ausdrücken wollen. Ich genoss die Freiheit und lernte, lernte, lernte. Ich hatte meine ganze Jugend verloren und so unendlich viel nachzuholen.

Erst langsam merkte ich, dass ich in ein neues Gefängnis gerutscht war. Schleichend wurden die Mauern sichtbar, die das Verlies ersetzten. Es sind subtilere Mauern, gebaut aus einem überbordenden öffentlichen Interesse, das jeden meiner Schritte bewertet und es mir unmöglich macht, wie andere Menschen die U-Bahn zu nehmen oder in Ruhe einkaufen zu gehen. In den ersten Monaten nach meiner Selbstbefreiung organisierte ein Stab von Beratern mein Leben für mich und ließ mir kaum Freiraum, um zu überlegen, was ich nun eigentlich machen wollte. Ich hatte geglaubt, mit meinem Schritt an die Öffentlichkeit meine Geschichte zurückerobern zu können. Erst mit der Zeit begriff ich, dass das gar nicht gelingen konnte. Es ging dieser Welt, die sich um mich riss, nicht wirklich um mich. Ich war durch ein schreckliches Verbrechen zu einer bekannten Person geworden. Der Täter war tot – es gab keinen Fall Priklopil. Ich war der Fall: der Fall Natascha Kampusch.

Die Anteilnahme, die einem Opfer entgegengebracht wird, ist trügerisch. Man liebt das Opfer nur, wenn man sich ihm überlegen fühlen kann. Schon mit der ersten Flut von Briefen erreichten mich auch Dutzende Schreiben, die ein mulmiges Gefühl in mir auslösten. Da waren die vielen Stalker, die Liebesbriefe, Heiratsanträge und die anonymen, perversen Briefe. Aber auch die Hilfsangebote zeigten, worum es vielen im Innern ging. Es ist ein menschlicher Mechanismus, dass man sich besser fühlt, wenn man einem Schwächeren, einem Opfer, helfen kann. Das funktioniert, solange die Rollen klar verteilt sind. Dankbarkeit gegenüber dem Gebenden ist etwas Schönes; nur wenn sie missbraucht wird, um den anderen nicht zur Entfaltung kommen zu lassen, bekommt das Ganze einen schalen Beigeschmack. »Sie können bei mir wohnen und mir im Haushalt helfen, ich biete dafür Kostgeld und Logis an. Ich bin zwar verheiratet, aber wir werden uns schon arrangieren«, schrieb ein Mann. »Sie können bei mir arbeiten, damit Sie putzen und kochen lernen«, so eine Frau, der diese »Gegenleistung« völlig ausreichend schien. Ich hatte in den vergangenen Jahren wahrlich genug geputzt. Nicht, dass man mich falsch versteht. Ich freute mich zutiefst über jede ehrliche Anteilnahme und jedes ehrliche Interesse an meiner Person. Aber es wird dann schwierig, wenn meine Persönlichkeit auf ein hilfsbedürftiges, gebrochenes Mädchen reduziert wird. Das ist eine Rolle, in die ich mich nicht gefügt habe und die ich auch in Zukunft nicht annehmen möchte.

Ich hatte all dem seelischen Müll und den dunklen Phantasien Wolfgang Priklopils getrotzt, mich nicht brechen lassen. Nun war ich draußen, und man wollte genau das sehen: einen gebrochenen Menschen, der nie mehr aufstehen wird, der immer auf die Hilfe anderer angewiesen sein wird. Doch in dem Moment, in dem ich mich weigerte, dieses Kainsmal für den Rest meines Lebens zu tragen, kippte die Stimmung.

Missbilligend nahmen die hilfsbereiten Menschen, die mir ihre alten Kleider geschickt und eine Putzstelle in ihren Wohnungen angeboten hatten, zur Kenntnis, dass ich nach meinen Regeln leben wollte. Schnell machte die Runde, dass ich undankbar sei, und sicher aus allem Kapital schlagen wollte. Man fand es eigenartig, dass ich mir eine Wohnung leisten konnte, die Mär von horrenden Interviewsummen machte die Runde. Schleichend schlug die Anteilnahme in Missgunst und Neid um – und manchmal sogar in offenen Hass.

Am wenigsten verzieh man mir, dass ich den Täter nicht so verurteilte, wie es die Öffentlichkeit erwartete. Man wollte von mir nicht hören, dass es kein absolutes Böses gibt, kein klares Schwarz und Weiß. Sicher, der Täter hatte mir meine Jugend genommen, mich eingesperrt und gequält – doch er war die entscheidenden Jahre zwischen meinem elften und meinem 19. Lebensjahr auch meine einzige Bezugsperson gewesen. Ich hatte mich durch meine Flucht nicht nur von meinem Peiniger befreit, ich habe auch einen Menschen verloren, der mir zwangsläufig nah war. Aber Trauer, auch wenn sie schwer nachvollziehbar sein mag, gestand man mir nicht zu. Sobald ich begann, ein etwas differenzierteres Bild vom Täter zu zeichnen, verdrehte man die Augen und sah weg. Es berührt die Menschen unangenehm, wenn ihre Kategorien von Gut und Böse ins Wanken geraten und sie damit konfrontiert werden, dass auch das personifizierte Böse ein menschliches Antlitz hat. Seine dunkle Seite ist nicht einfach so vom Himmel gefallen, niemand kommt als Monster auf die Welt. Wir alle werden durch unseren Kontakt mit der Welt, mit anderen Menschen zu dem, was wir sind. Und damit tragen wir alle letztlich auch eine Verantwortung für das, was in unseren Familien, in unserem Umfeld passiert. Sich das einzugestehen ist nicht leicht. Es ist ungleich schwieriger, wenn einem jemand den Spiegel vorhält, der dafür nicht vorgesehen ist. Ich habe mit meinen Äußerungen einen wunden Punkt getroffen und mit meinen Versuchen, dem Menschen hinter der Fassade des Peinigers und Saubermannes nachzuspüren, Unverständnis geerntet. Ich habe mich nach meiner Befreiung sogar mit Wolfgang Priklopils Freund Holzapfel getroffen, um über den Täter sprechen zu können. Weil ich verstehen wollte, warum er zu dem geworden war, der mir das angetan hatte. Doch ich brach diese Versuche schnell ab. Man gestand mir diese Form der Aufarbeitung nicht zu und verbrämte sie mit dem Begriff Stockholm-Syndrom.

Auch die Behörden änderten ihr Verhalten mir gegenüber nach und nach. Ich bekam den Eindruck, dass sie es mir in gewisser Weise übelnahmen, dass ich mich selbst befreit hatte. Sie waren in diesem Fall nicht die Retter, sondern diejenigen, die all die Jahre versagt hatten. Der schwelende Frust, den das bei den Verantwortlichen wohl ausgelöst hat, schwappte im Jahr 2008 an die Oberfläche. Herwig Haidinger, der ehemalige Direktor des Bundeskriminalamtes, deckte auf, dass Politik und Polizei ihre Ermittlungspannen in meinem Fall nach meiner Selbstbefreiung aktiv vertuscht haben. Er veröffentlichte den Hinweis jenes Hundeführers, der schon sechs Wochen nach meiner Entführung auf Wolfgang Priklopil als Täter gedeutet hatte – und dem die Polizei nicht nachgegangen war, obwohl sie sonst auf der Suche nach mir jeden Strohhalm ergriffen hatte.

Die Sonderkommissionen, die später meinen Fall übernahmen, wussten von diesem entscheidenden Hinweis nichts. Die Akte war »verschlampt« worden. Erst Herwig Haidinger war auf sie gestoßen, als er nach meiner Selbstbefreiung sämtliche Akten durchsah. Er machte die Innenministerin umgehend auf die Panne aufmerksam. Doch diese wollte so kurz vor den Wahlen im Herbst 2006 keinen Polizeiskandal und erteilte ihm die Weisung, die Nachforschungen ruhen zu lassen. Erst 2008, nach seiner Abberufung, deckte Haidinger diese Intervention auf und veröffentlichte über den Parlamentarier Peter Pilz folgende E-Mail, die er am 26. September 2006, einen Monat nach meiner Flucht, verfasst hatte:

»Sehr geehrter Herr Brigadier! Inhalt der ersten Weisung an mich war, dass keine Erhebungen zum zweiten Hinweis (Stichwort: Hundeführer aus Wien) gemacht werden dürfen. Dem Willen der Ressortleitung folgend habe ich mich – wenn auch unter Protest – an diese Weisung gehalten. Inhalt dieser Weisung war auch eine zweite Komponente: nämlich bis zu den Nationalratswahlen damit zuzuwarten. Dieser Termin ist mit kommendem Sonntag erreicht.« Doch auch nach den Wahlen wagte niemand, an der Sache zu rühren, sämtliche Informationen wurden weiter gedeckelt.

Als Haidinger damit 2008 an die Öffentlichkeit ging, lösten seine Aussagen fast eine Staatskrise aus. Eine neue Ermittlungskommission wurde ins Leben gerufen. Doch seltsamerweise richtete sie ihre Bemühungen nicht darauf, die Schlampereien zu untersuchen, sondern stellte meine Aussagen in Frage. Man fahndete nun erneut nach Mittätern und warf mir vor, sie zu decken – mir, die ich immer nur einem Menschen ausgeliefert war und gar nichts wissen konnte von dem, was rundherum noch geschehen war. Noch während der Arbeit an diesem Buch bin ich stundenlang vernommen worden. Man behandelte mich nun nicht länger wie ein Opfer – sondern unterstellte mir, dass ich entscheidende Details verheimlichte, und spekulierte öffentlich darüber, dass ich von Mittätern erpresst wurde. Es scheint für die Behörden einfacher zu sein, an die große Verschwörung hinter so einem Verbrechen zu glauben, als zuzugeben, dass sie die ganze Zeit einen harmlos wirkenden Einzeltäter übersehen hatten. Die neuen Ermittlungen wurden ohne Ergebnis eingestellt. Im Jahr 2010 wurde der Fall geschlossen. Die Erkenntnis der Behörden: Es gab keine Mittäter. Wolfgang Priklopil hatte allein gehandelt. Ich war erleichtert über diesen Abschluss.

Jetzt, vier Jahre nach meiner Selbstbefreiung, kann ich aufatmen und mich dem schwersten Kapitel der Aufarbeitung widmen: selbst mit dem Vergangenen abzuschließen und nach vorne zu sehen. Ich sehe nun wieder, dass nur wenige Menschen, meist anonym, aggressiv auf mich reagieren. Die Mehrheit der Menschen, die ich treffe, unterstützt mich auf meinem Weg. Langsam und vorsichtig setze ich einen Schritt nach dem nächsten und lerne, wieder zu vertrauen.

Ich habe in diesen vier Jahren meine Familie neu kennengelernt und wieder zu einem liebevollen Verhältnis mit meiner Mutter gefunden. Ich habe meinen Hauptschulabschluss nachgeholt und lerne nun Sprachen. Die Gefangenschaft wird mich mein Leben lang beschäftigen, aber ich habe langsam das Gefühl, dass ich davon nicht mehr bestimmt werde. Sie ist ein Teil von mir, aber sie ist nicht alles. Es gibt noch so viele andere Facetten des Lebens, die ich erleben möchte.

Mit diesem Buch habe ich versucht, das bisher längste und dunkelste Kapitel meines Lebens abzuschließen. Ich bin zutiefst erleichtert, dass ich für all das Unaussprechliche, Widersprüchliche, Worte gefunden habe. Sie gedruckt vor mir zu sehen hilft mir dabei, mit Zuversicht nach vorne zu blicken. Denn das, was ich erlebt habe, gibt mir auch Stärke: Ich habe die Gefangenschaft im Verlies überlebt, mich selbst befreit und bin aufrecht geblieben. Ich weiß, dass ich auch das Leben in Freiheit meistern kann. Und diese Freiheit beginnt erst jetzt, vier Jahre nach dem 23. August 2006. Erst jetzt kann ich mit diesen Zeilen einen Schlussstrich ziehen und wirklich sagen: Ich bin frei.

Besuchen Sie die Website von Natascha Kampusch

www.natascha-kampusch.at

und ihre Mobile-Site auf dem Handy oder Smartphone:

Marlen Haushofer
DIE WAND
Roman

Verfilmt mit

Martina Gedeck

ISBN 978-3-548-61066-5

»Verdutzt streckte ich die Hand aus und berührte etwas Glattes und Kühles: einen glatten, kühlen Widerstand an einer Stelle, an der doch gar nichts sein konnte als Luft. Zögernd versuchte ich es noch einmal, und wieder ruhte meine Hand wie auf der Scheibe eines Fensters. Dann hörte ich lautes Pochen, sah um mich und begriff, daß es mein Herzschlag war, der mir in den Ohren dröhnte. Mein Herz hatte sich schon gefürchtet, ehe ich es wußte.«

»Wenn mich jemand nach den wichtigsten Büchern fragen würde, gehörte dieses auf jeden Fall dazu.« *Elke Heidenreich*

List

www.list-taschenbuch.de

L499